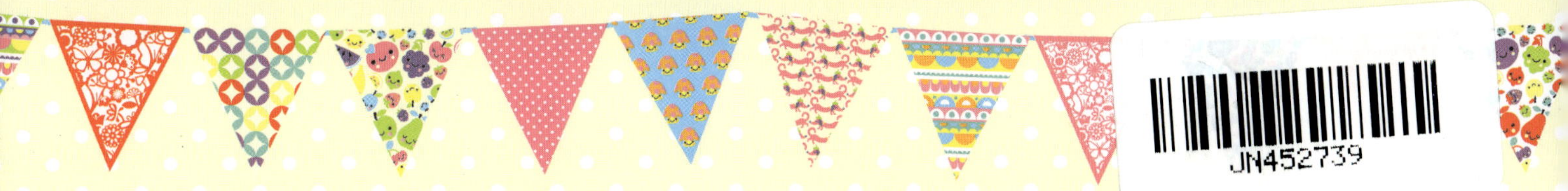
JN452739

Usborne

Decorations

종이로 쉽게 만드는 홈 파티 장식

에이미 블레이 그림 | 해나 아메드 디자인

종이접기 피오나 와트 글 | 크리스 애로스미스, 논 피그 그림

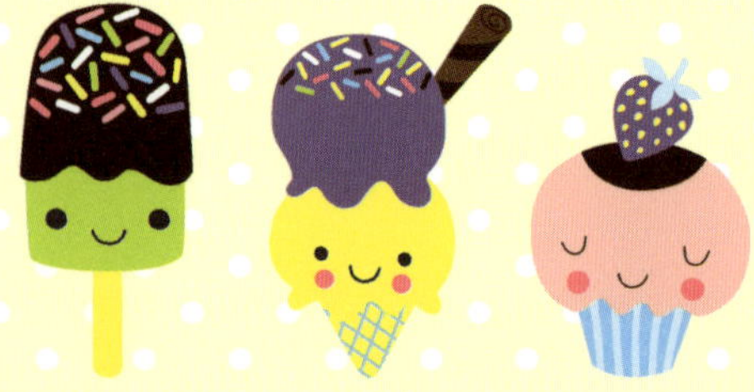

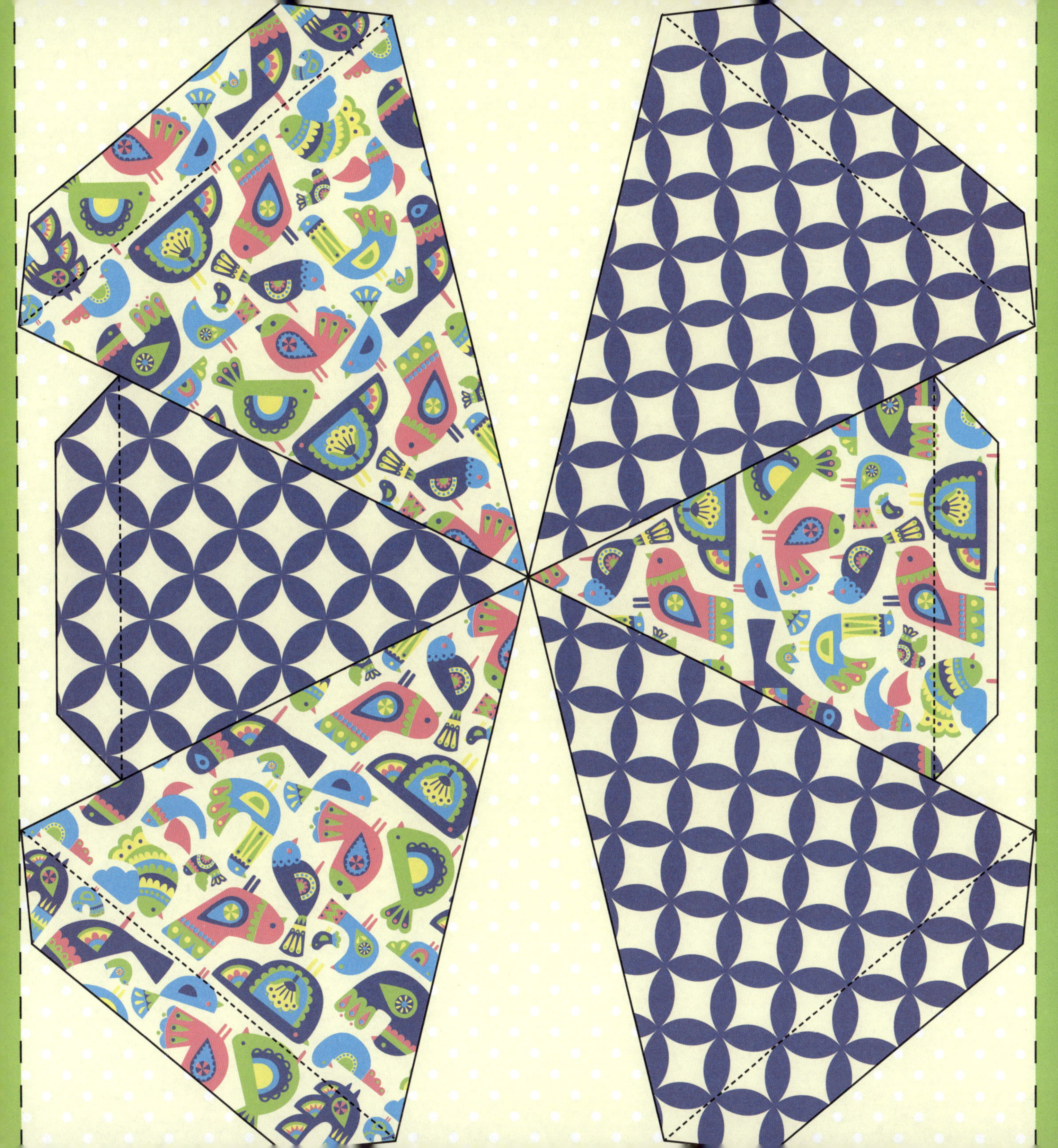

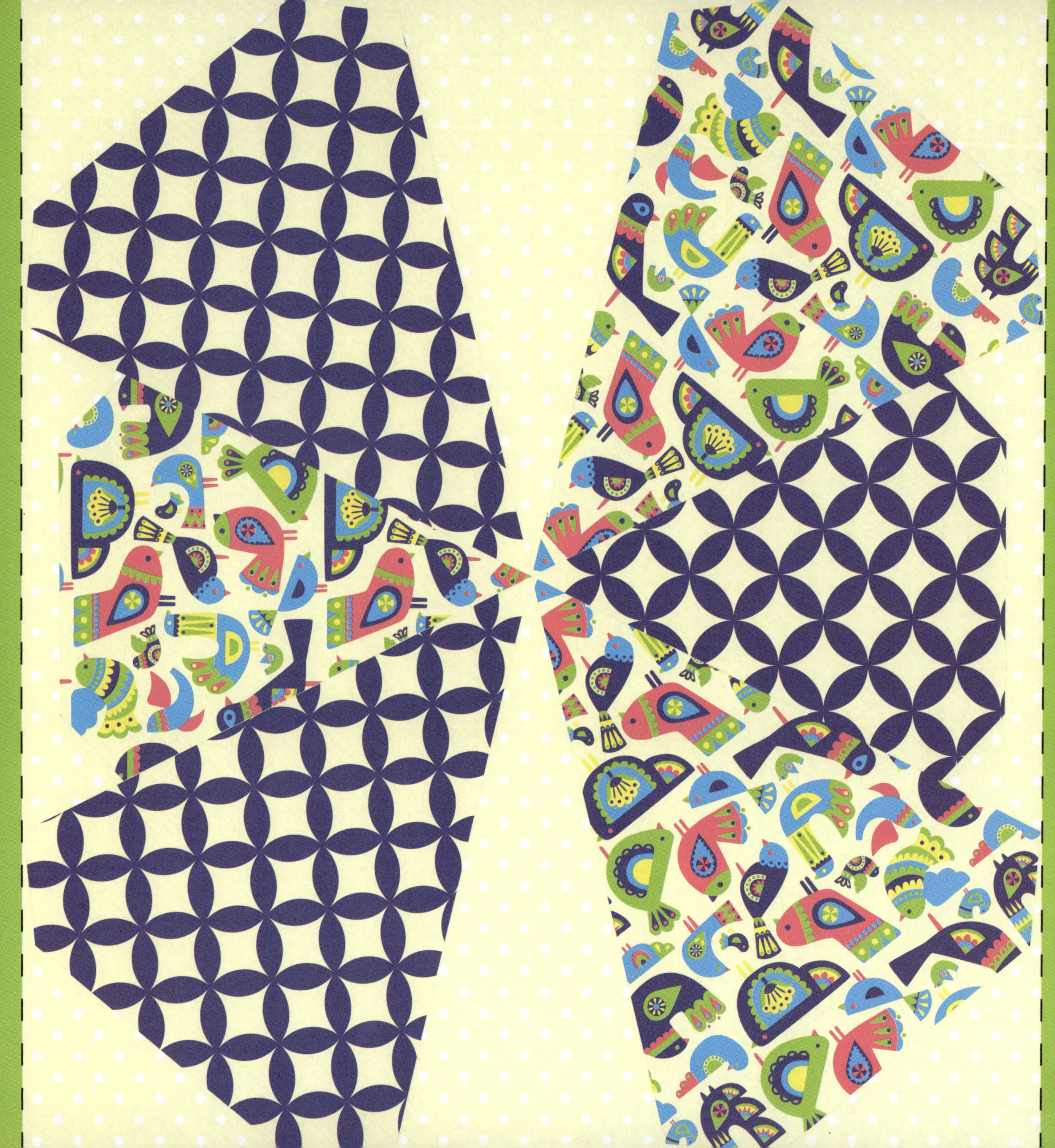

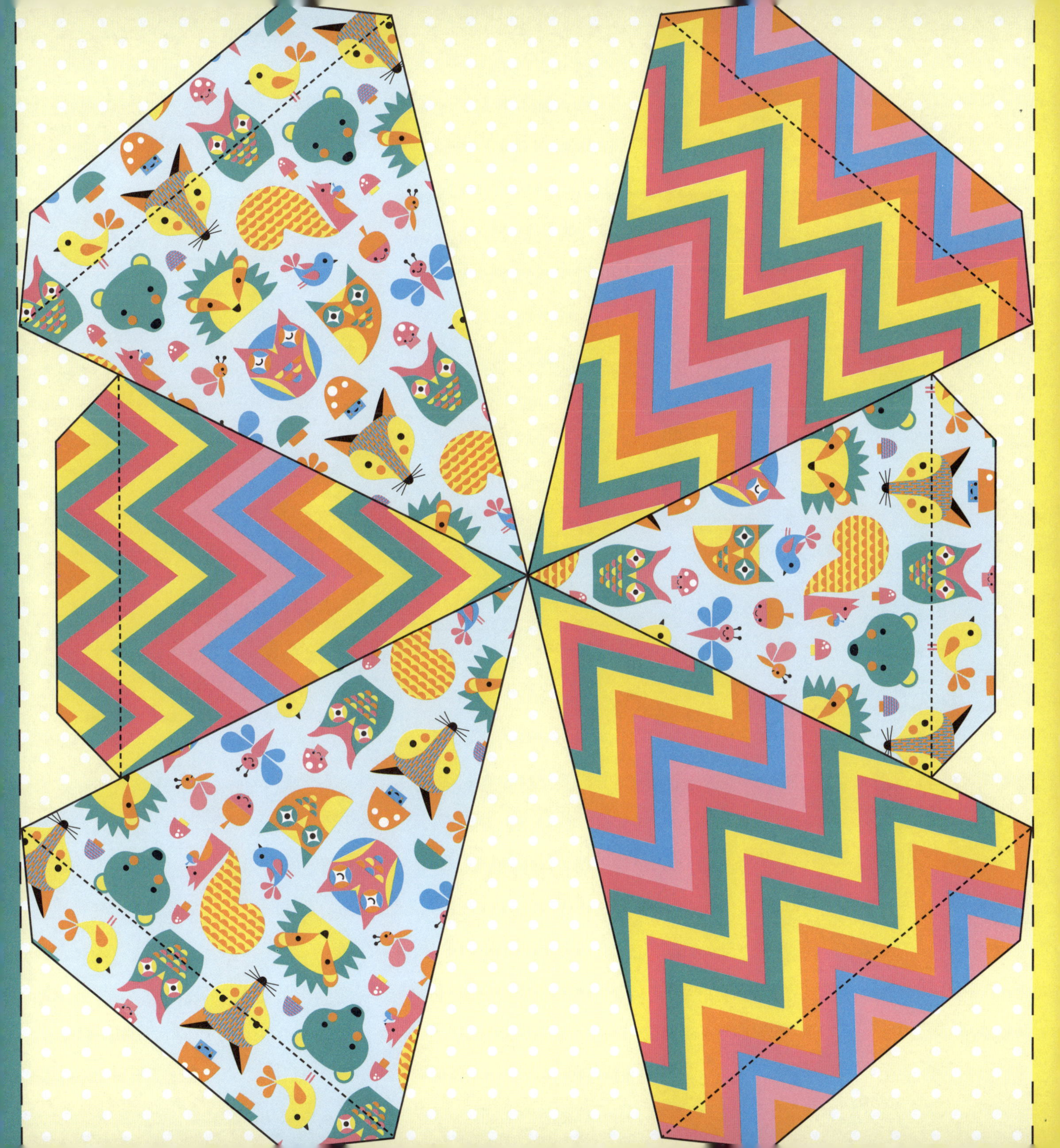

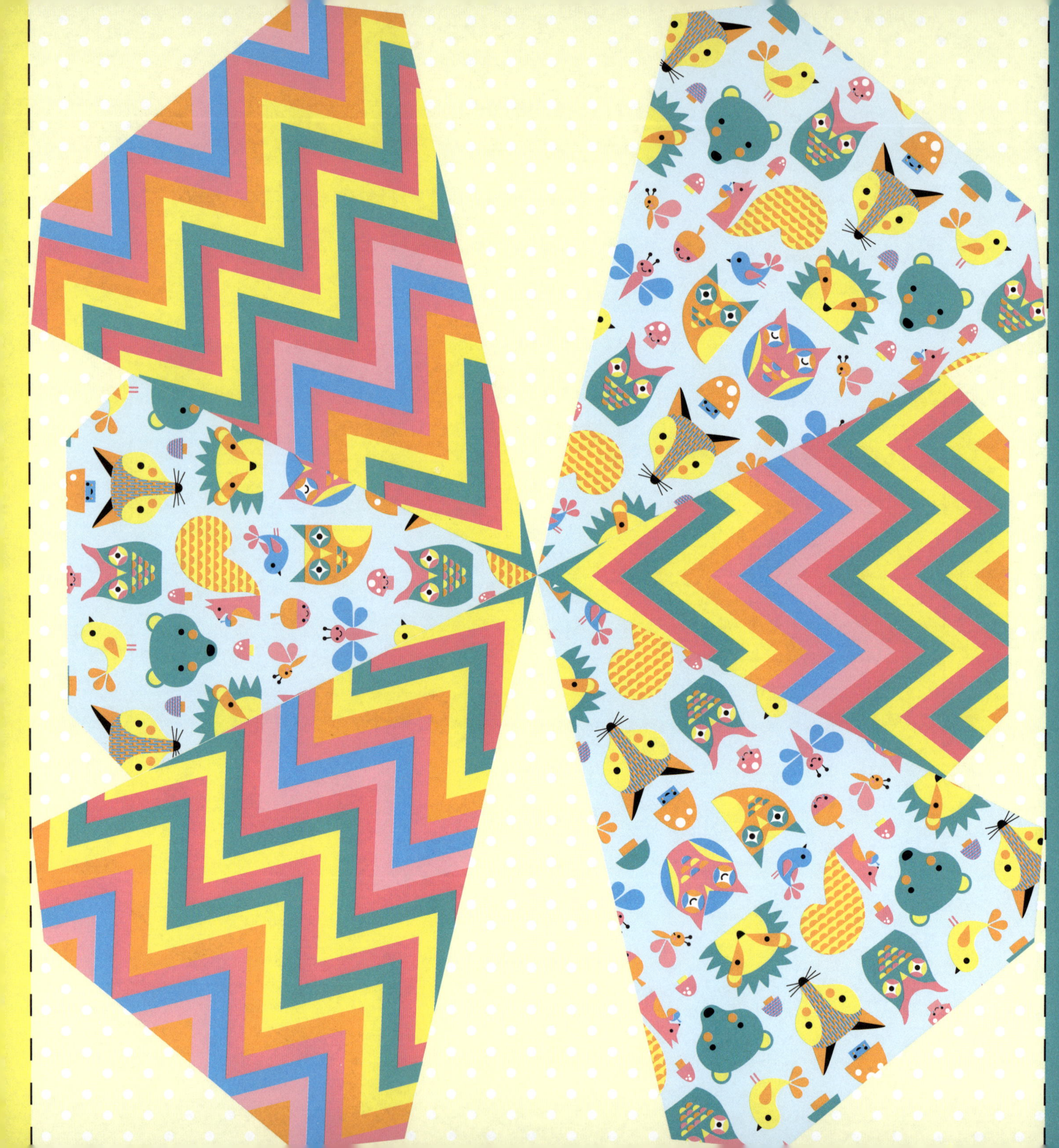

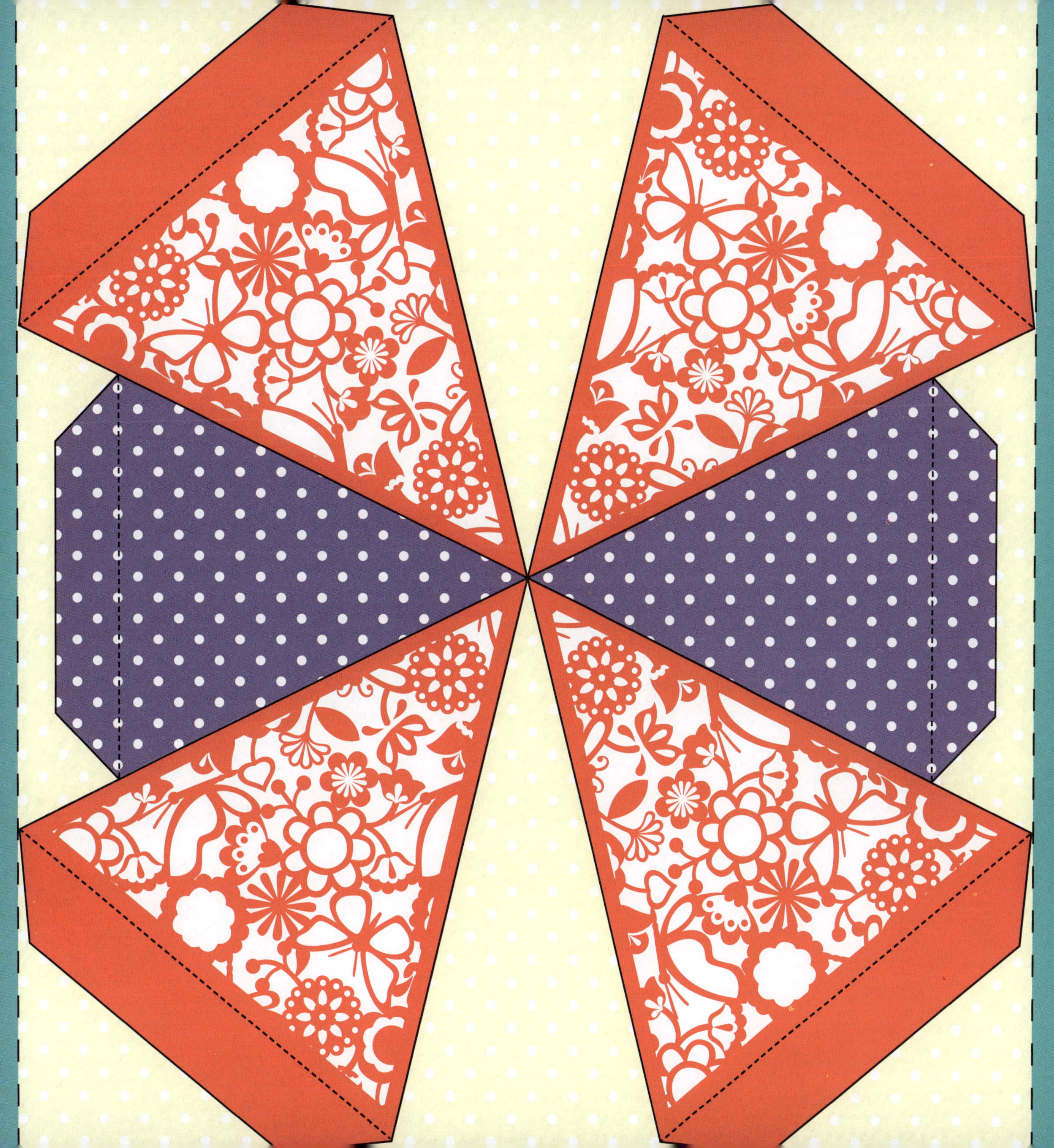

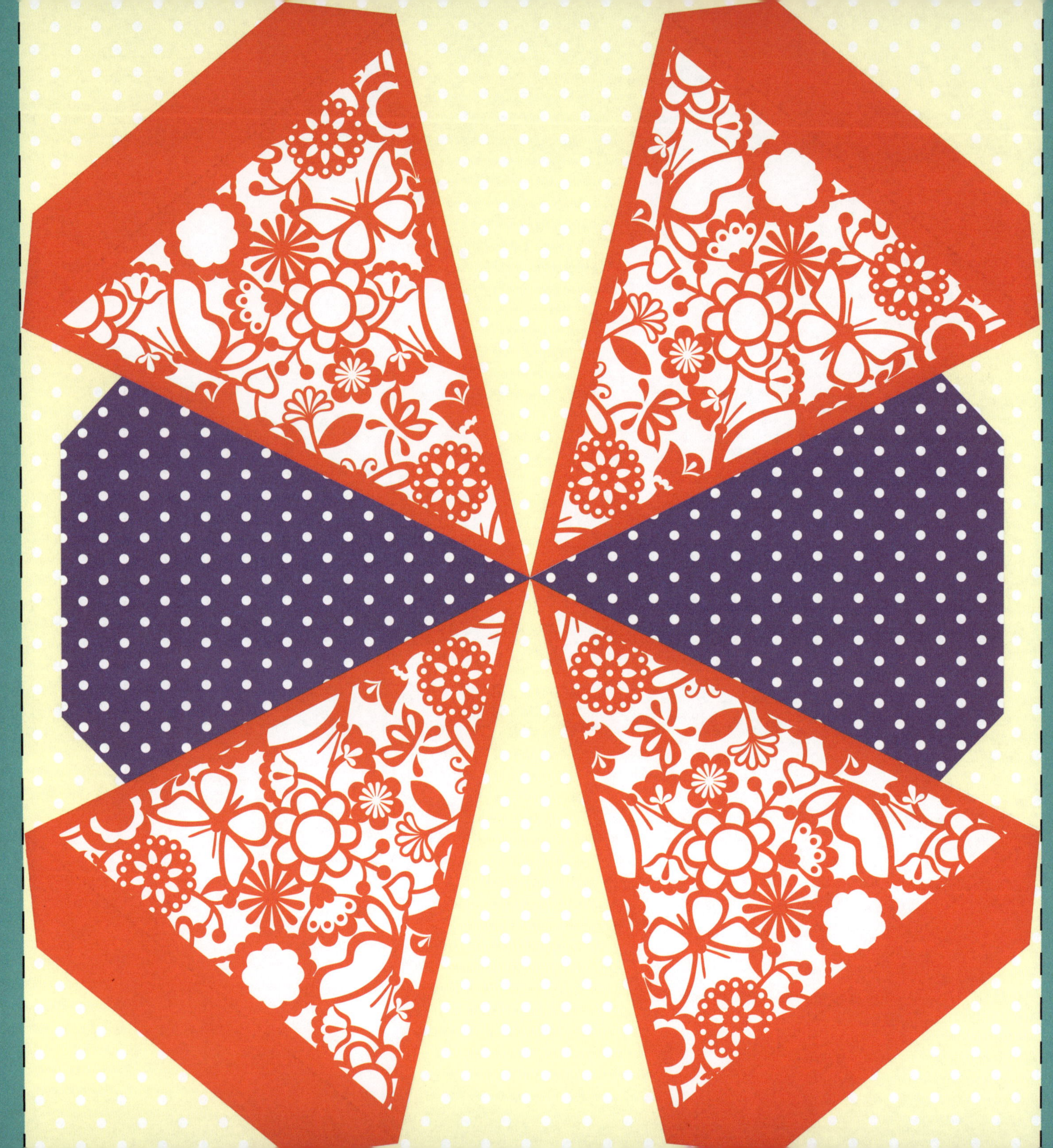

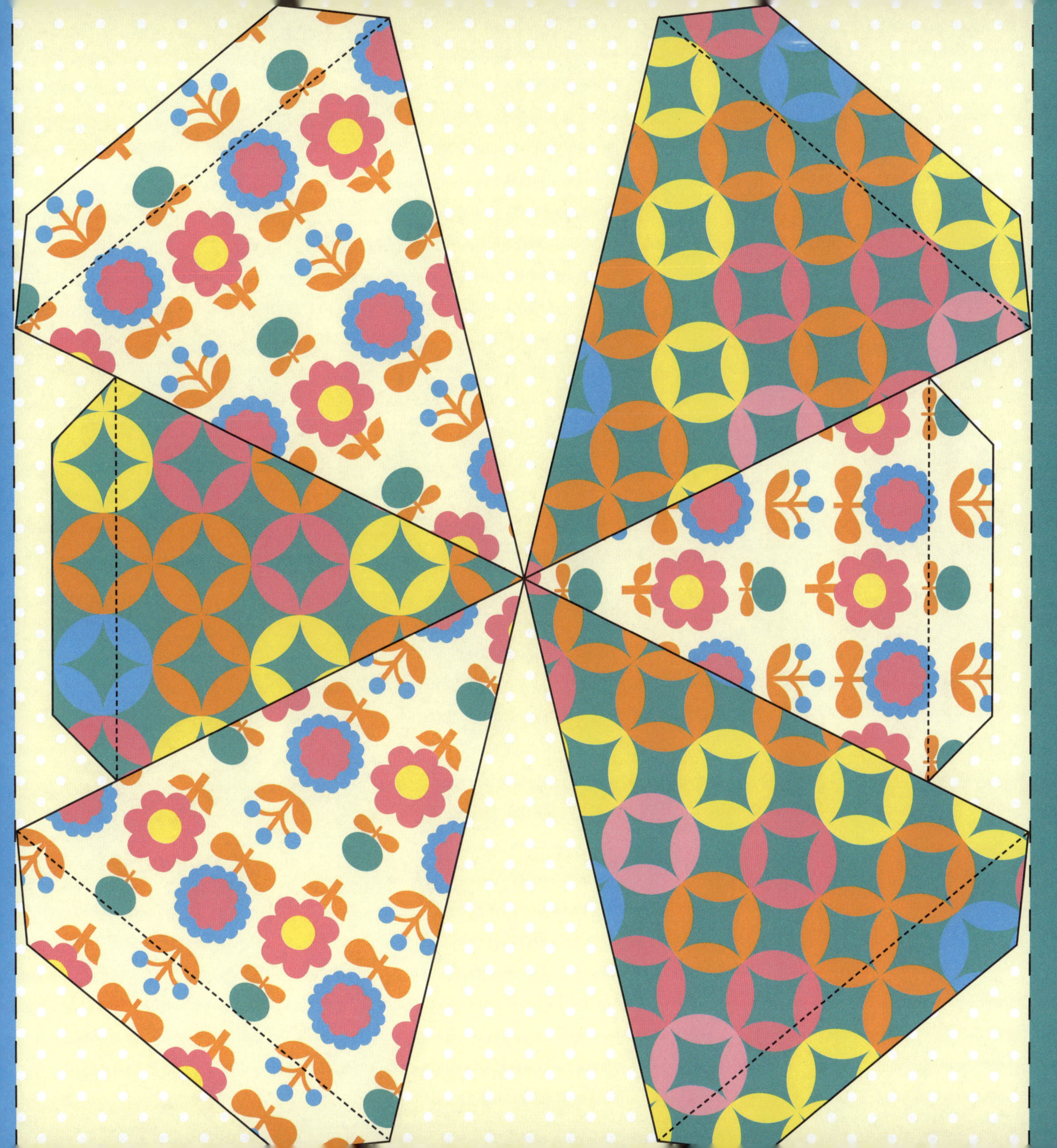

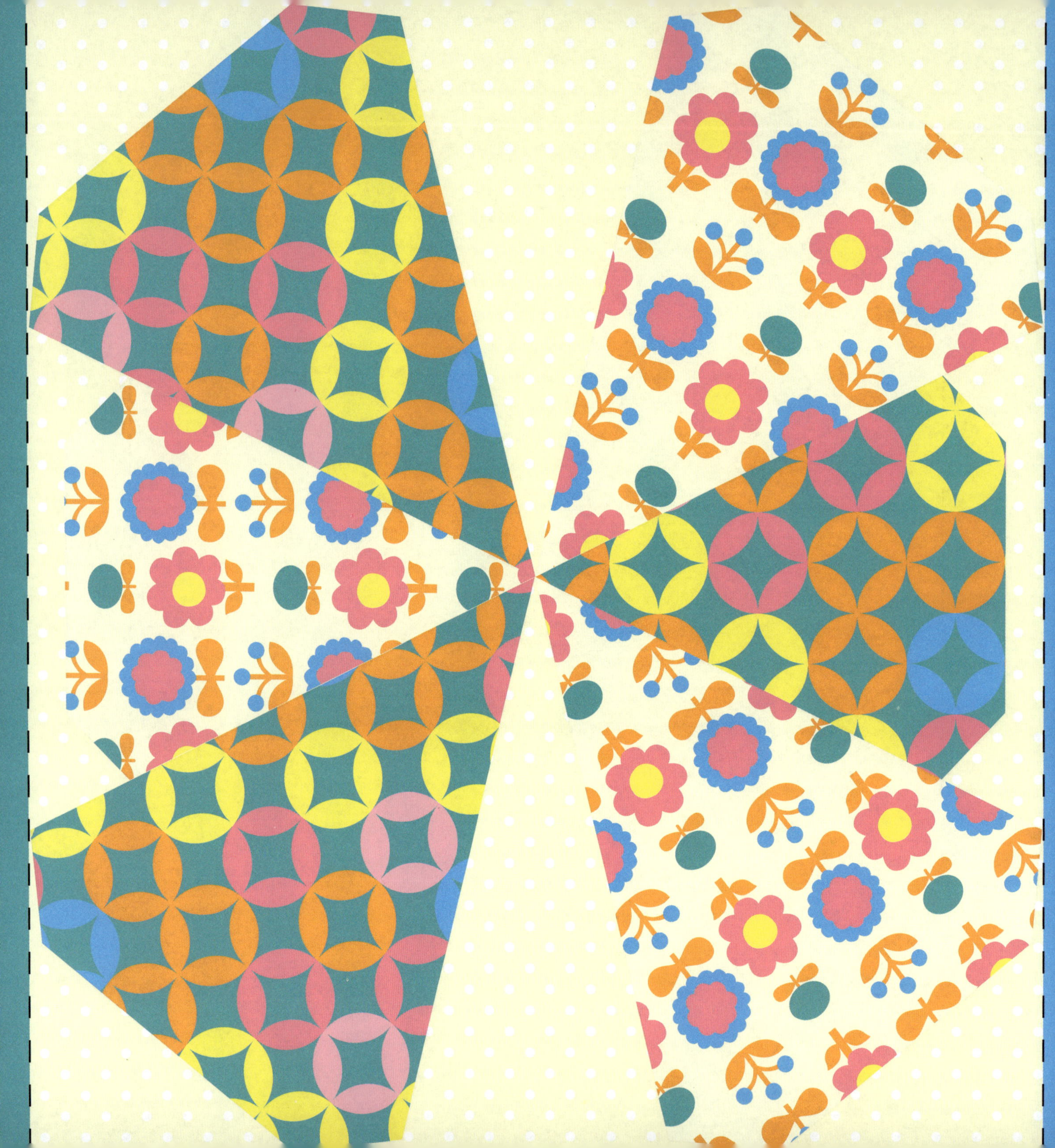

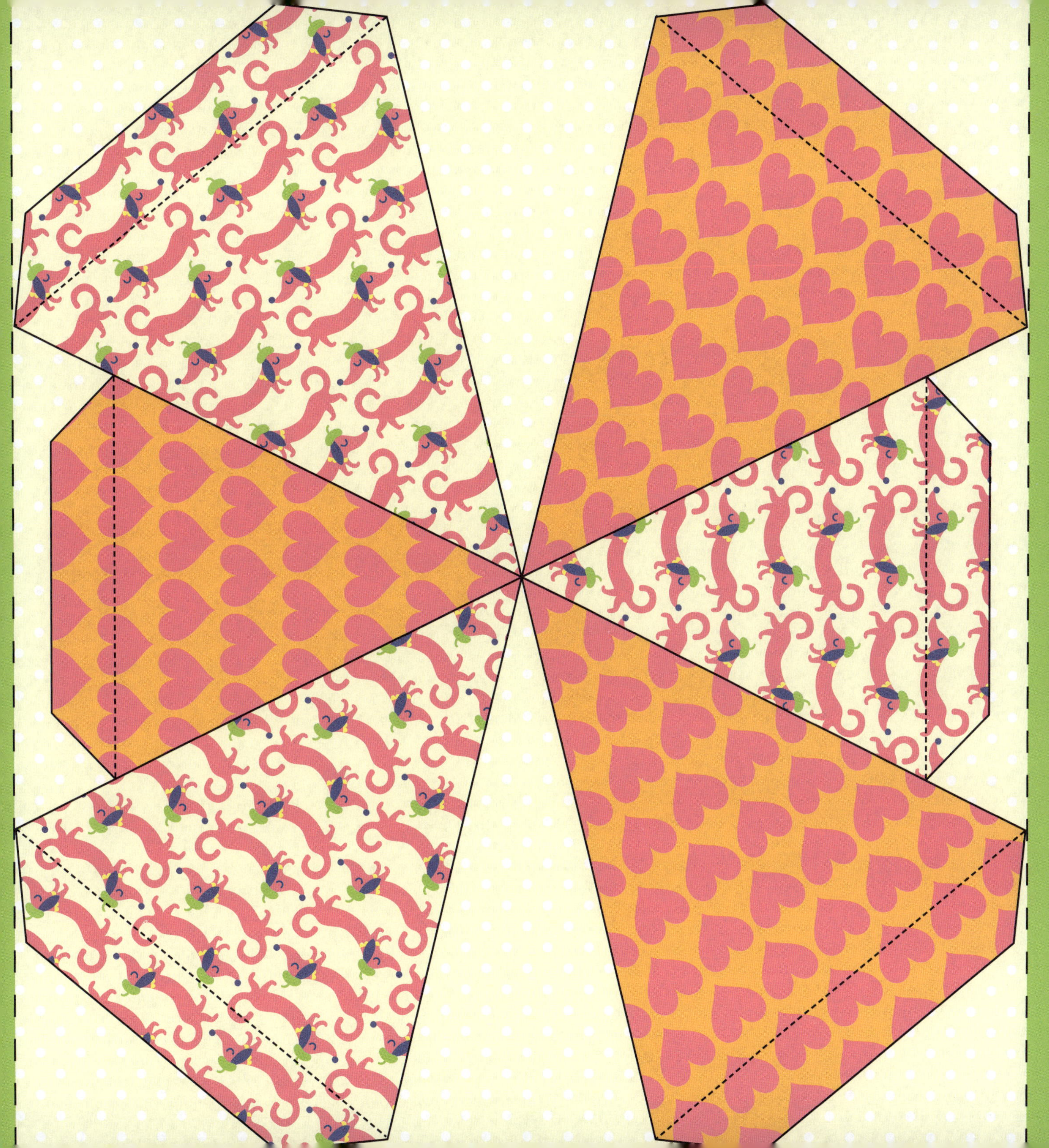

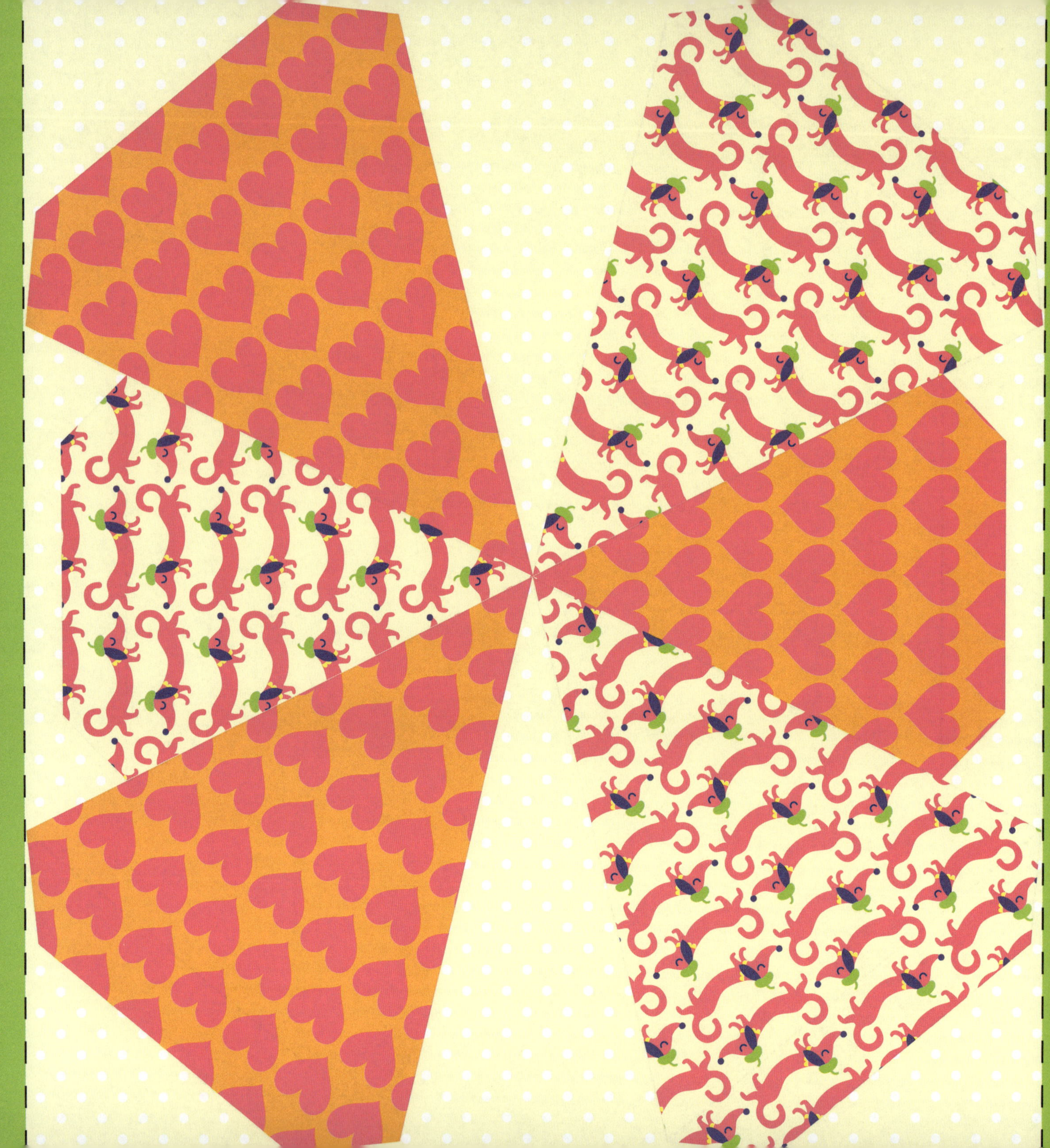

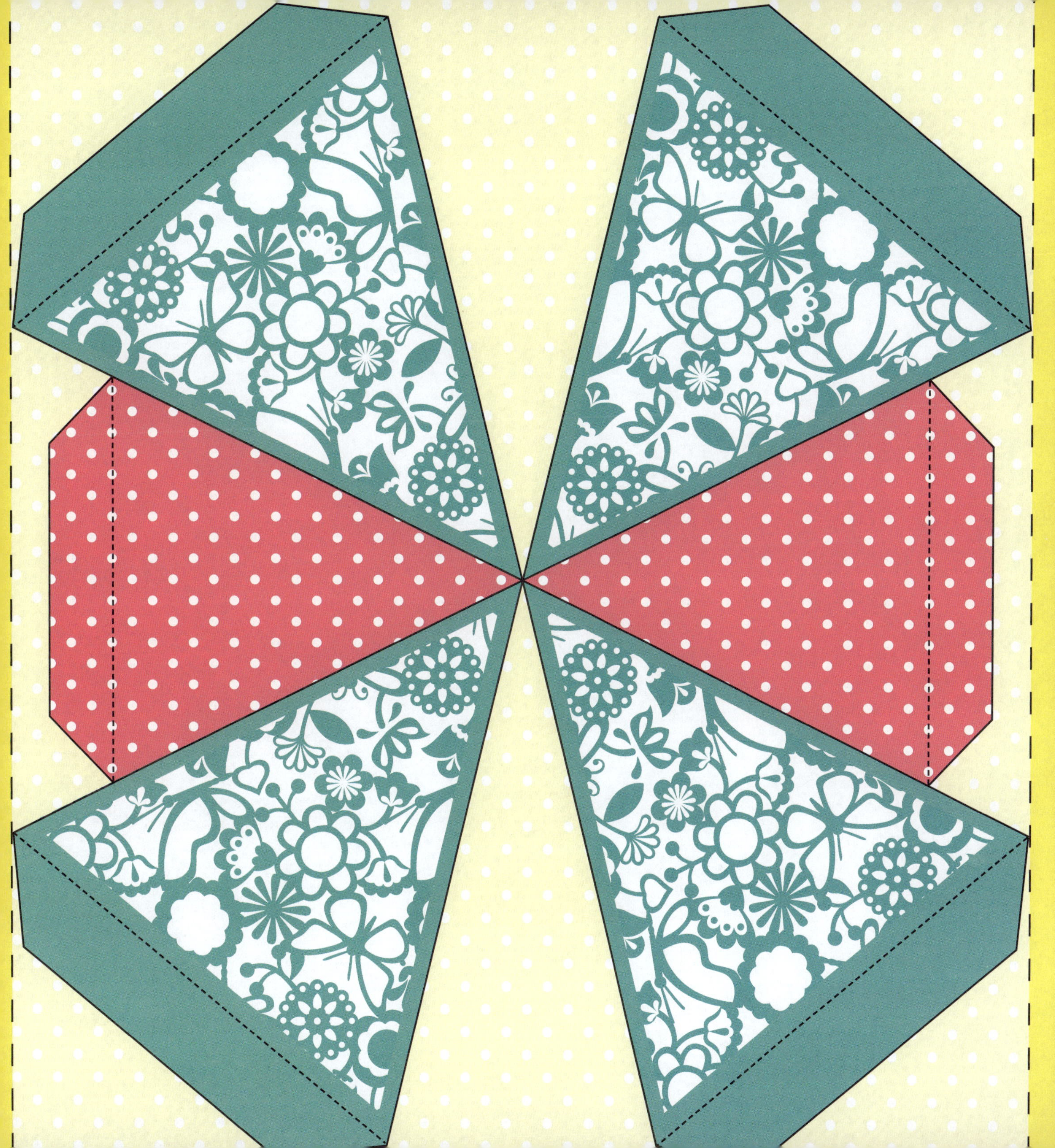

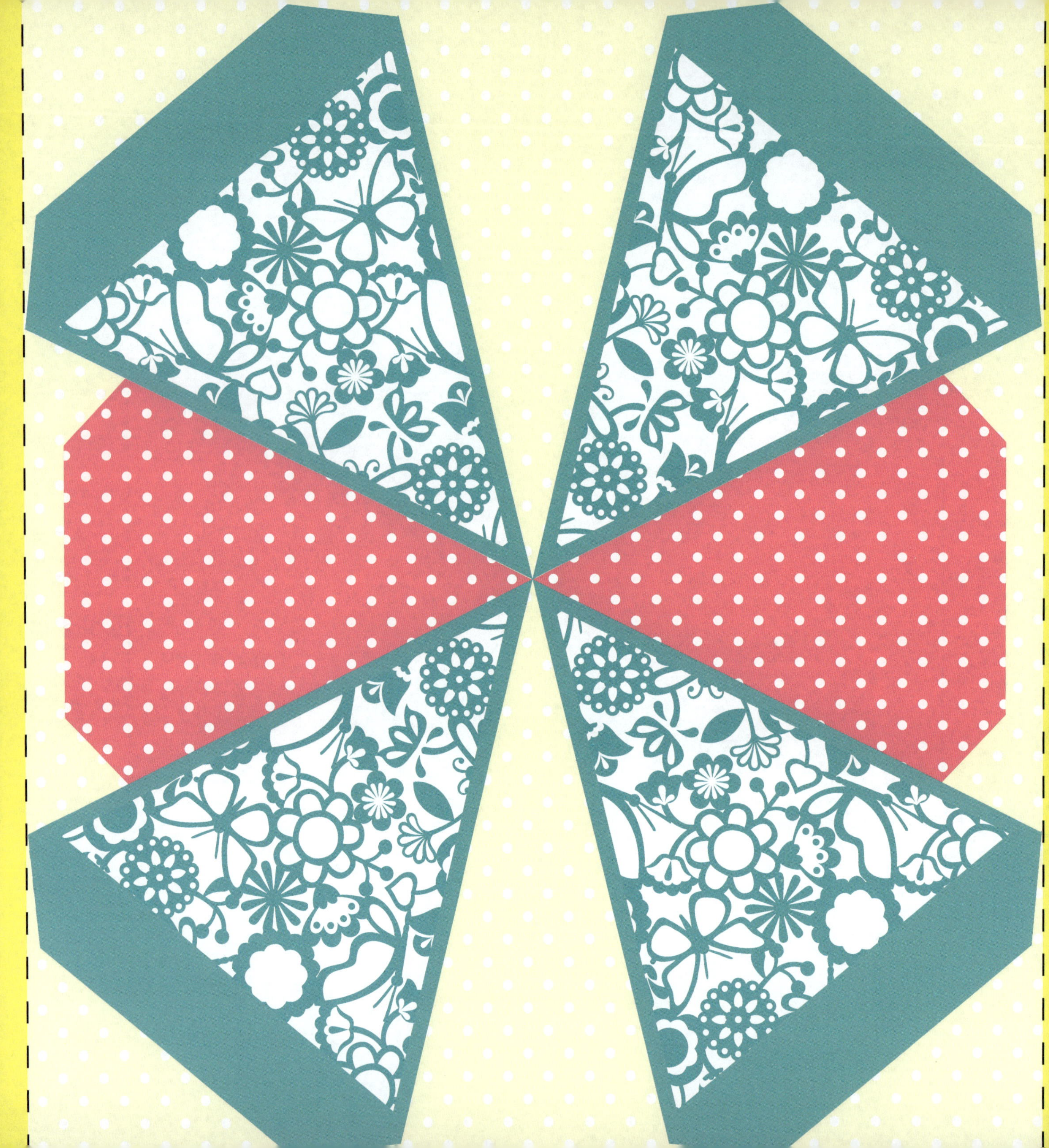

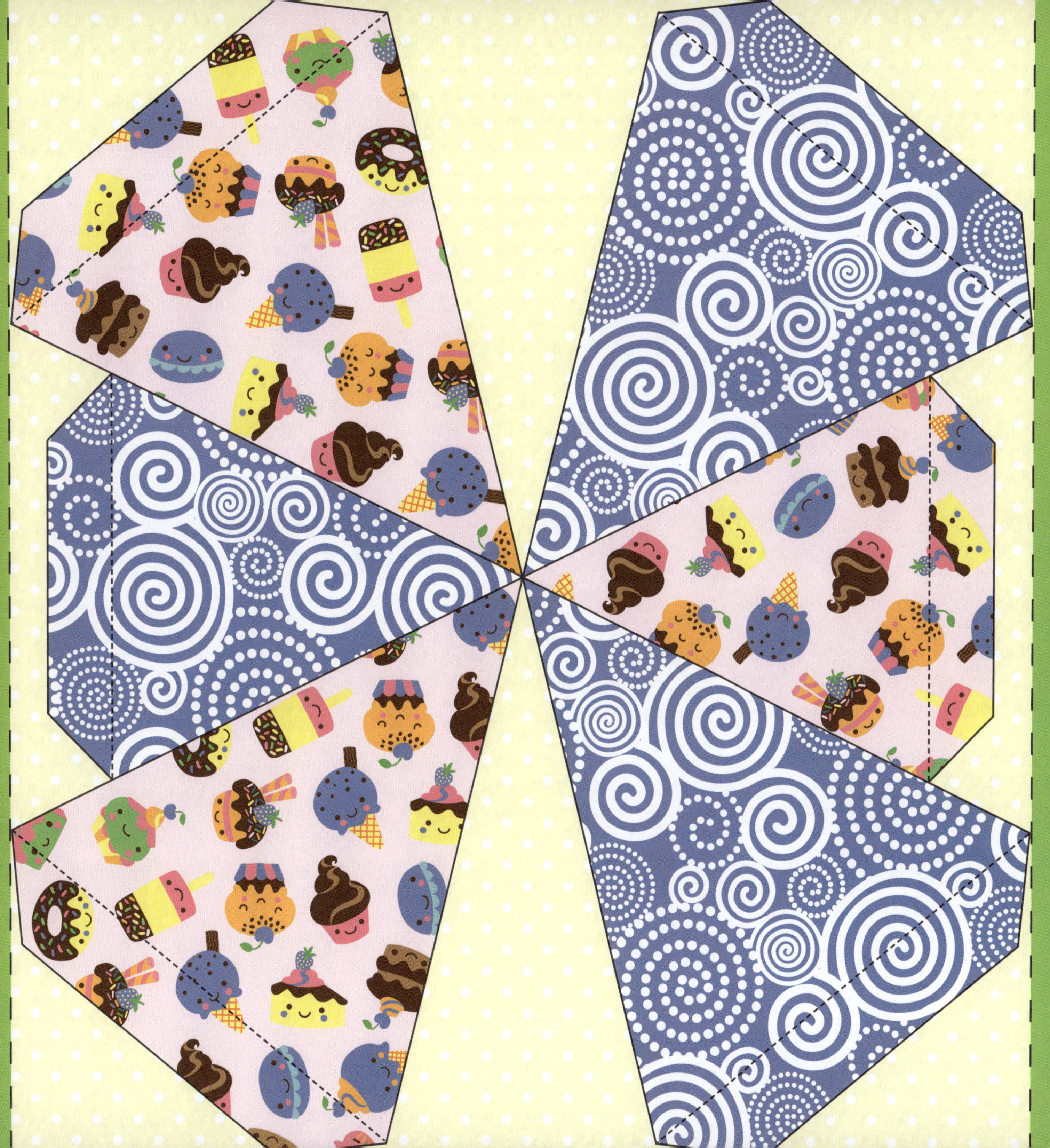

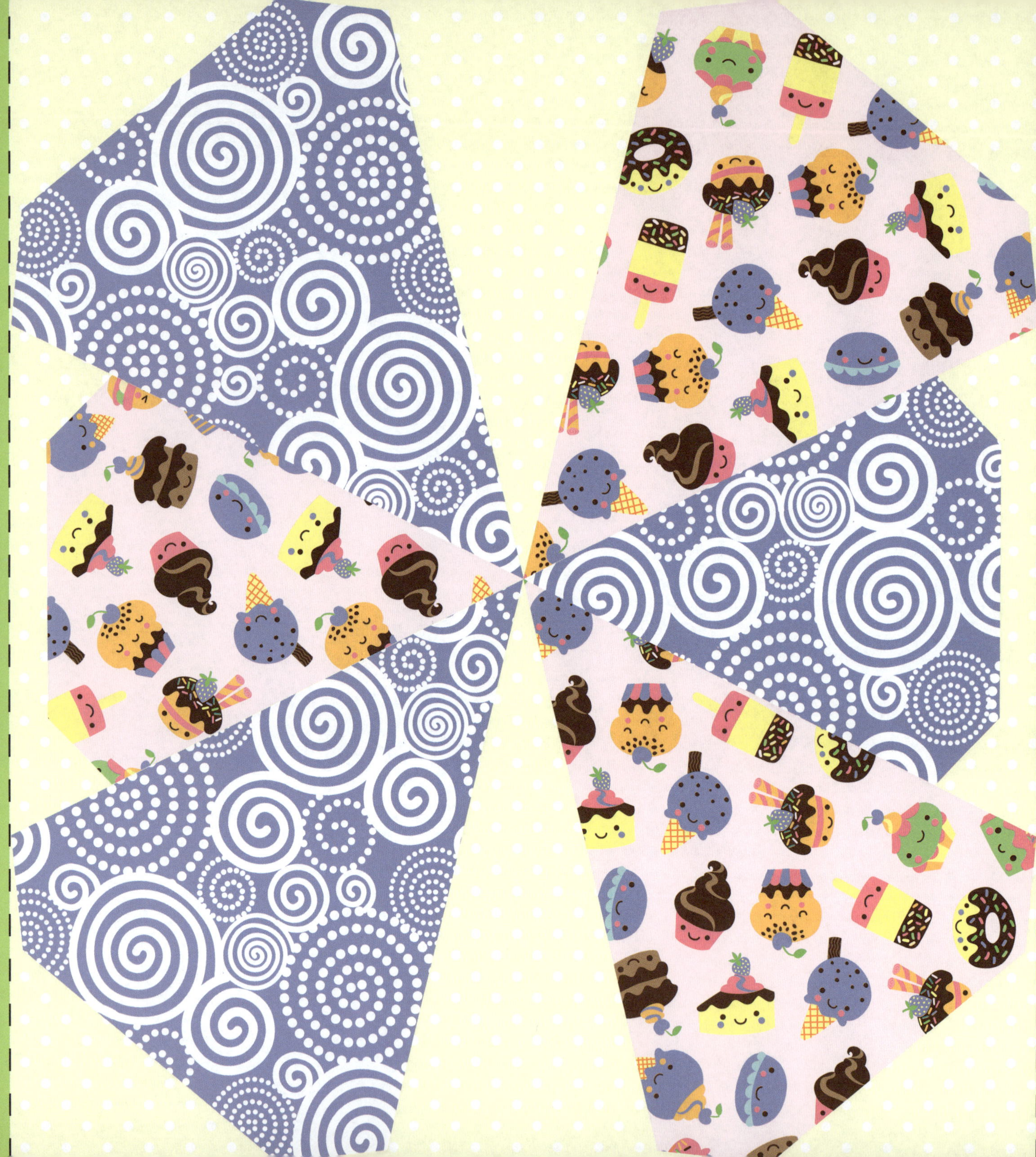

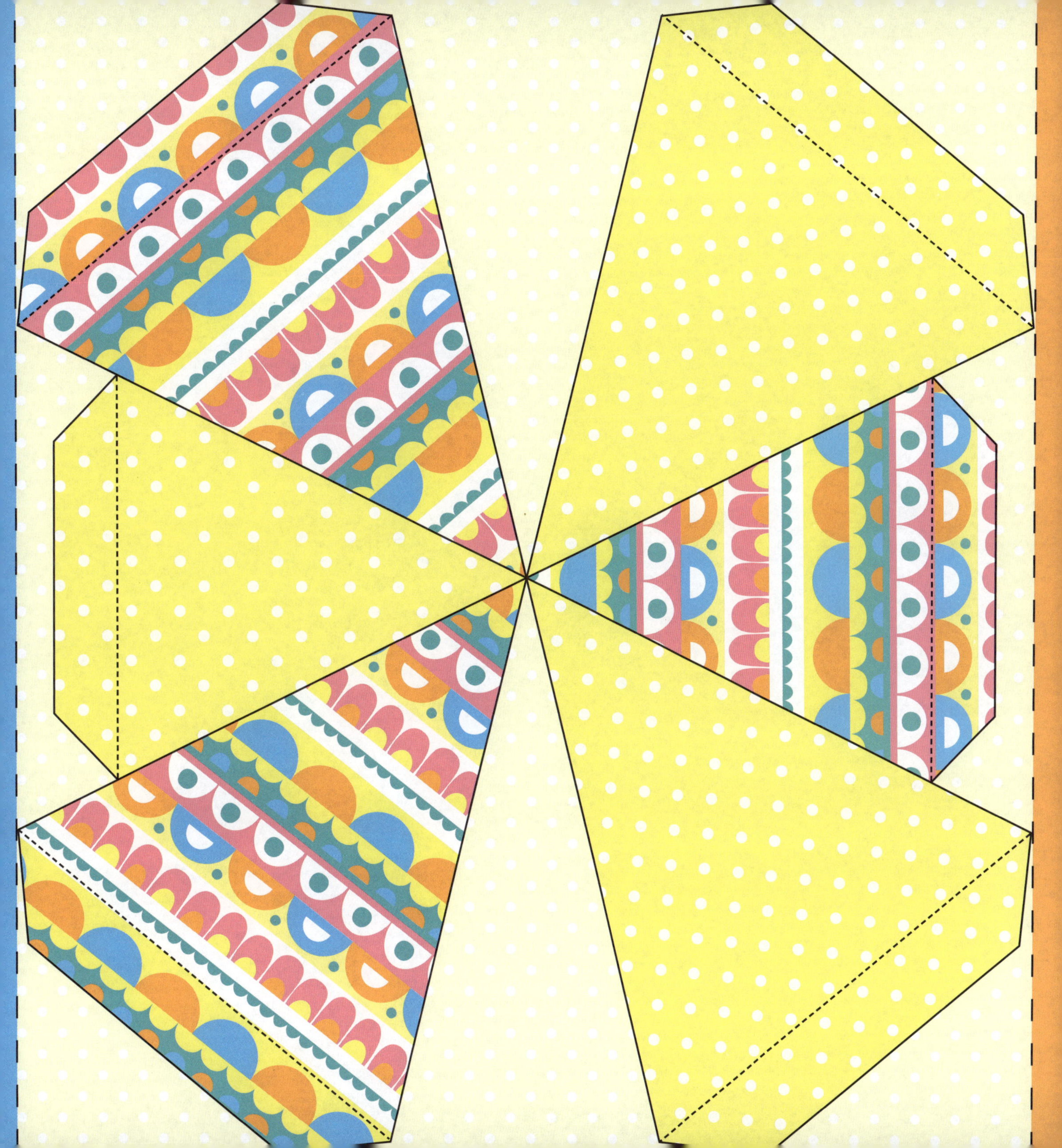

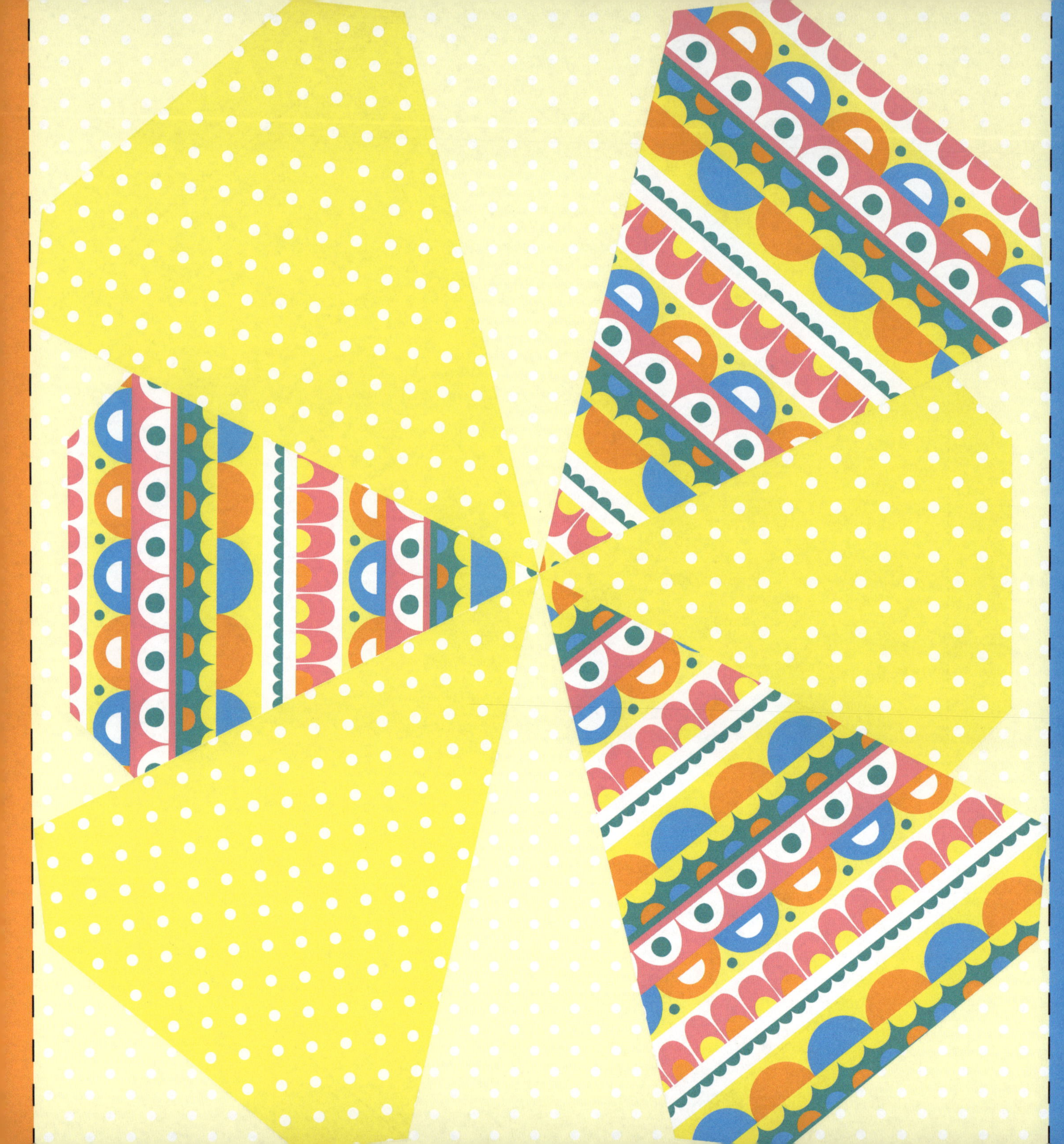

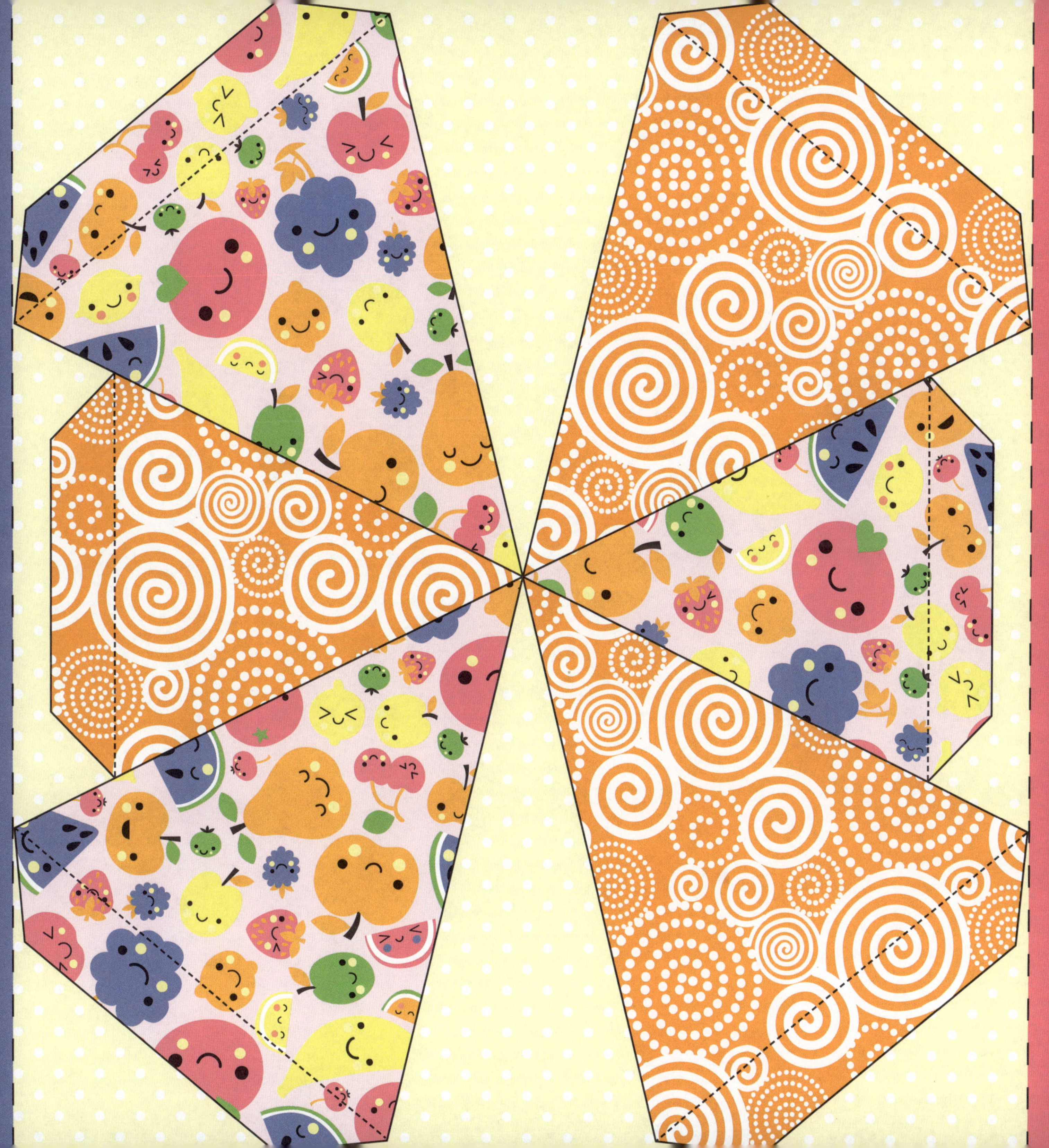

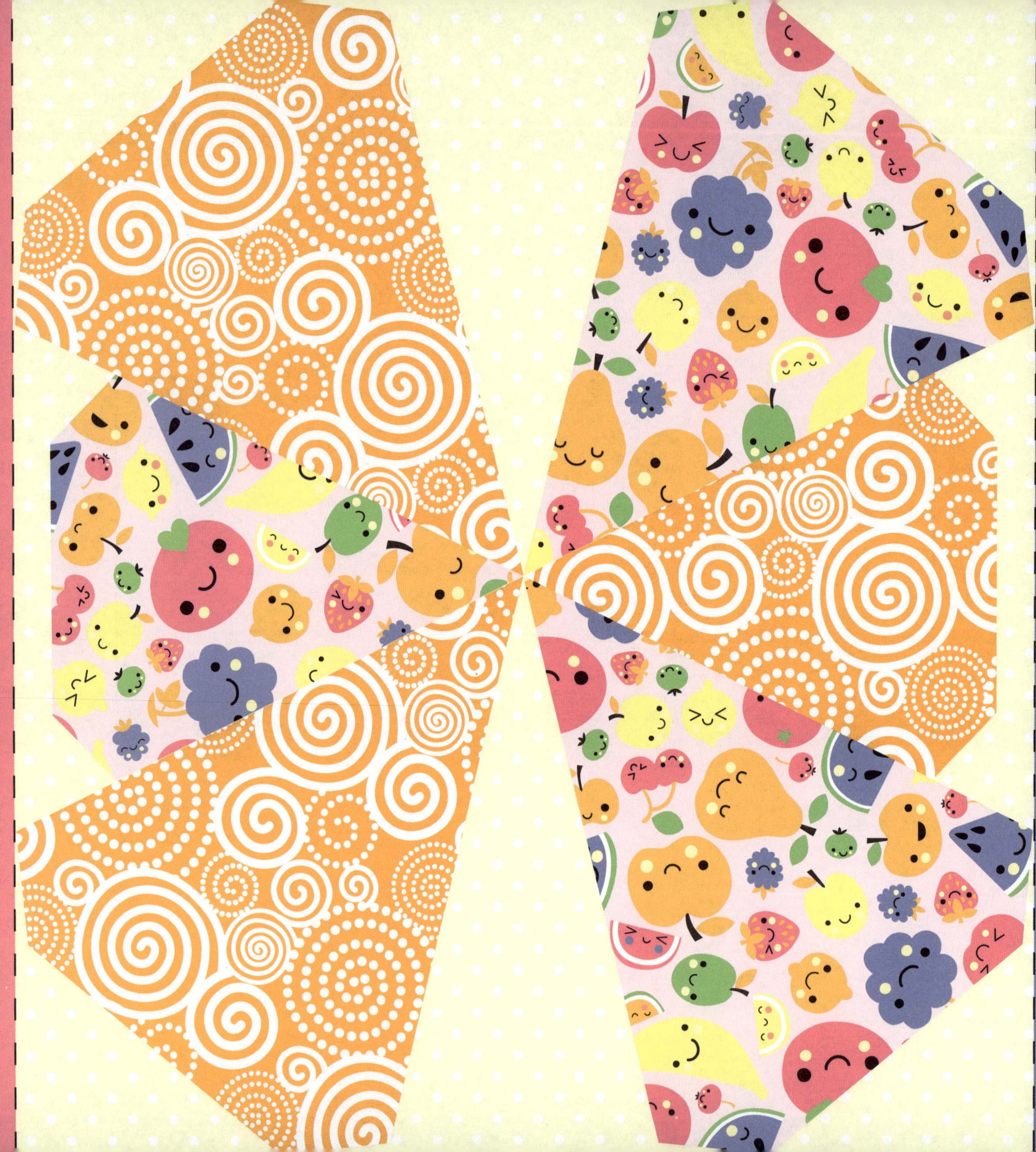

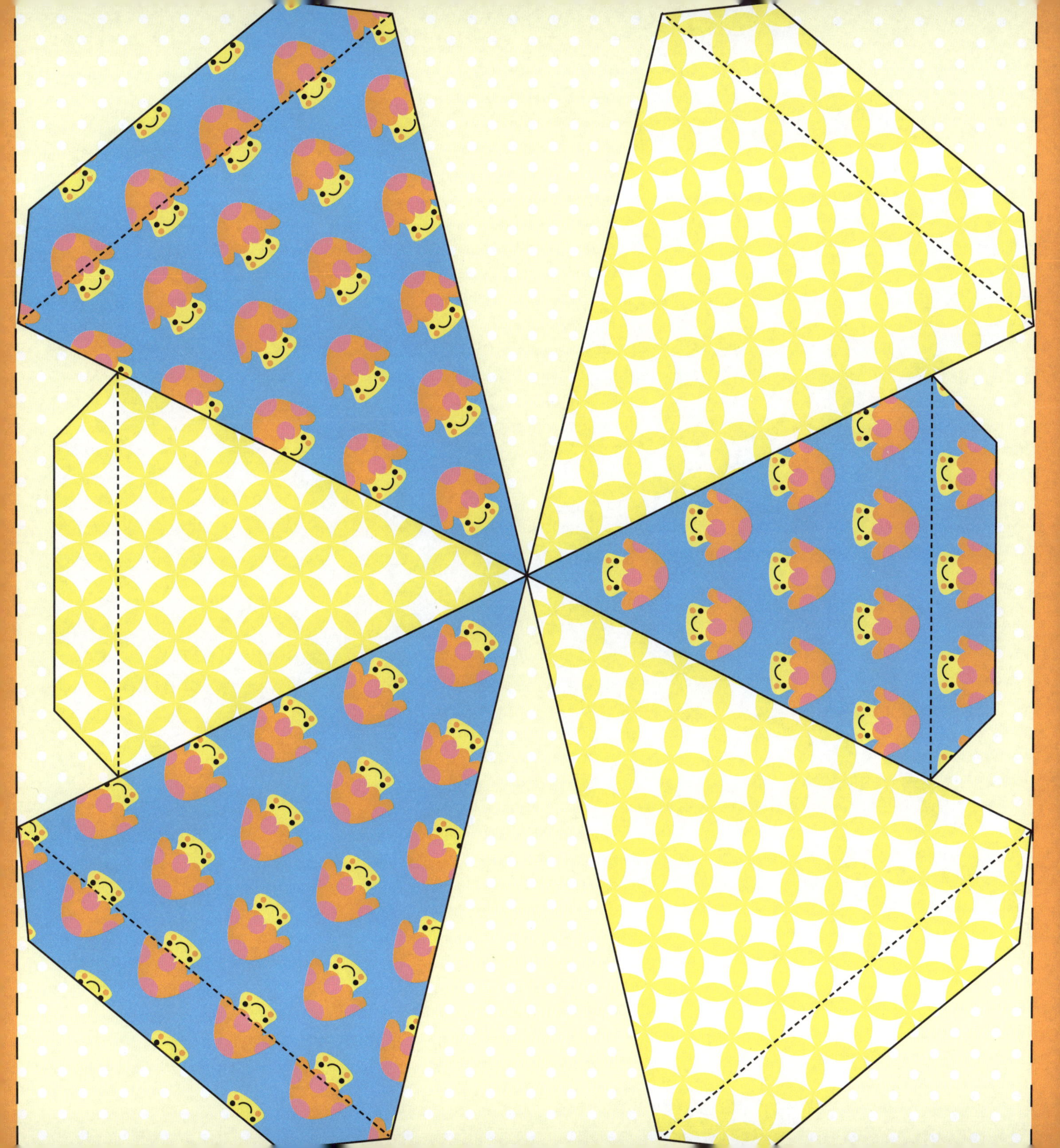

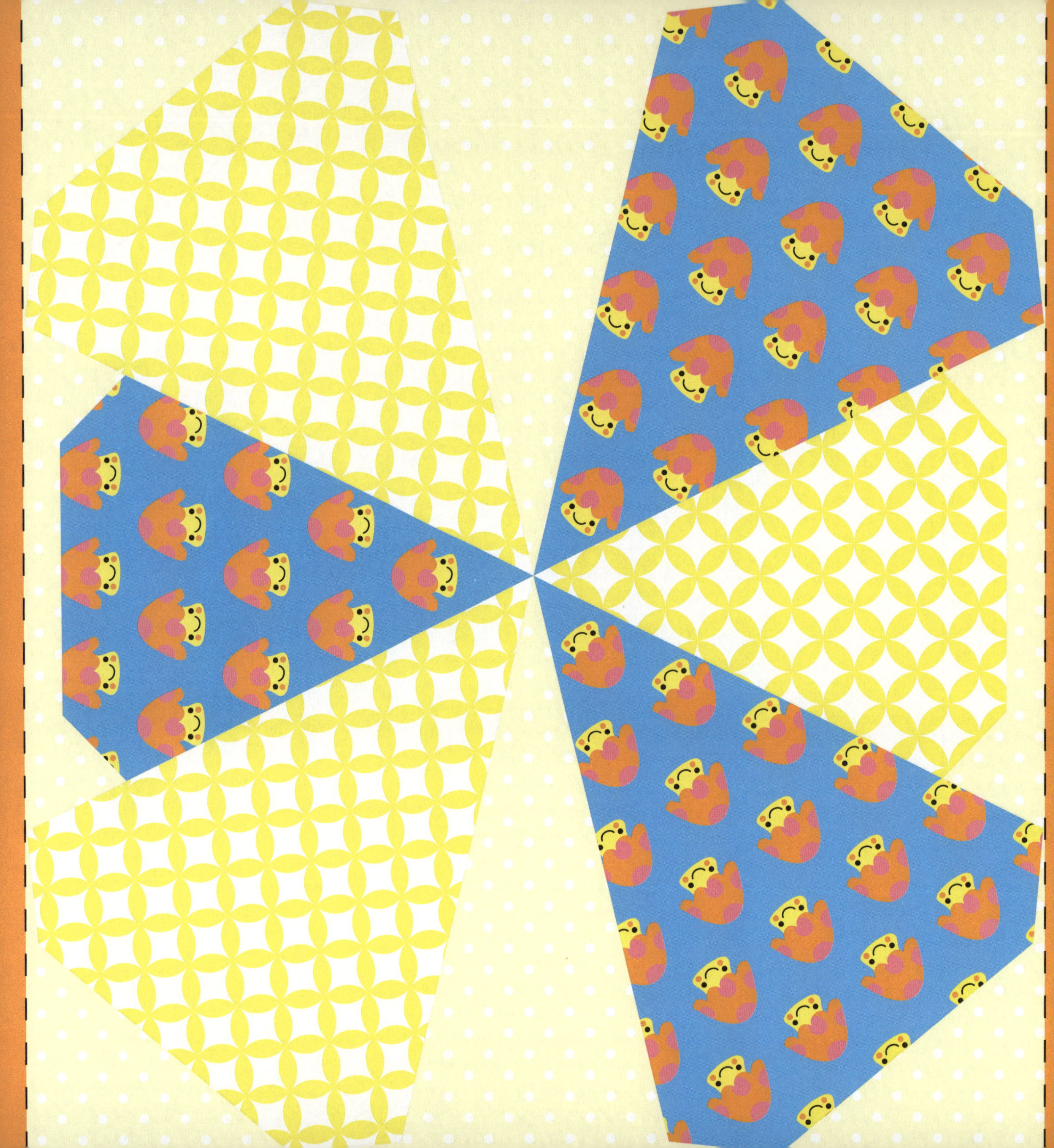

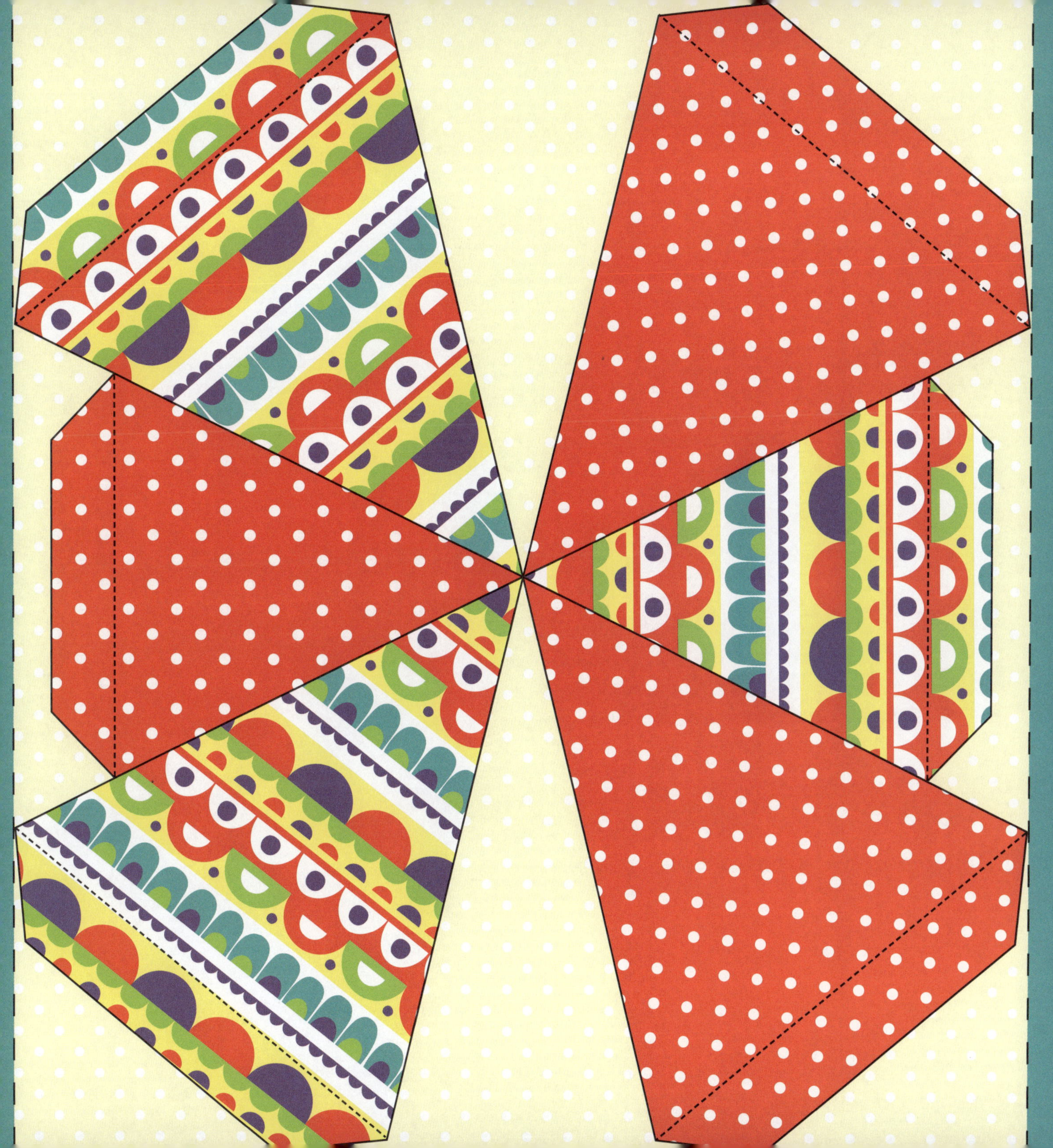

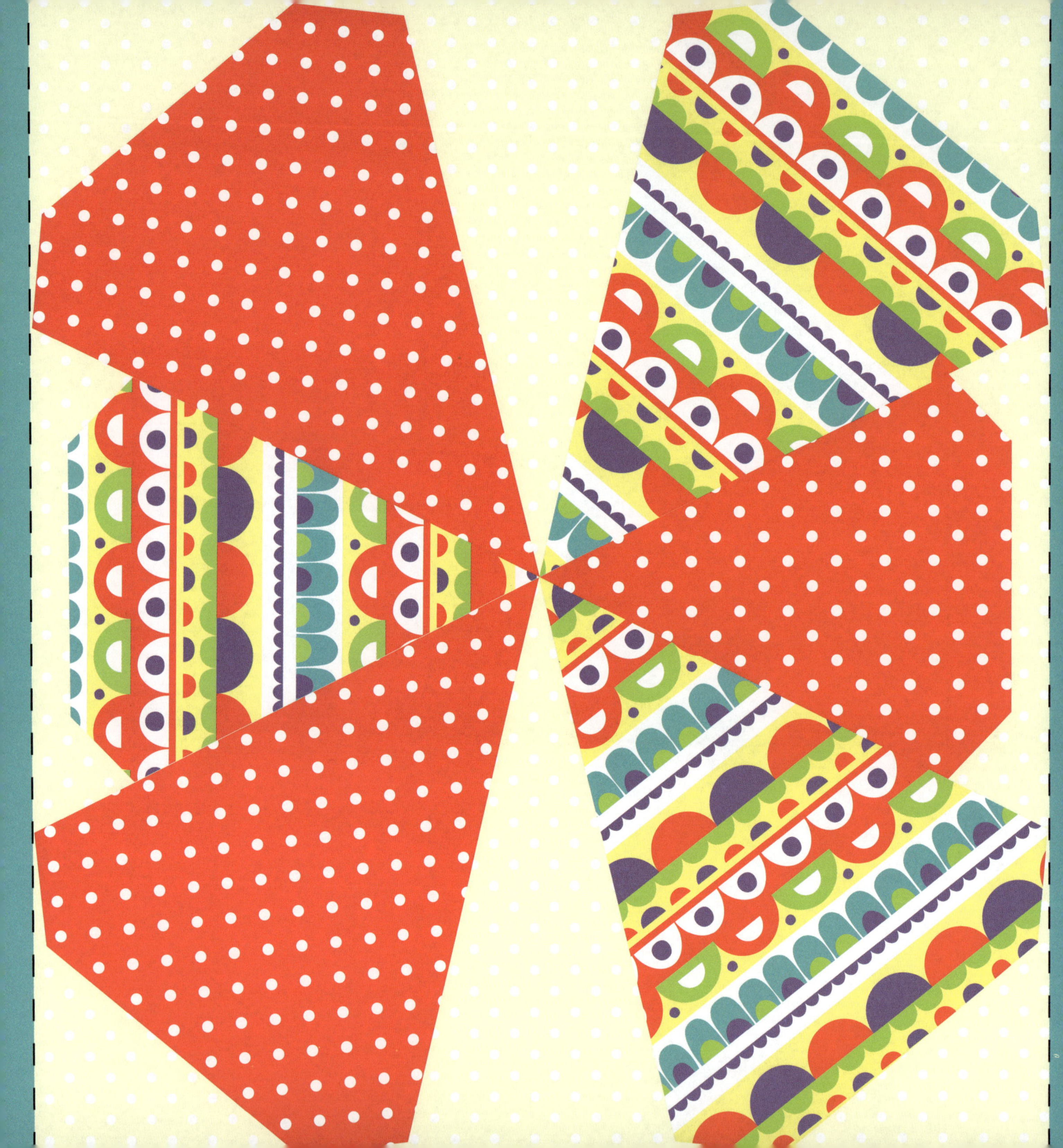

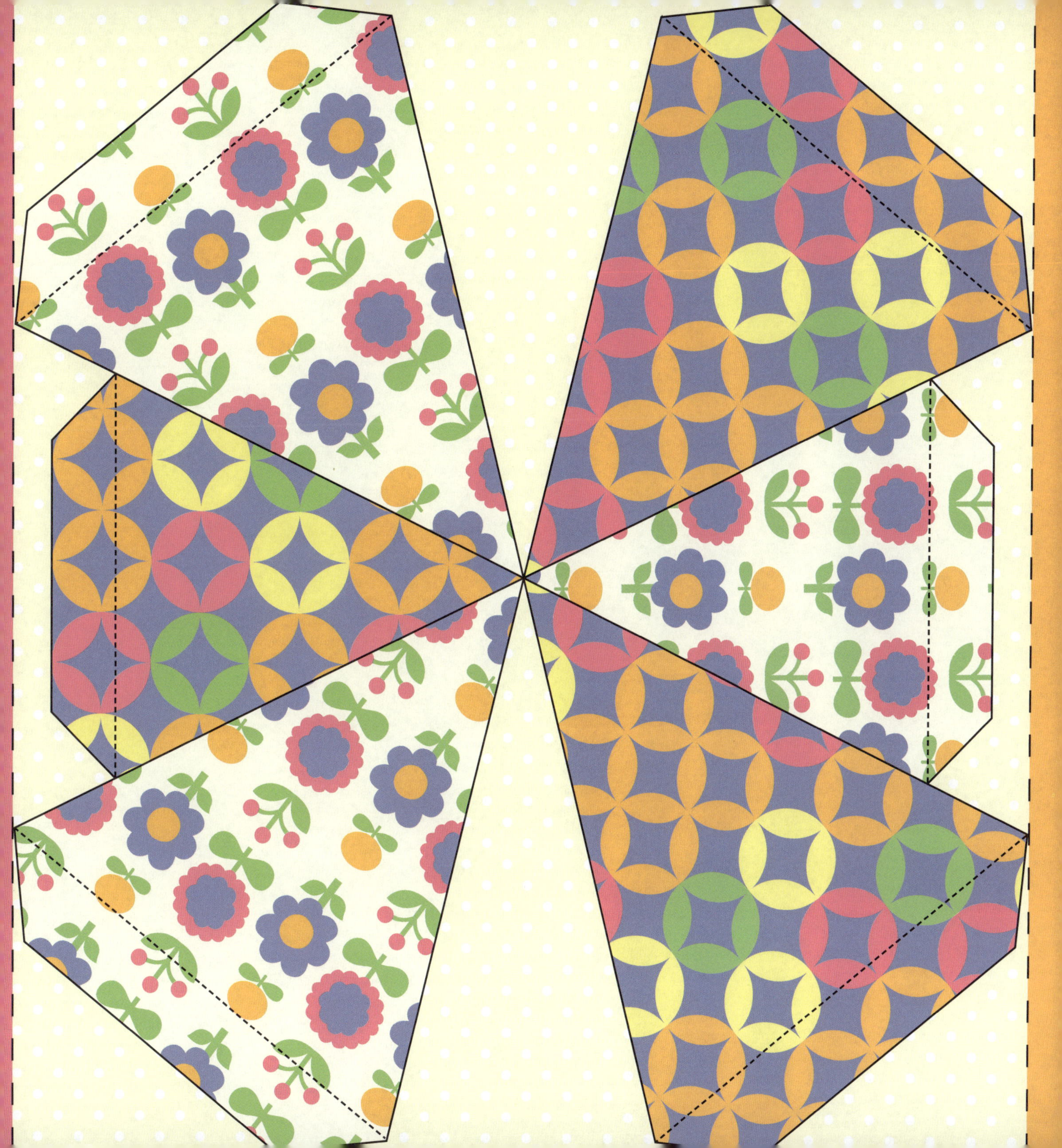

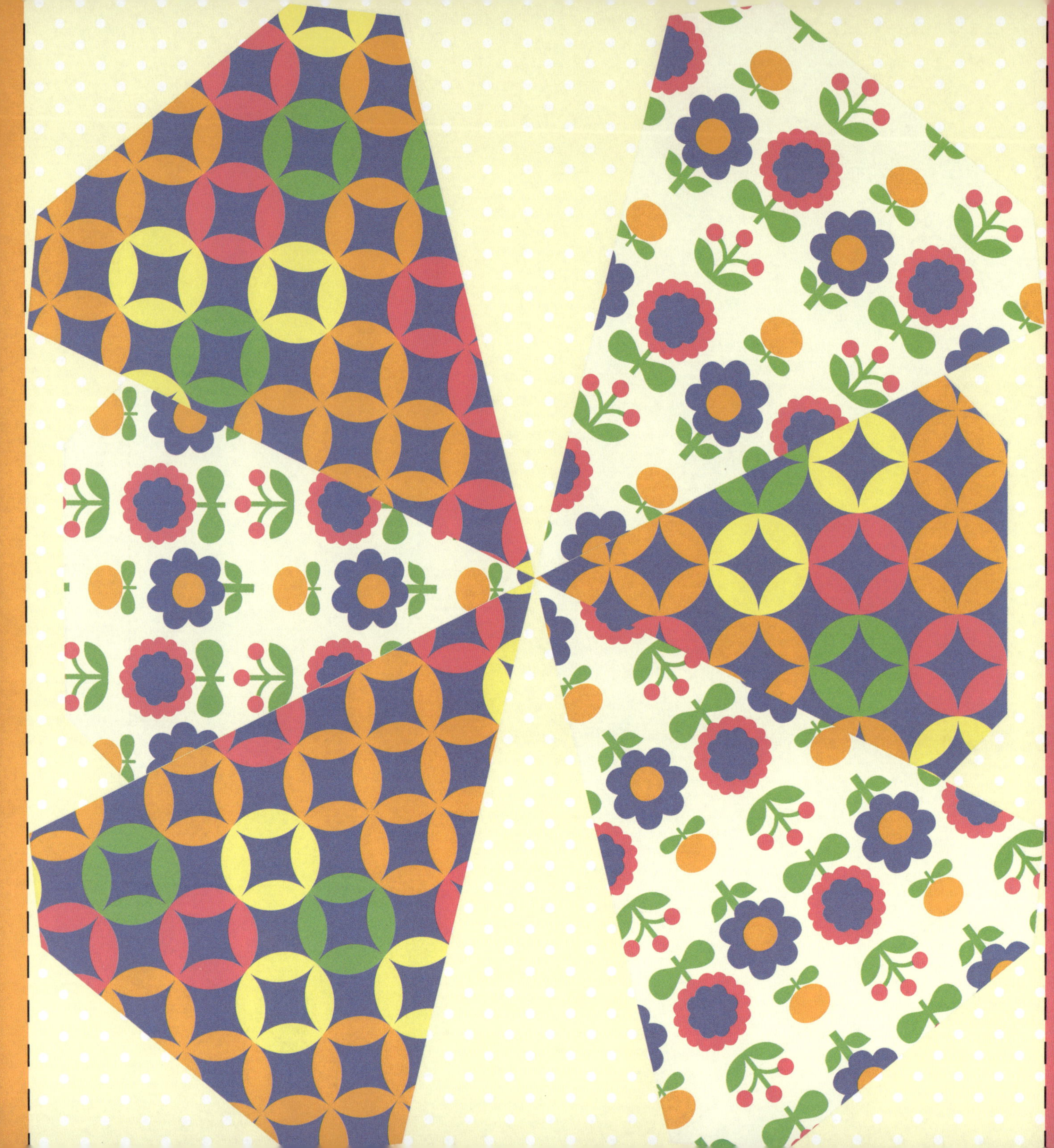

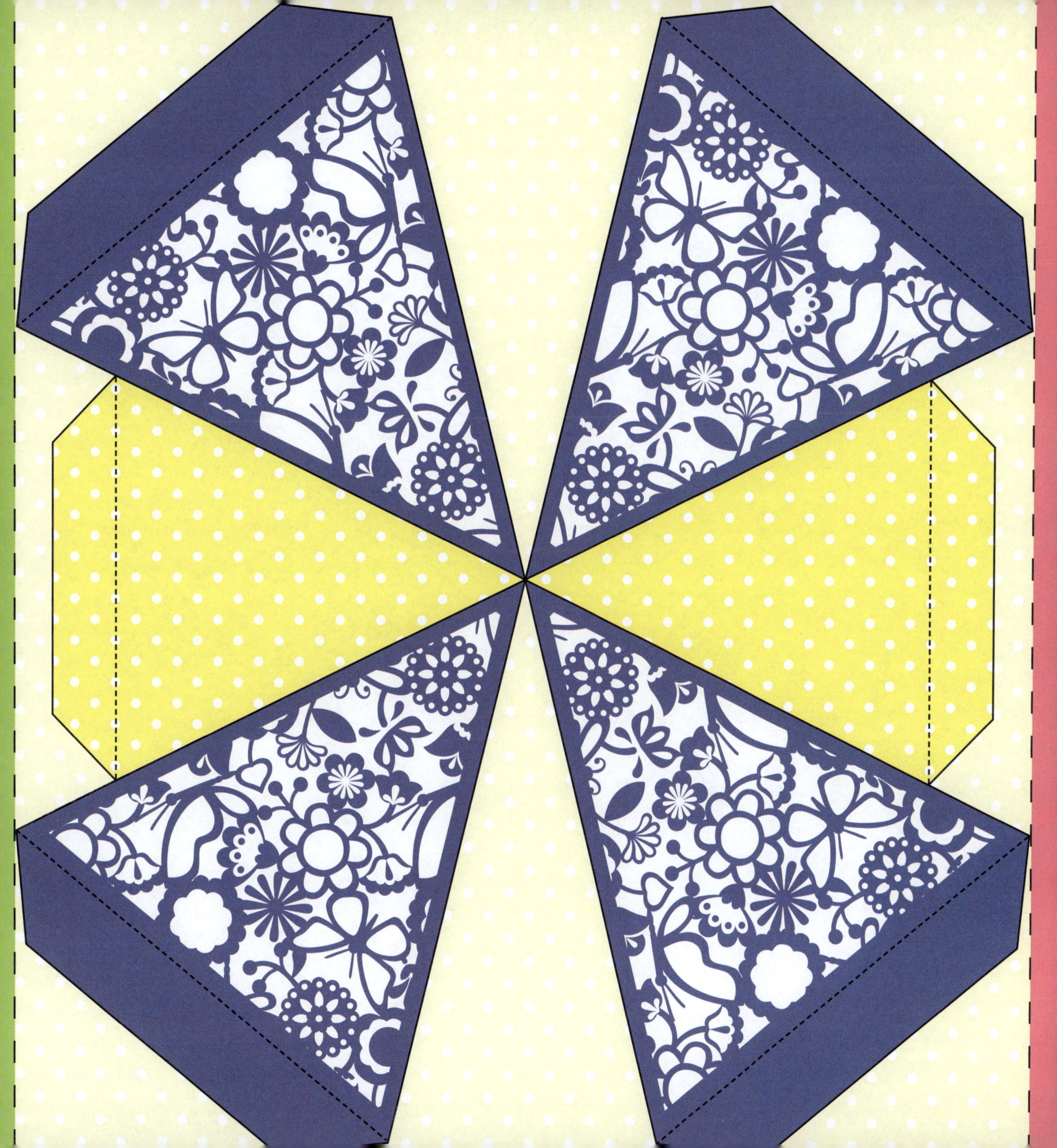

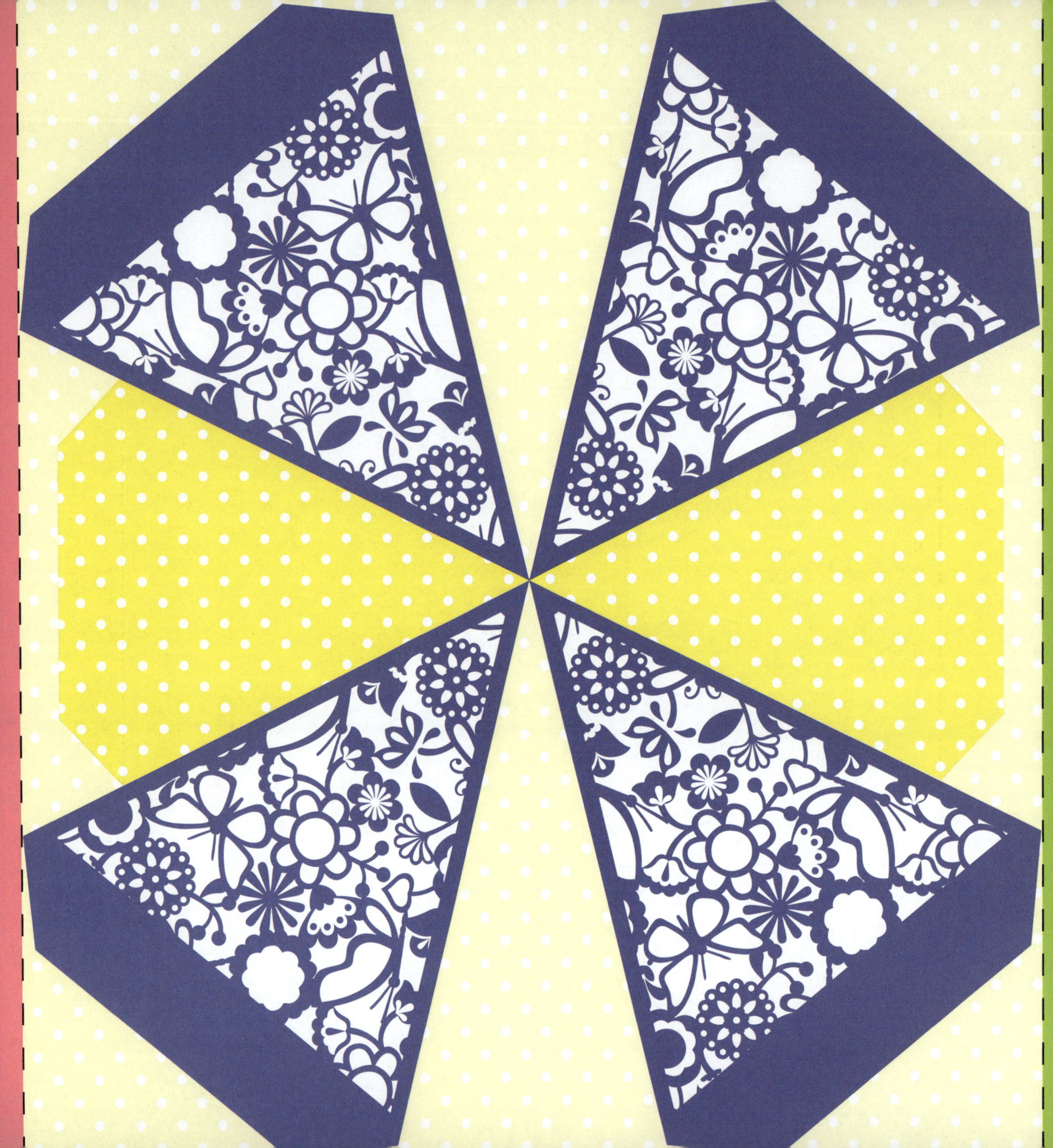

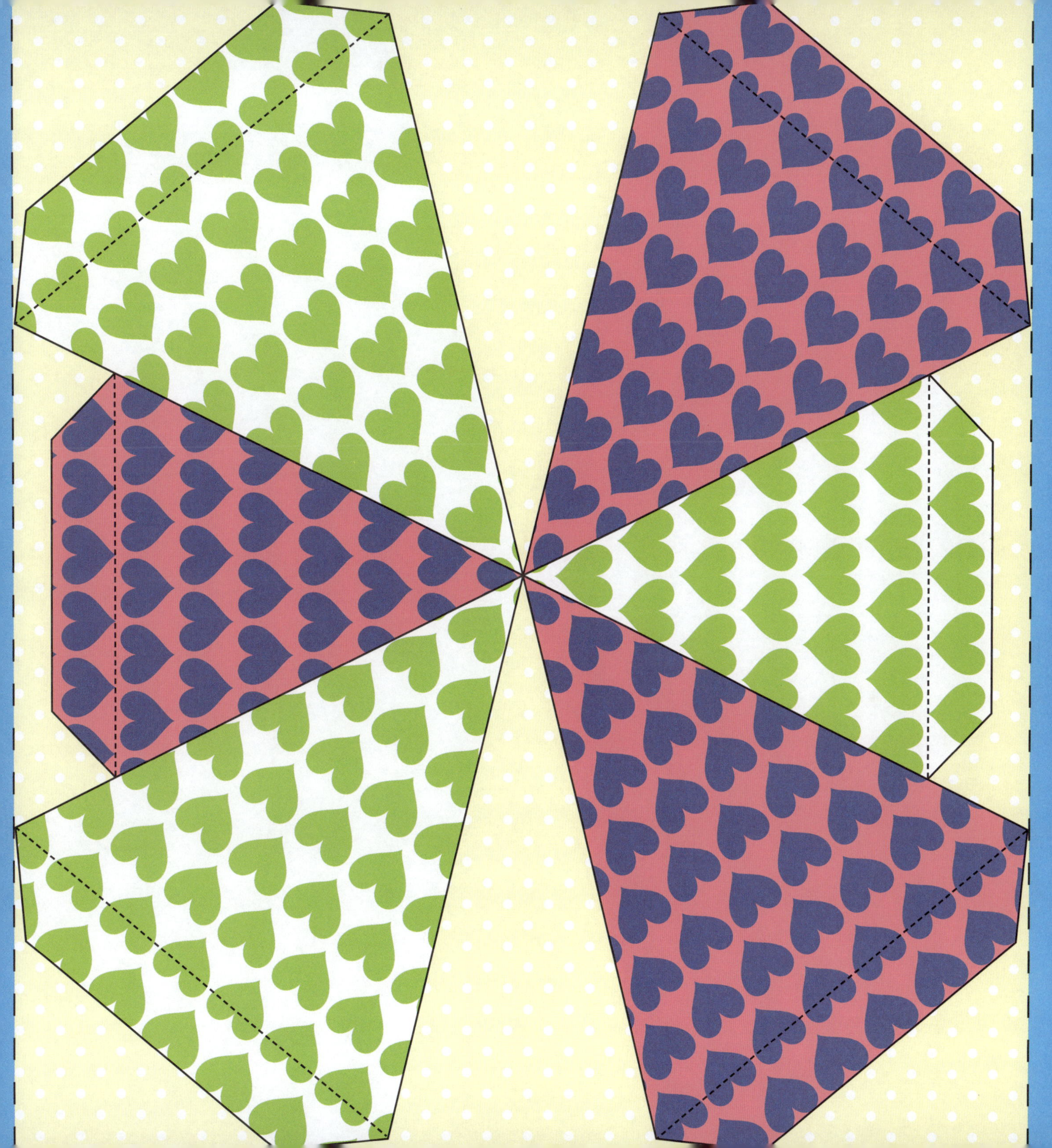

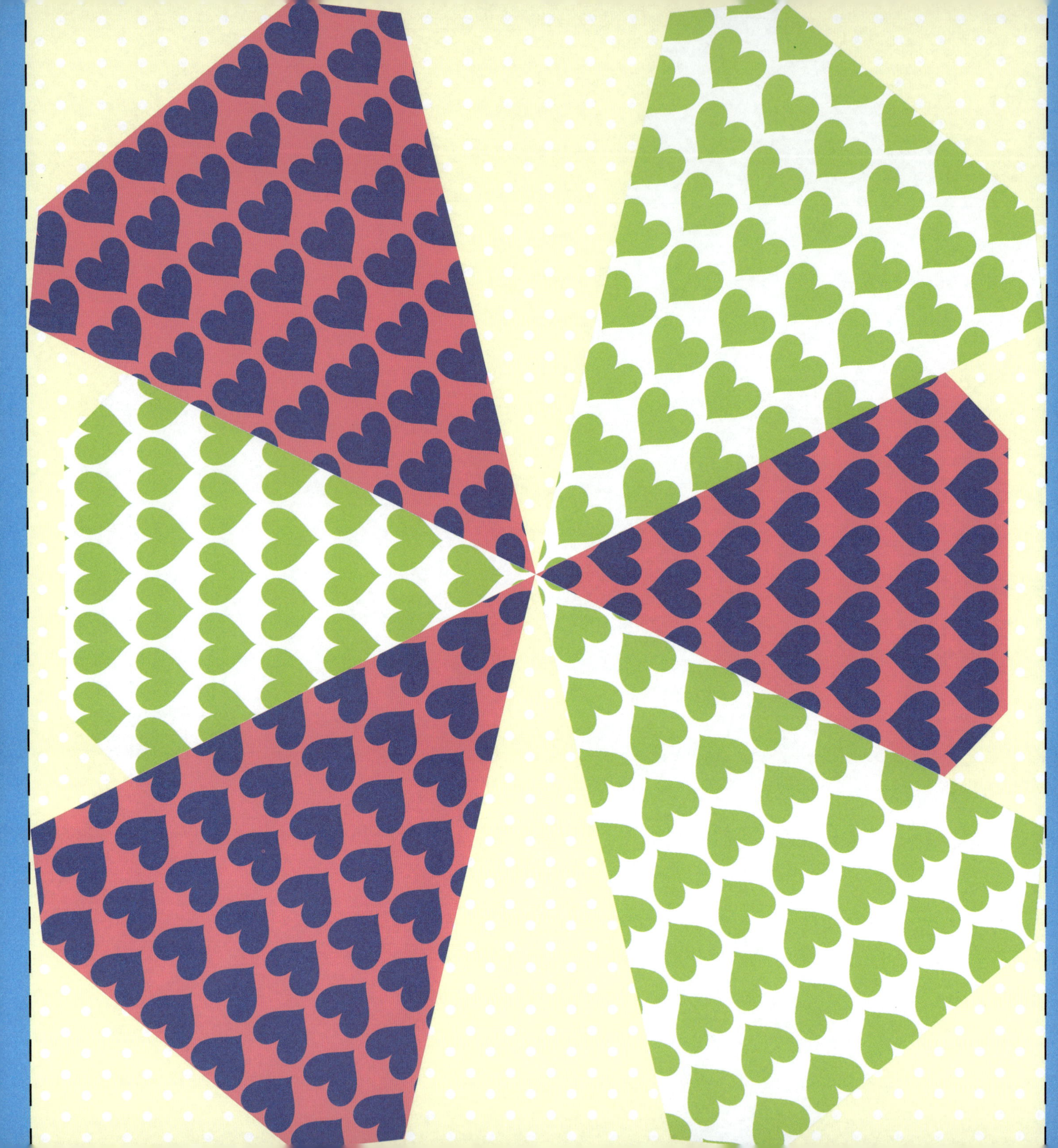

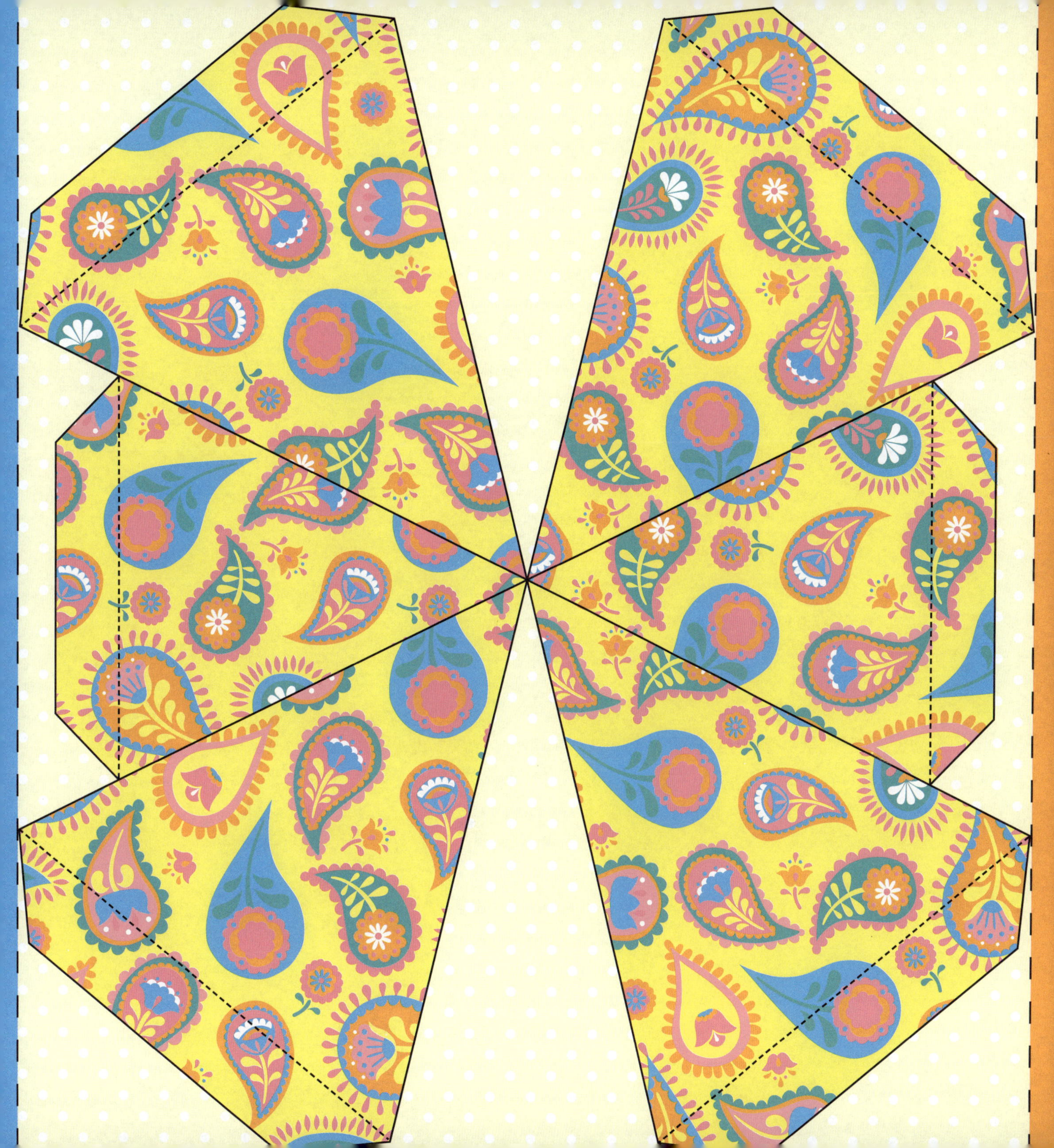

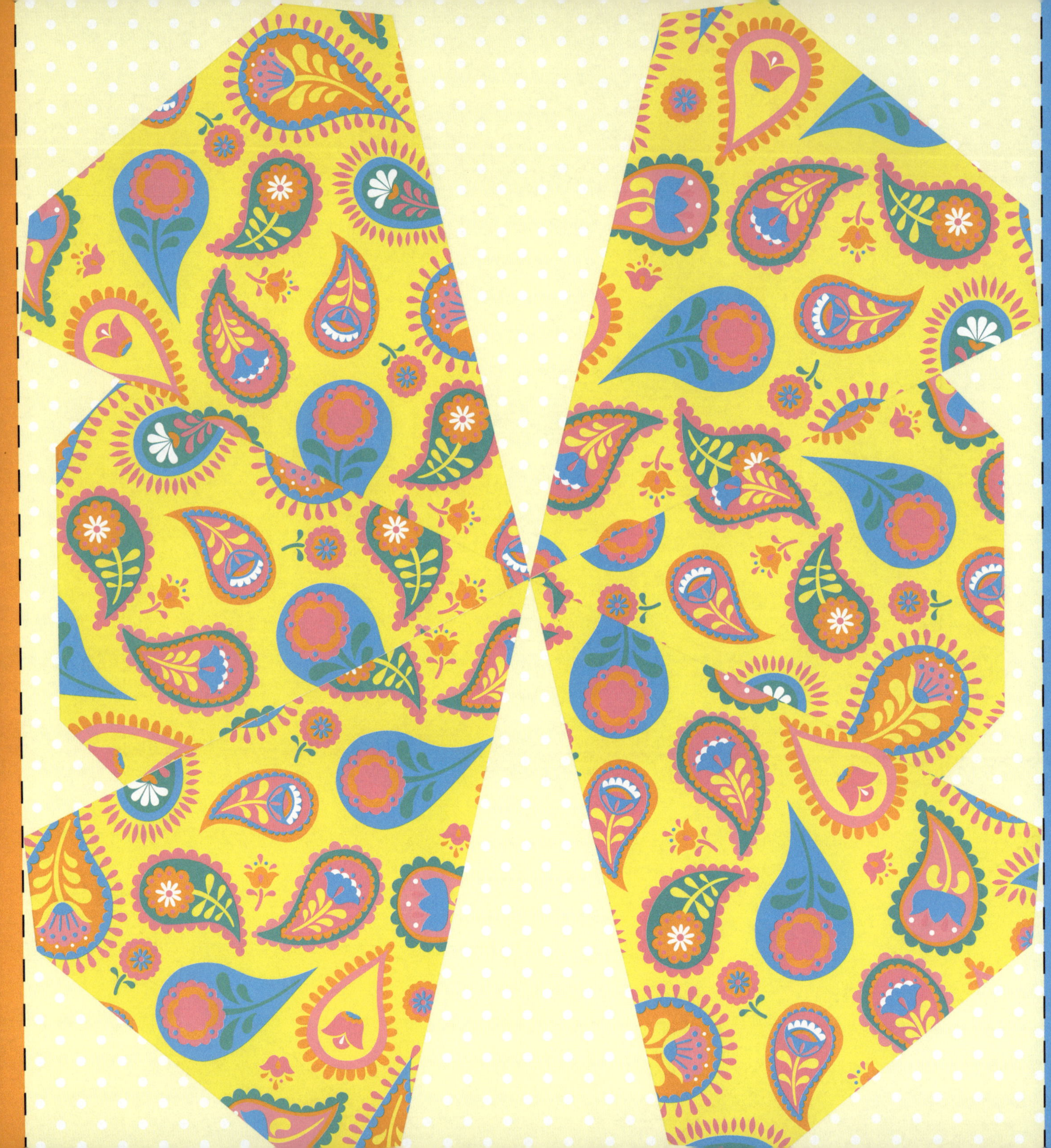

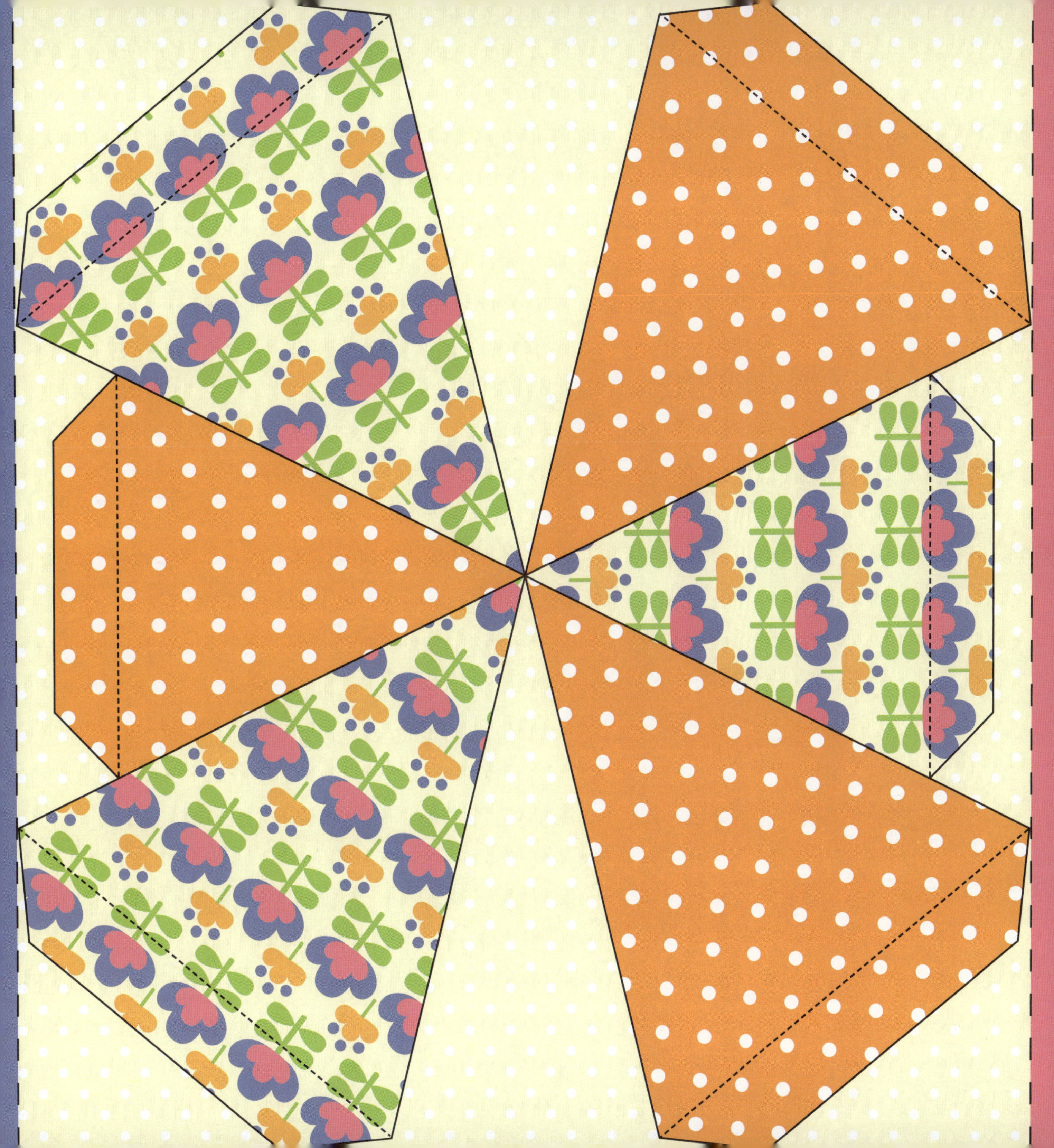

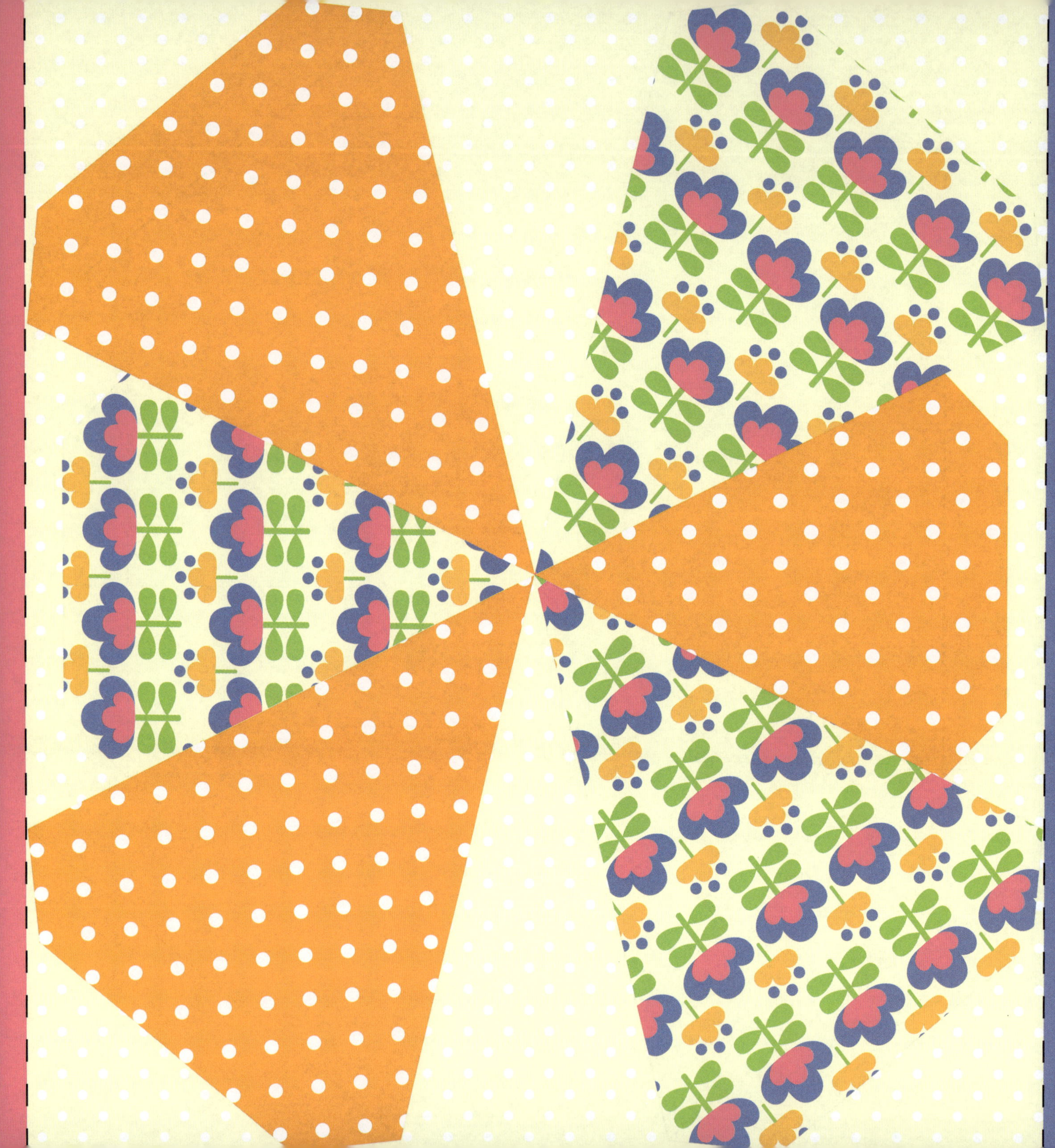

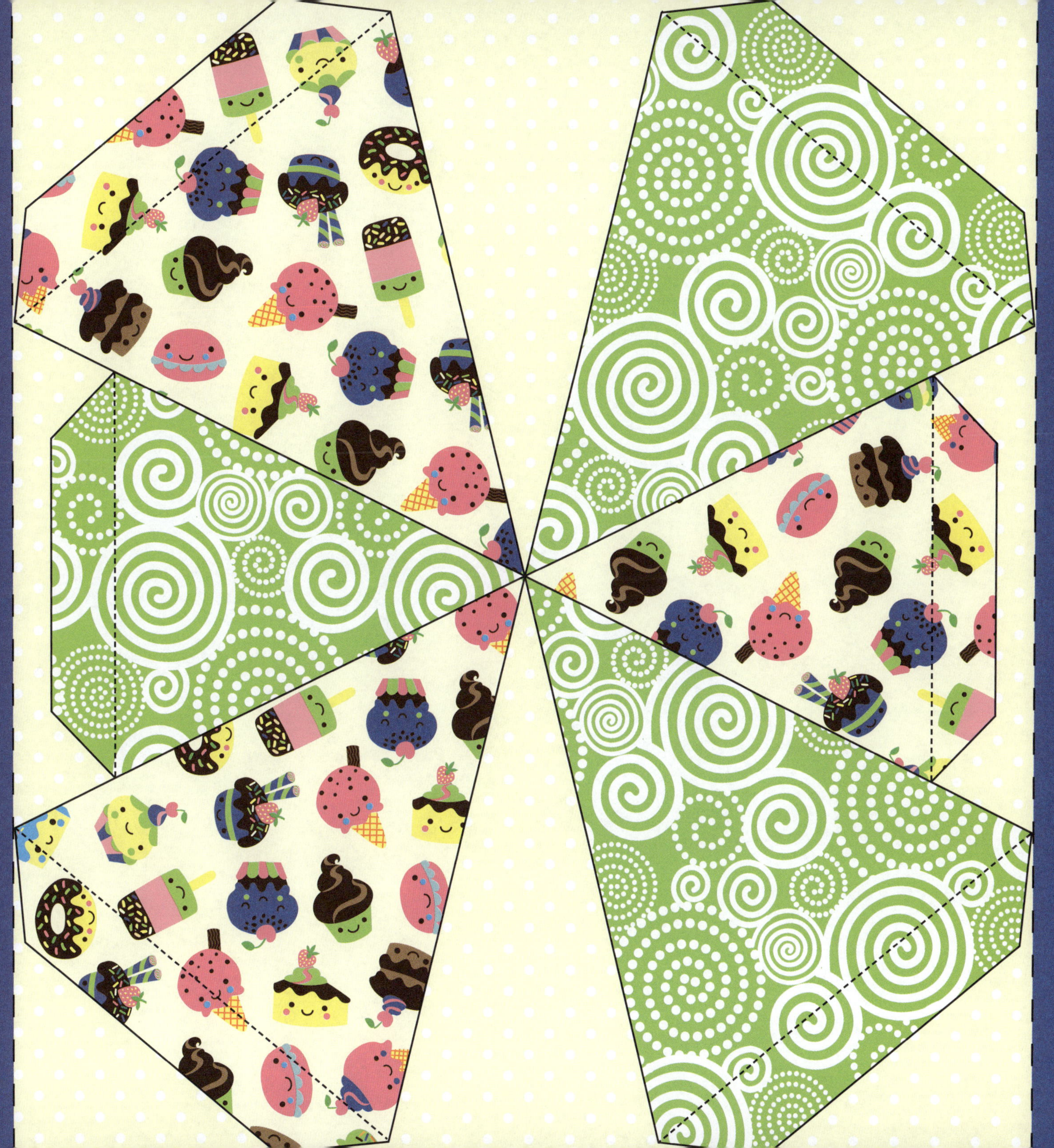

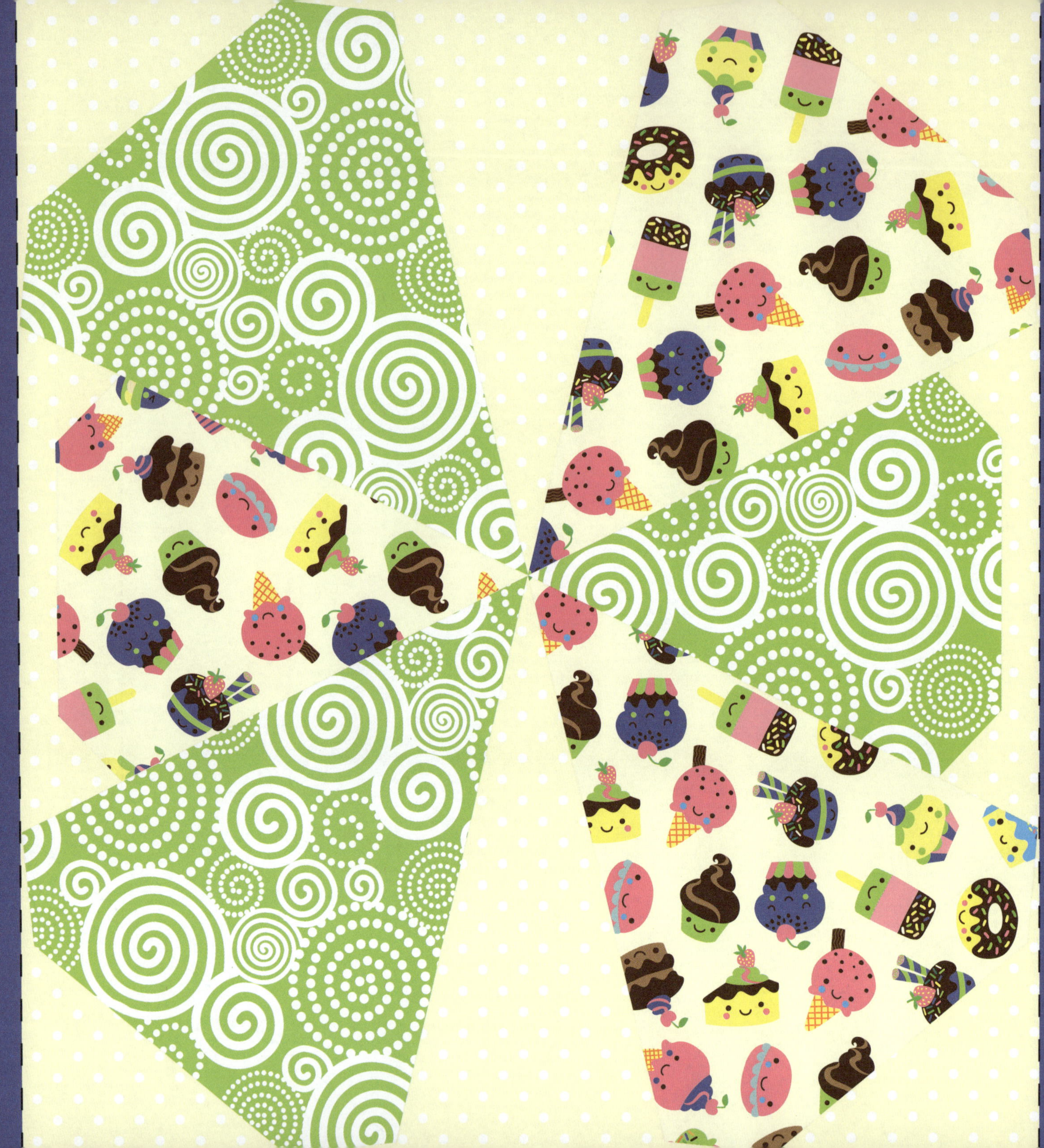

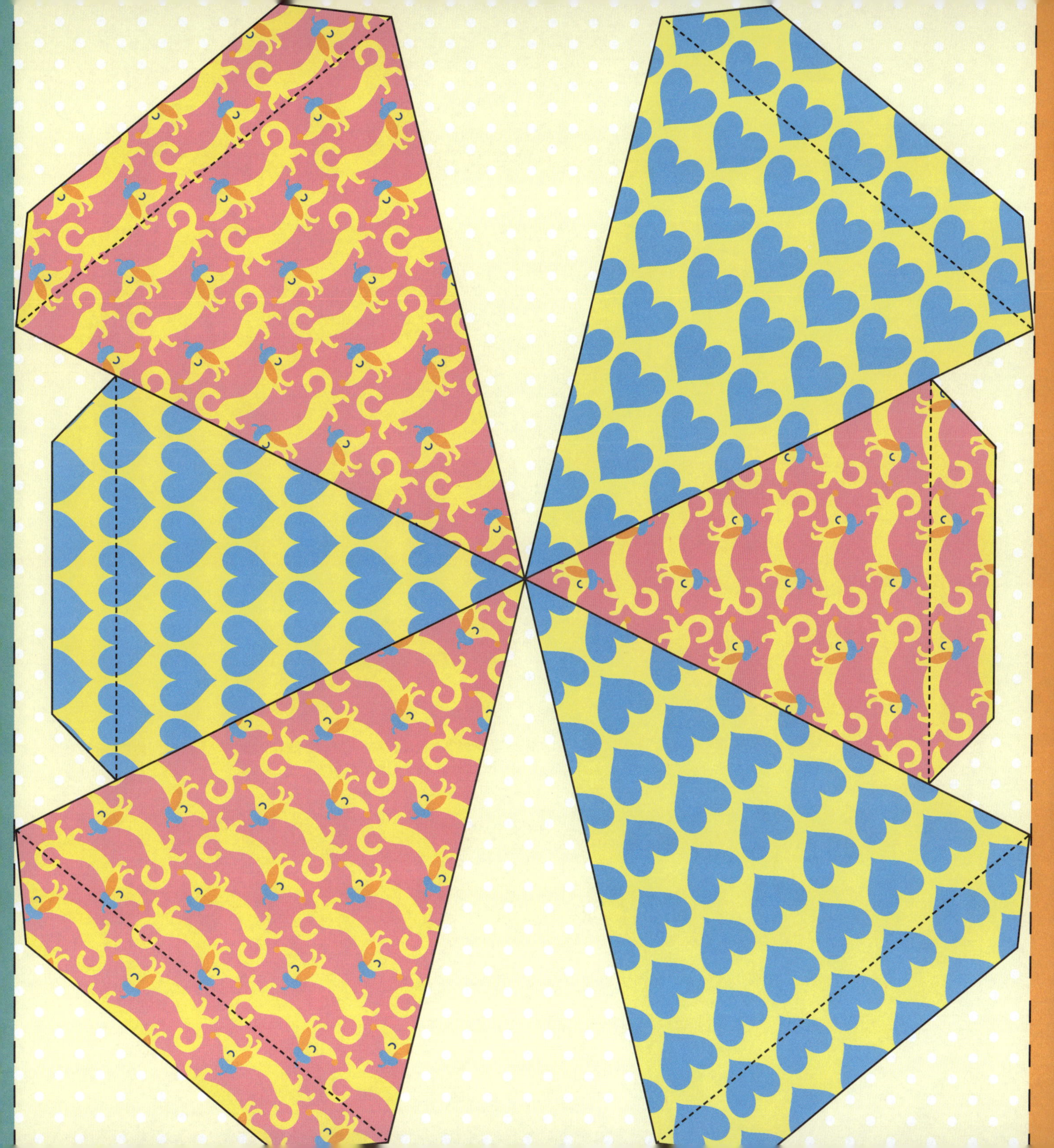

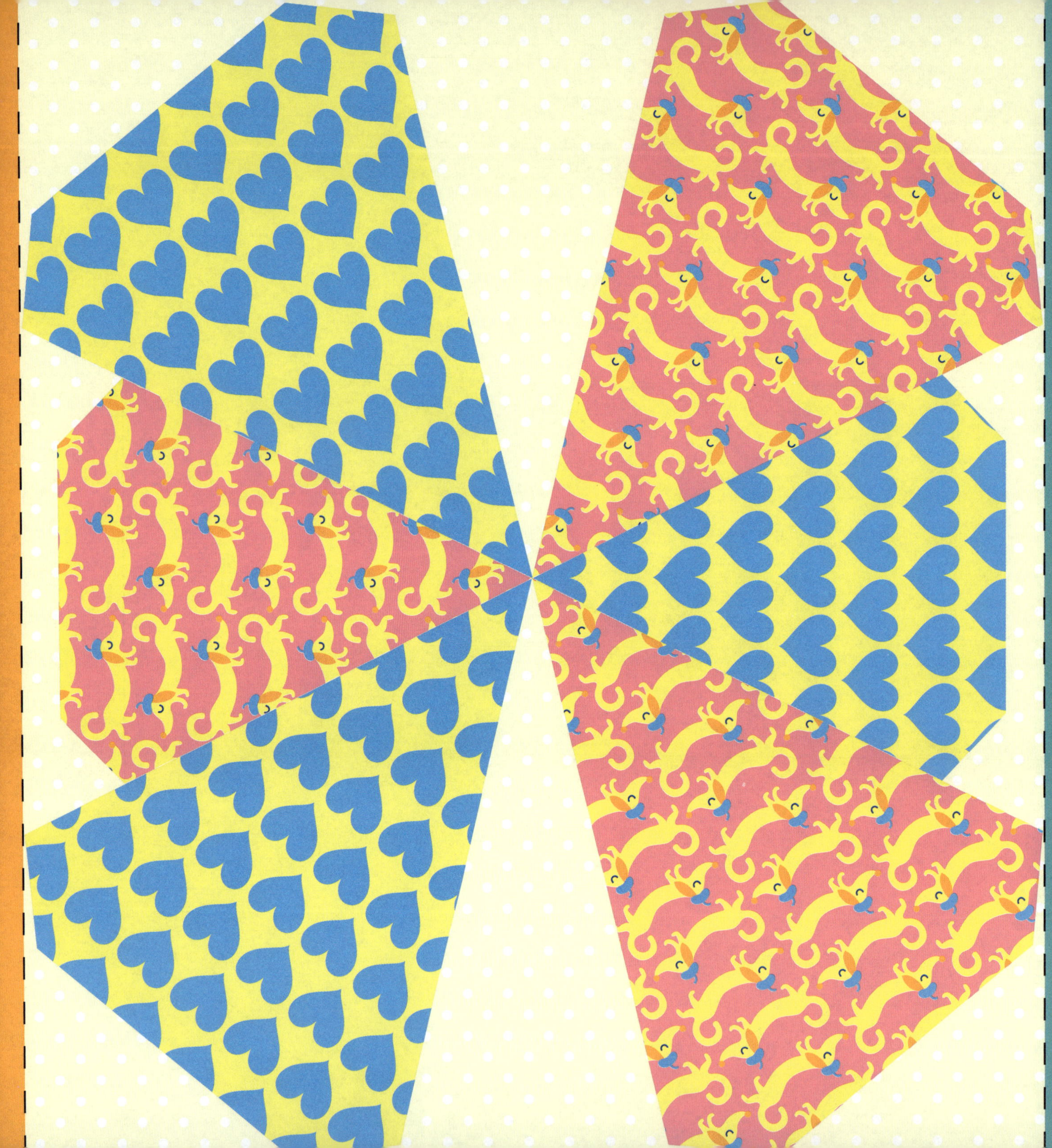

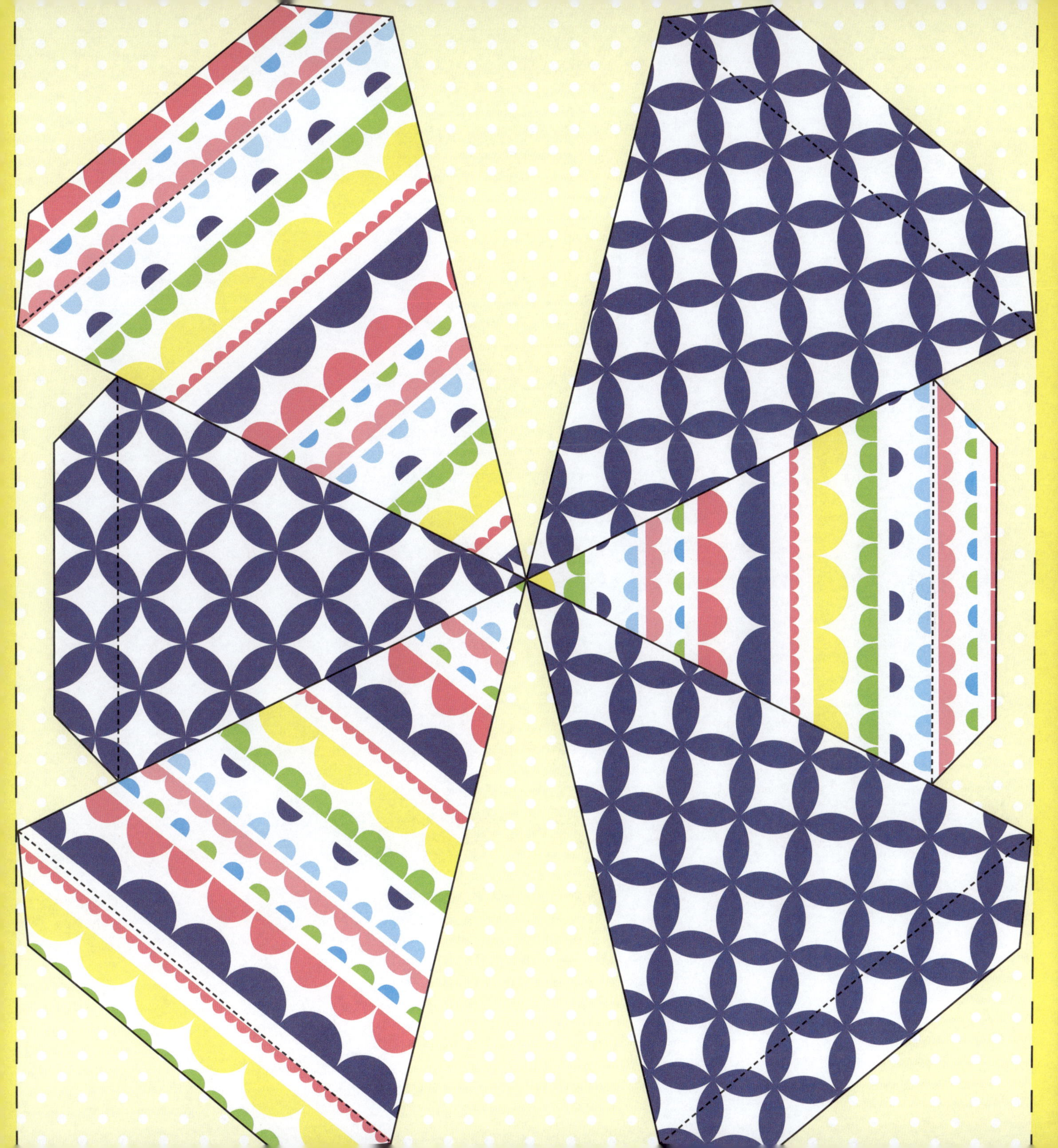

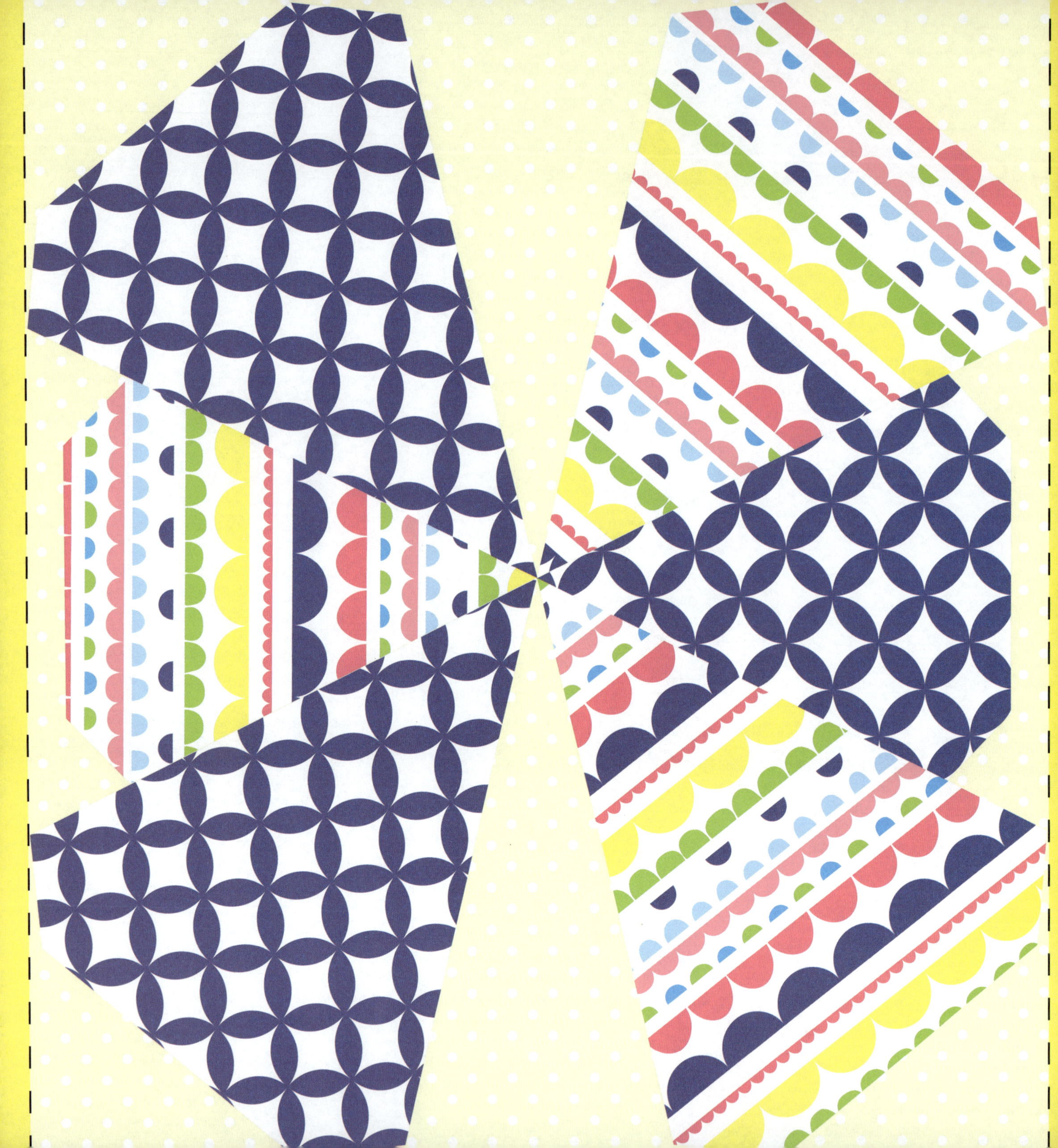

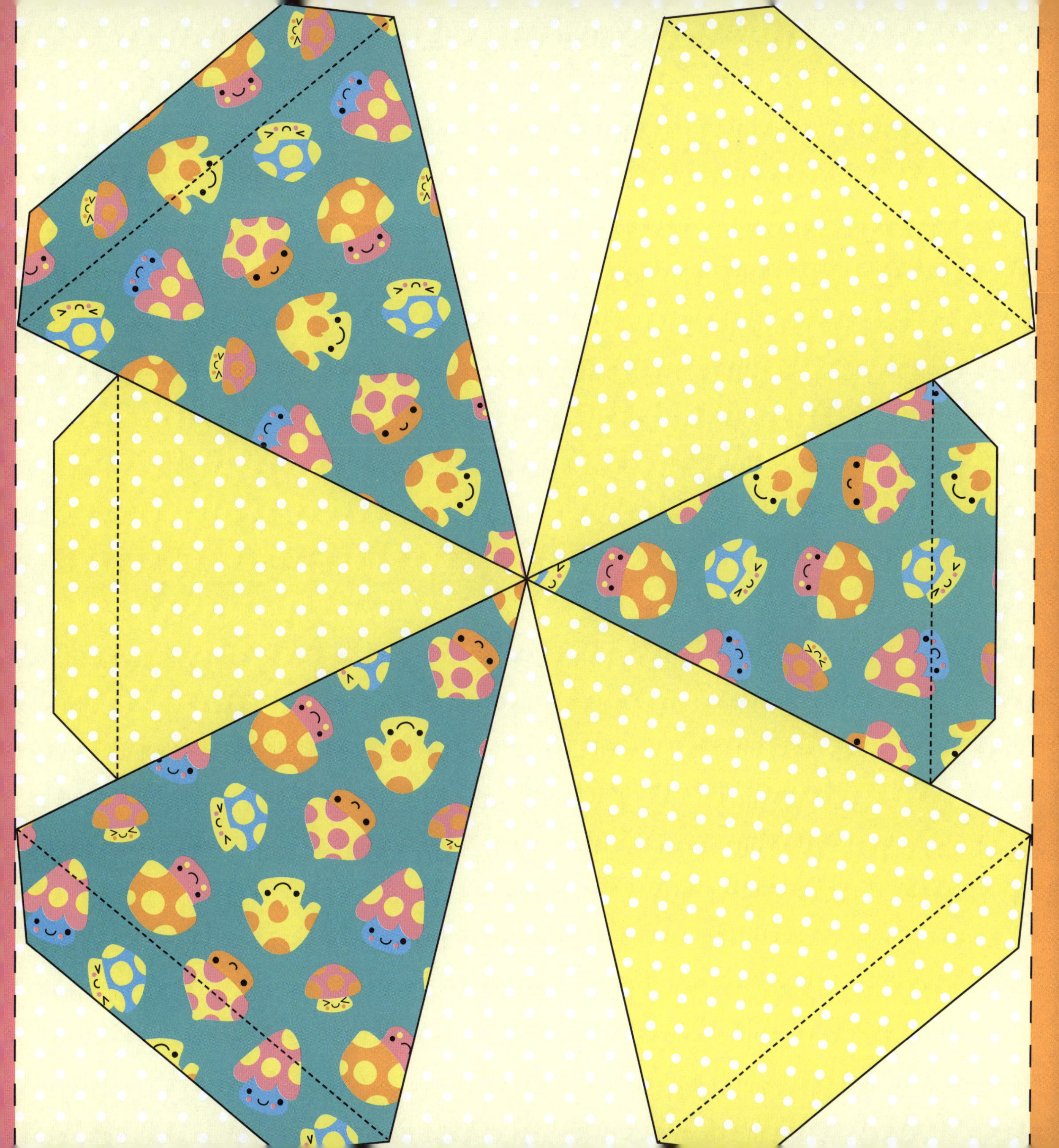

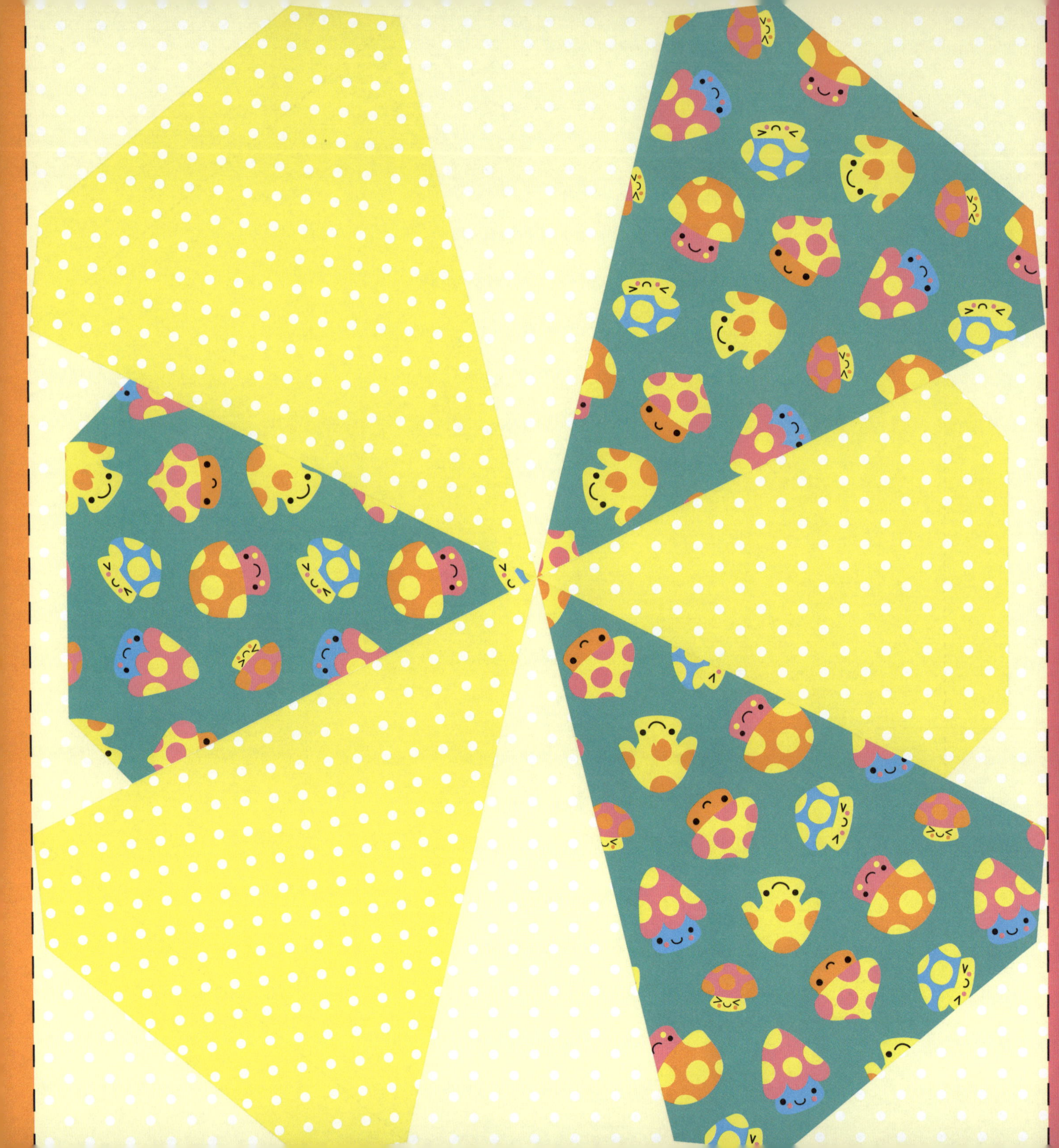

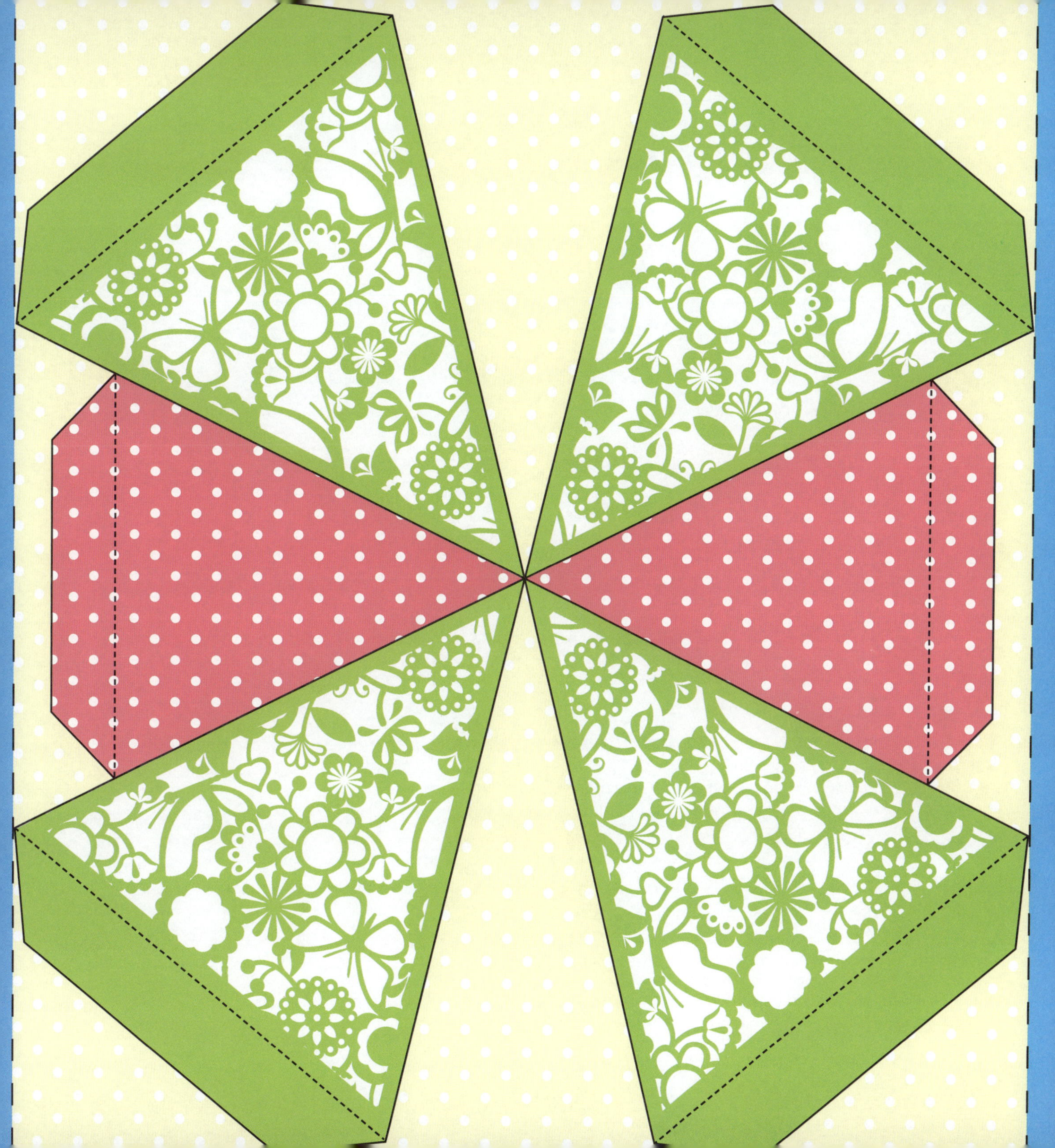

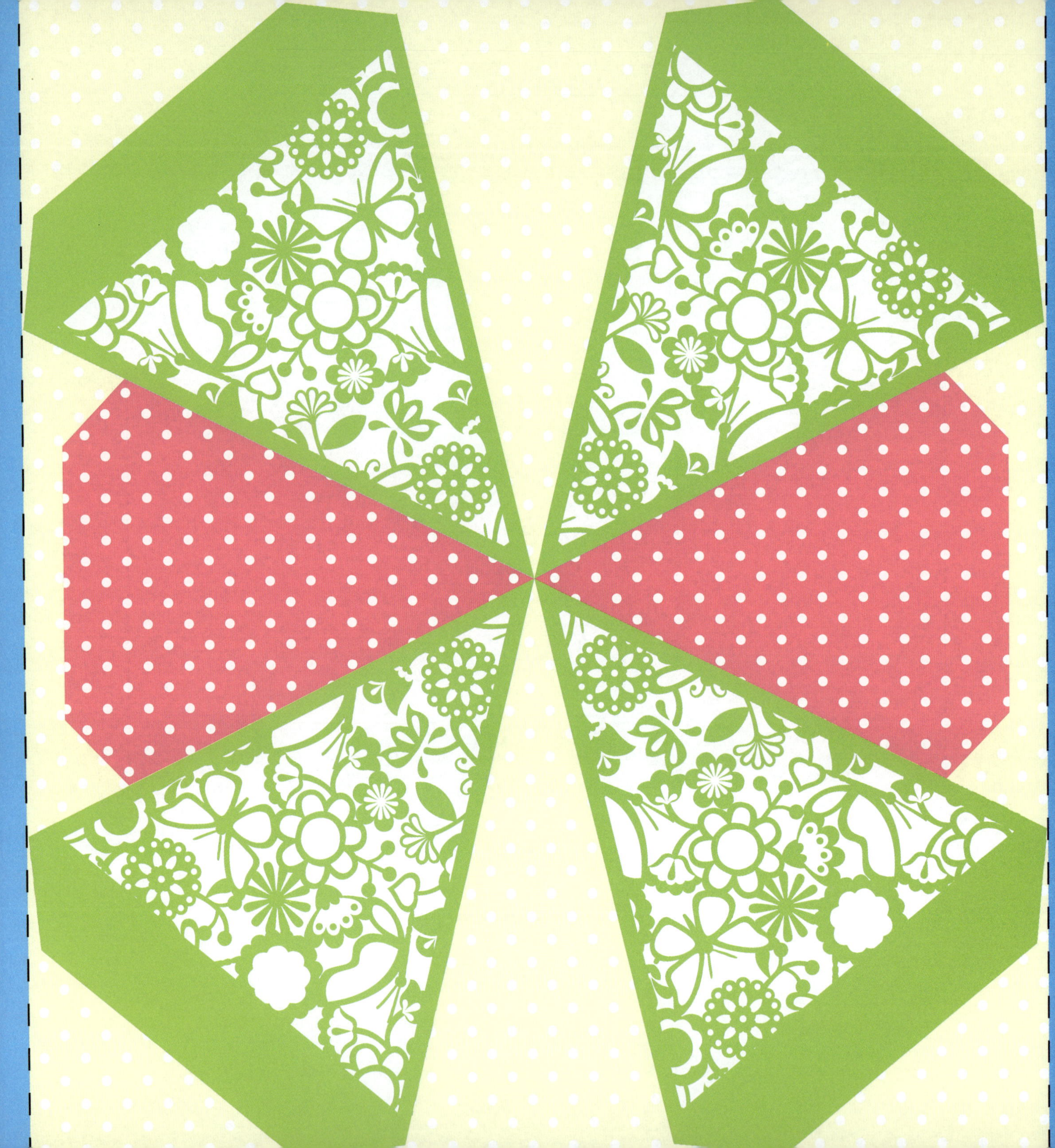

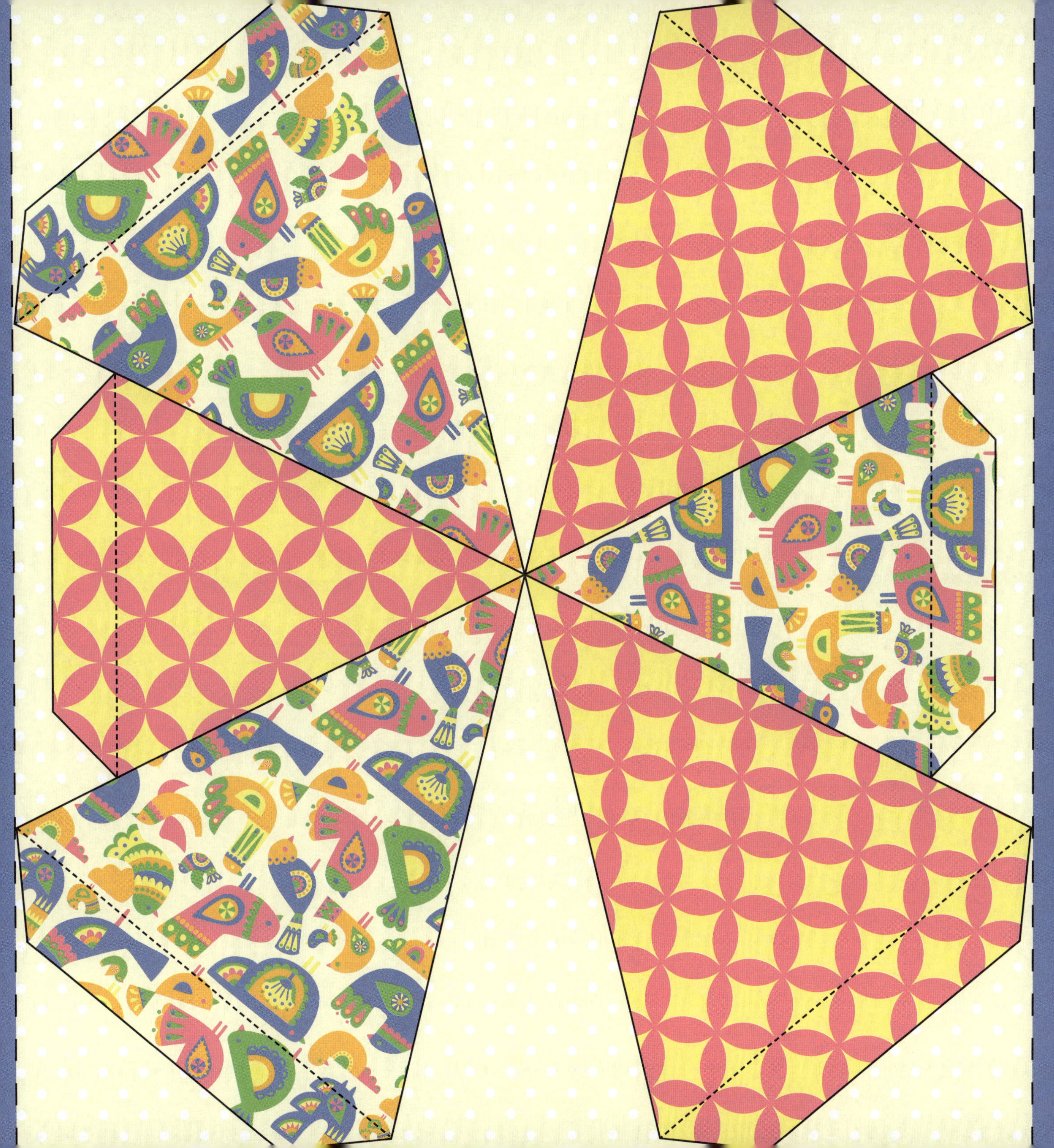

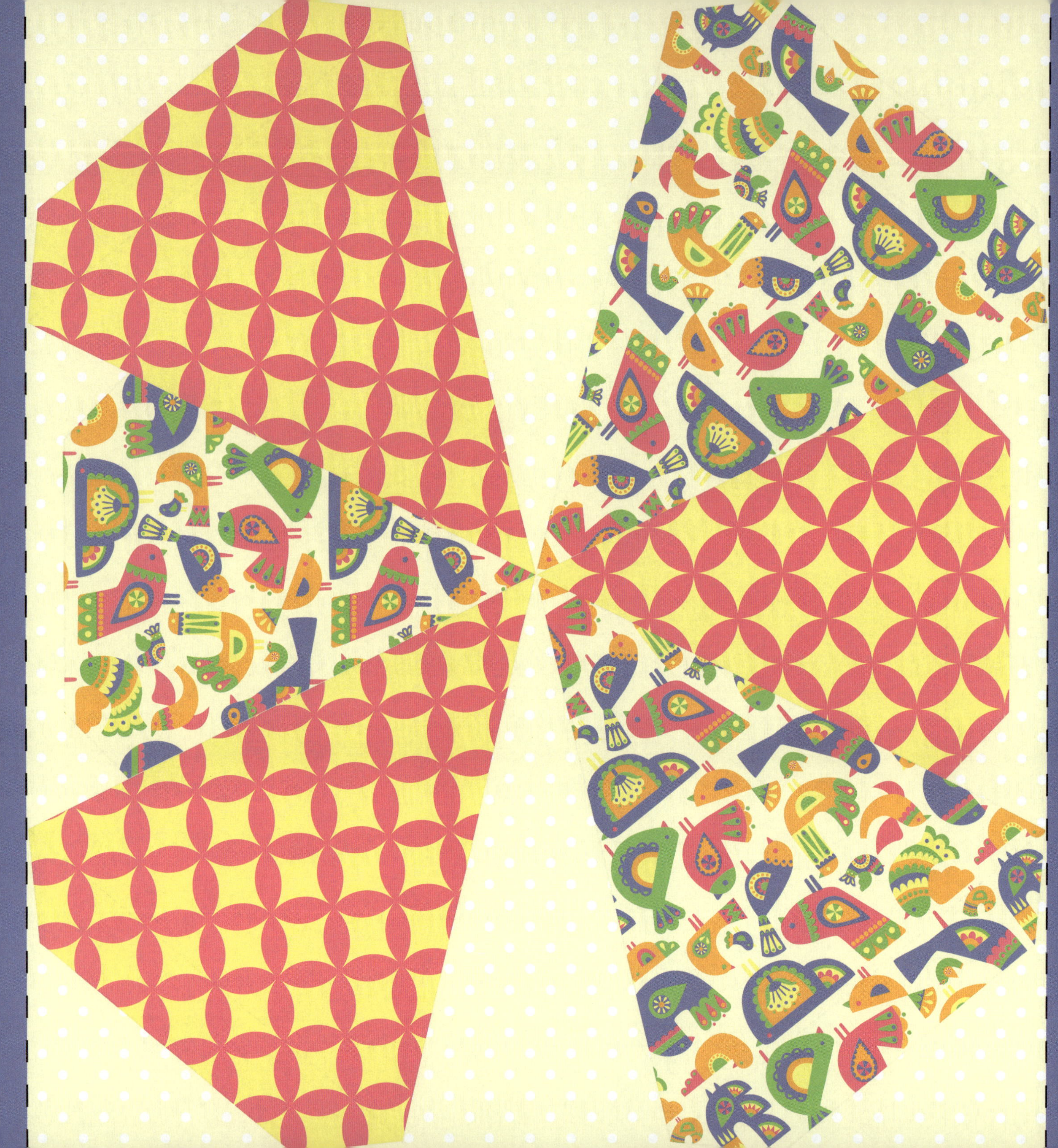

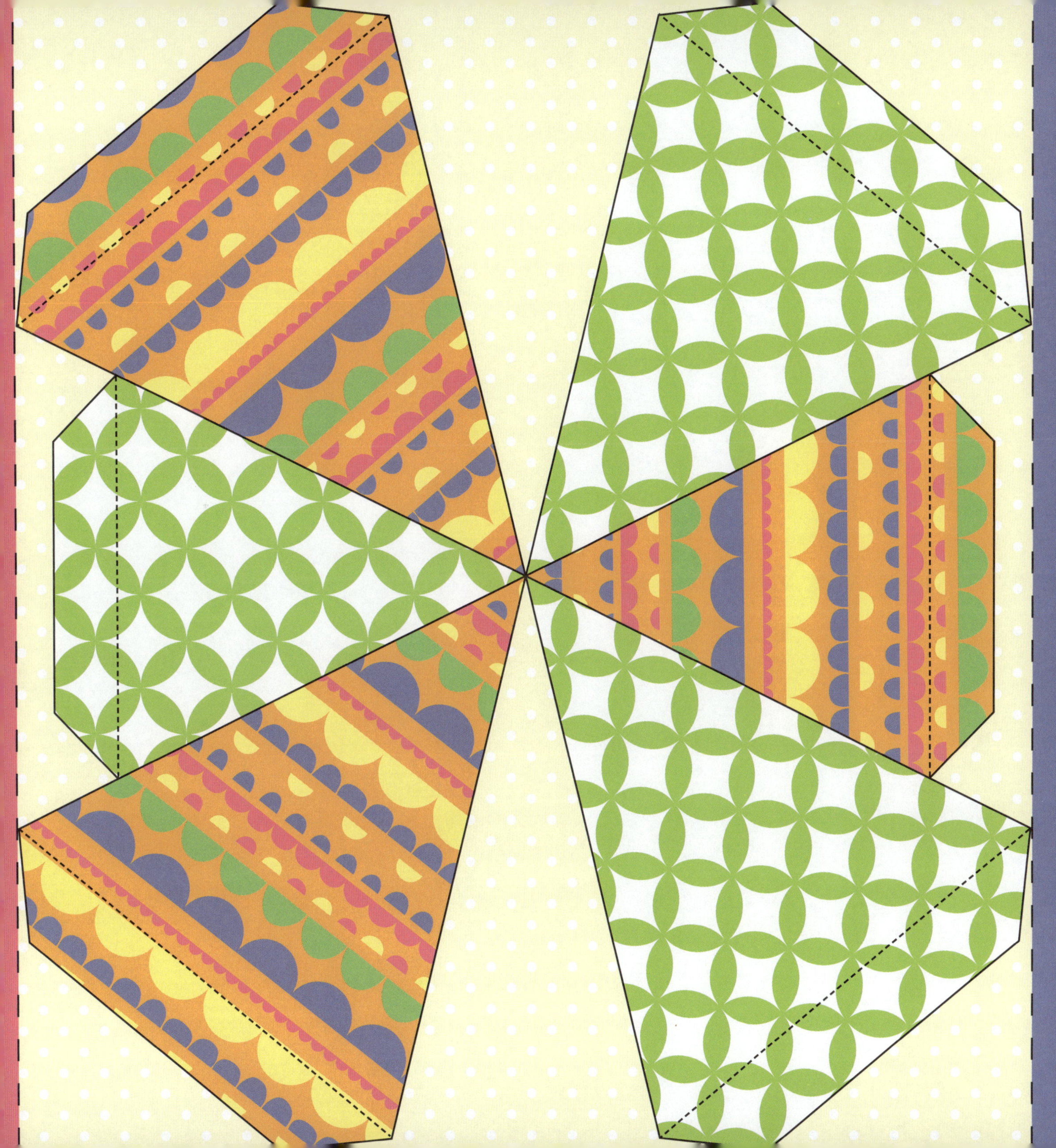

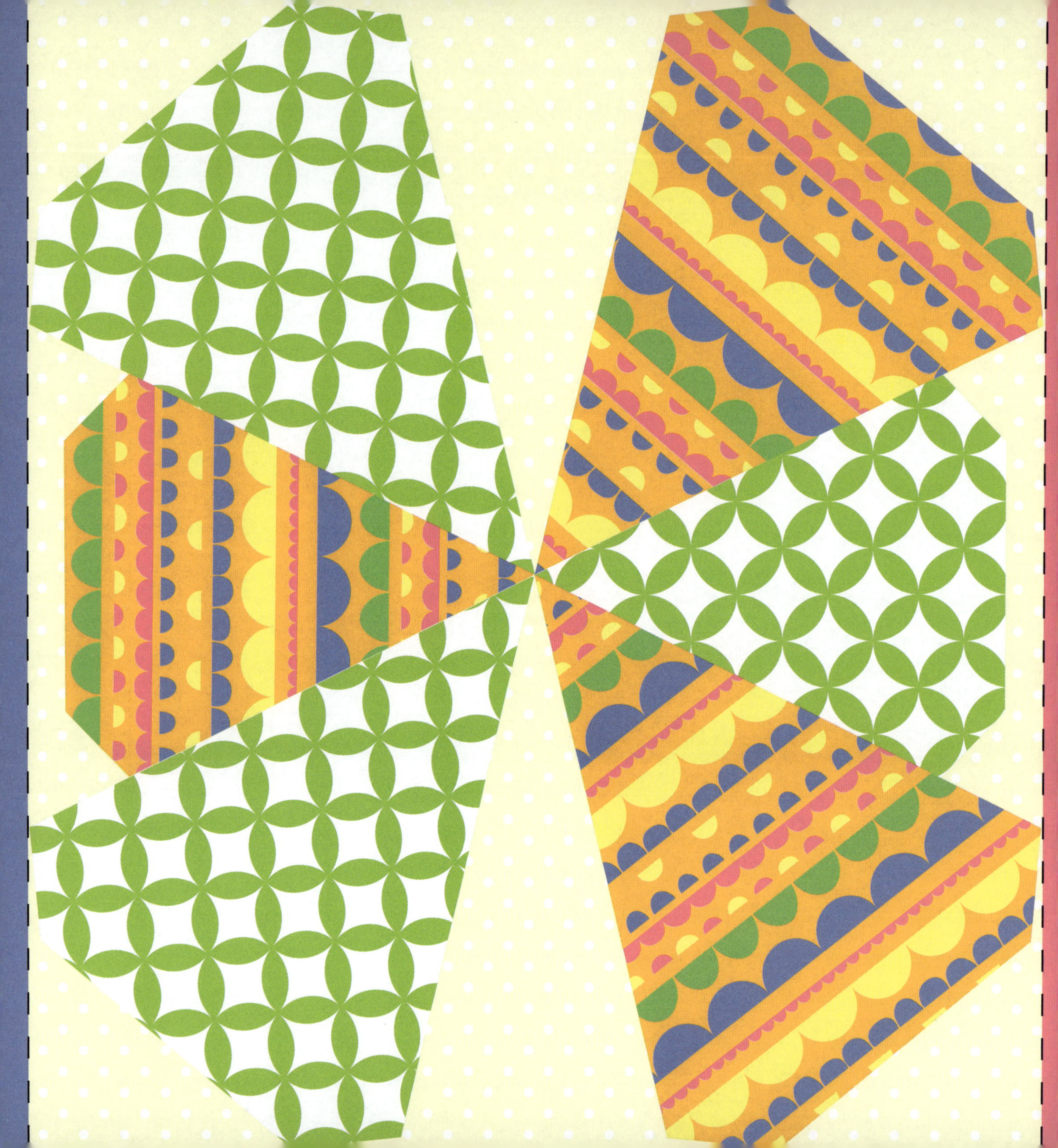

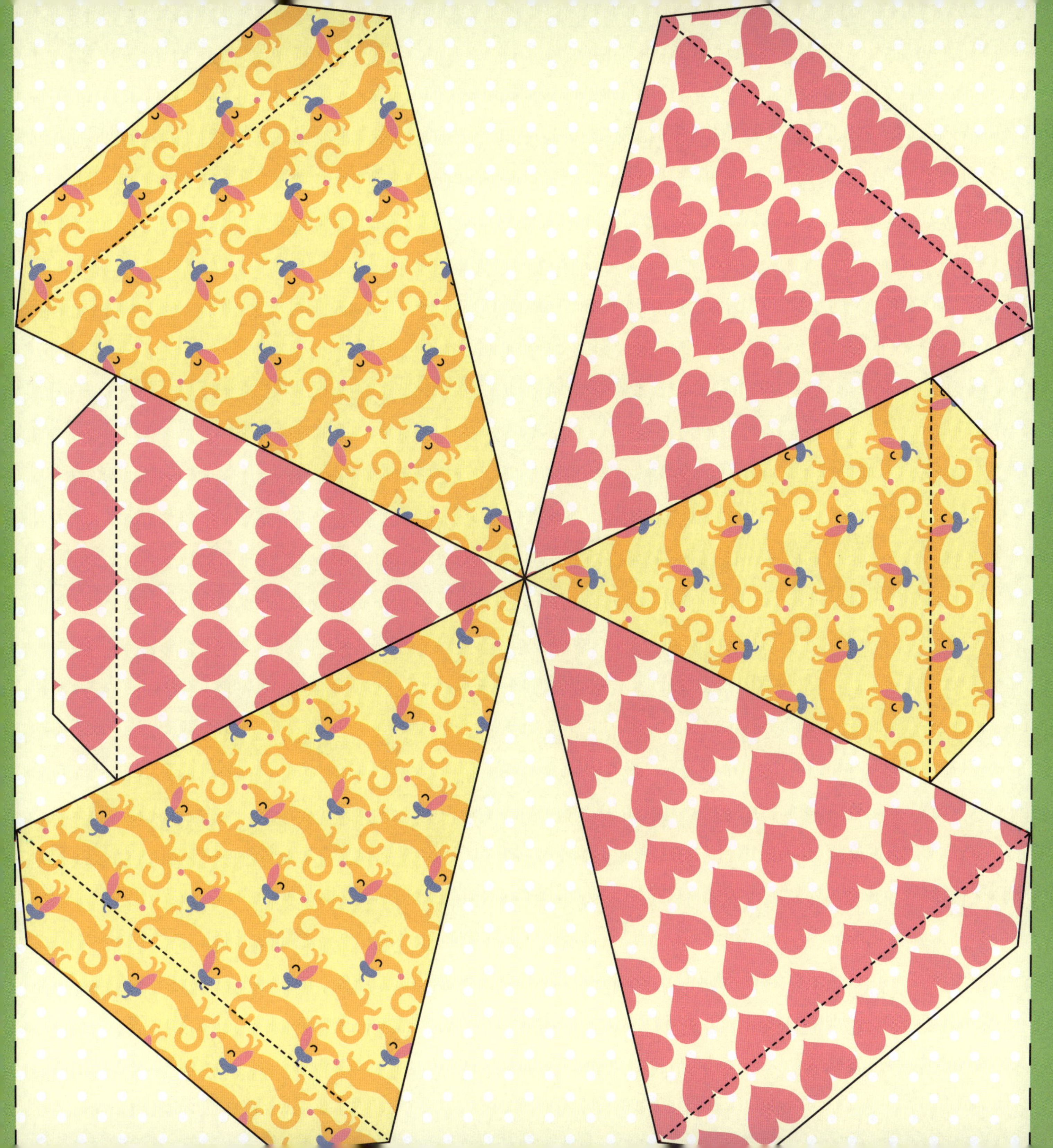

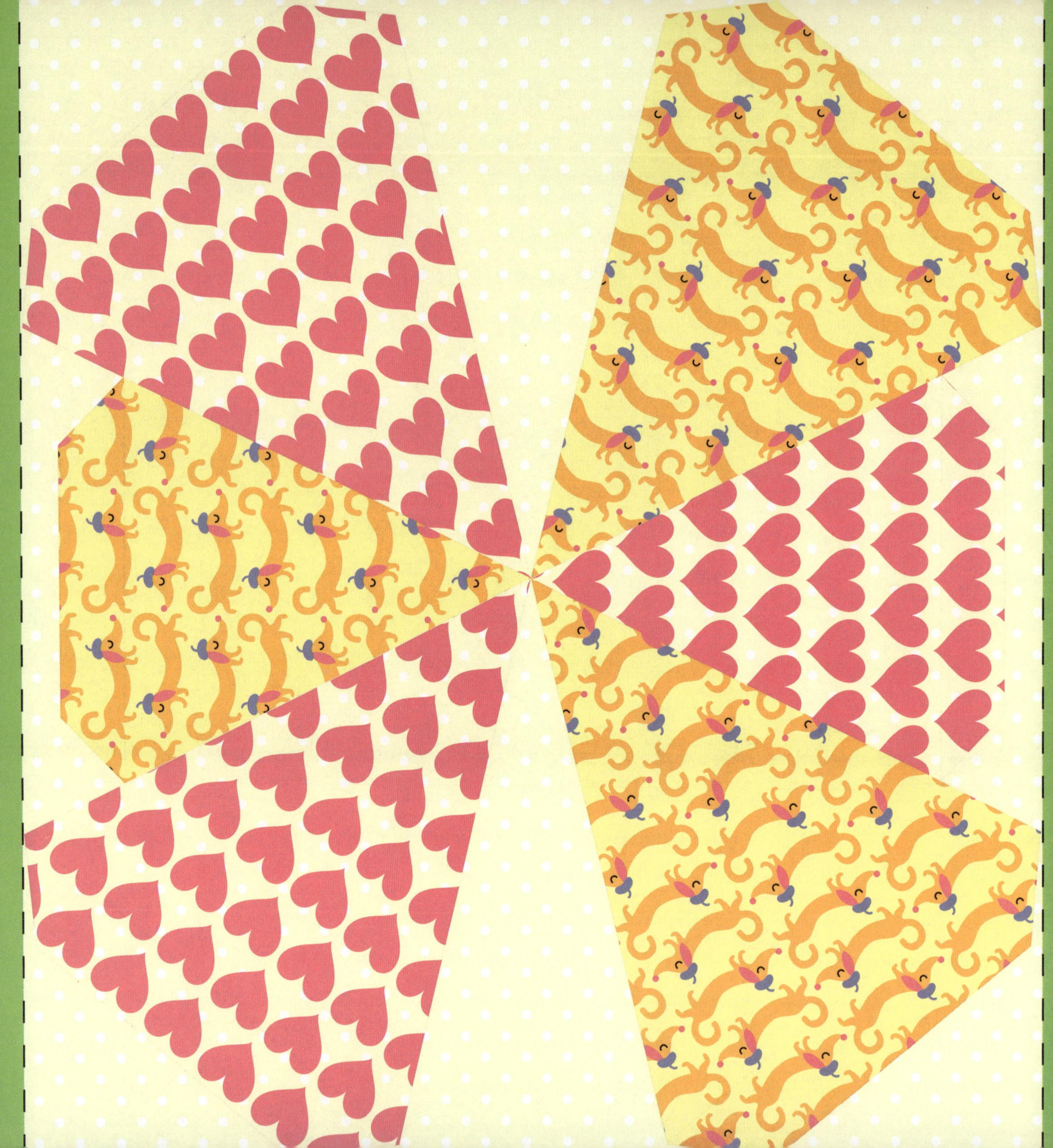

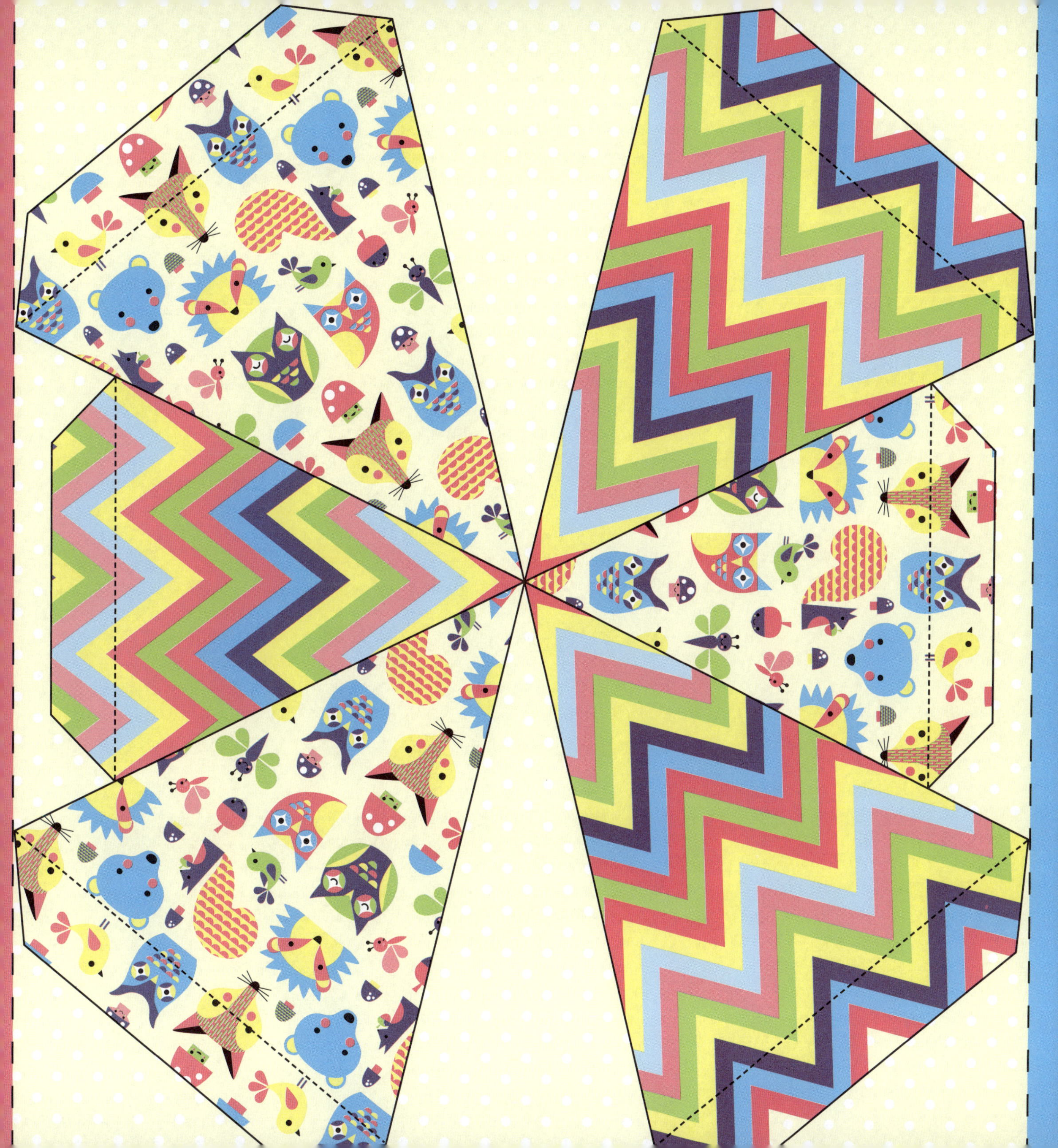

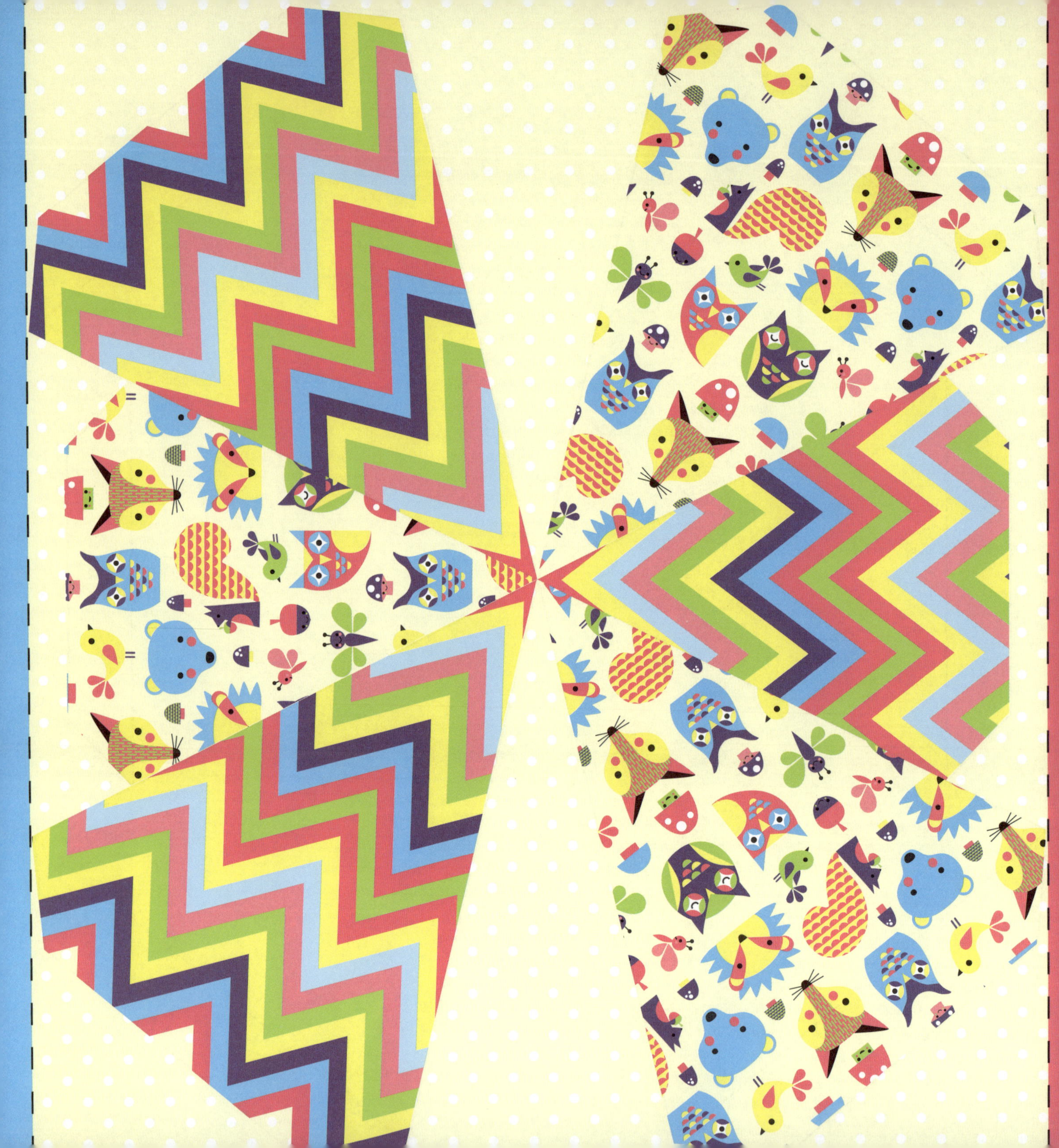

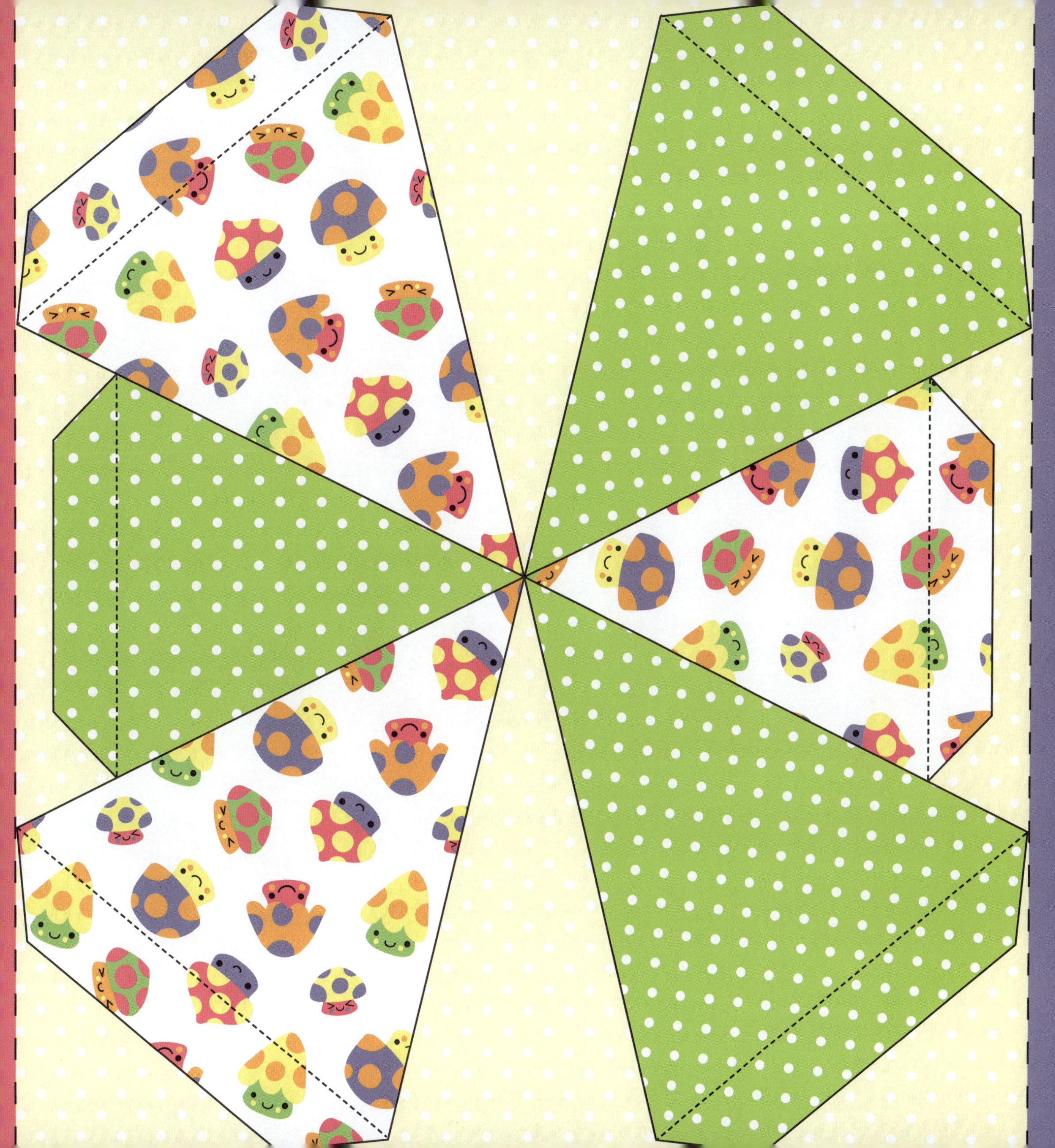

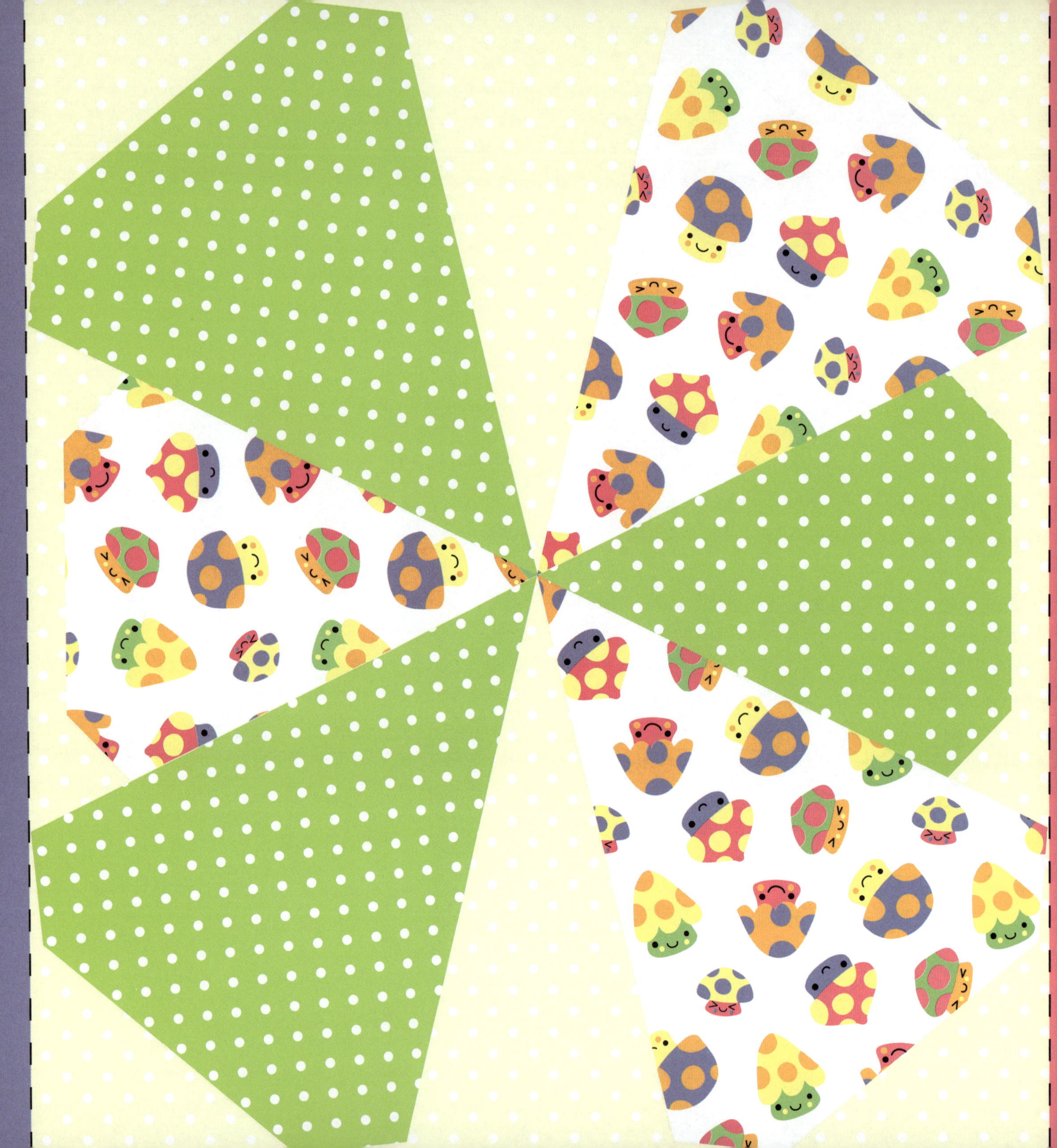

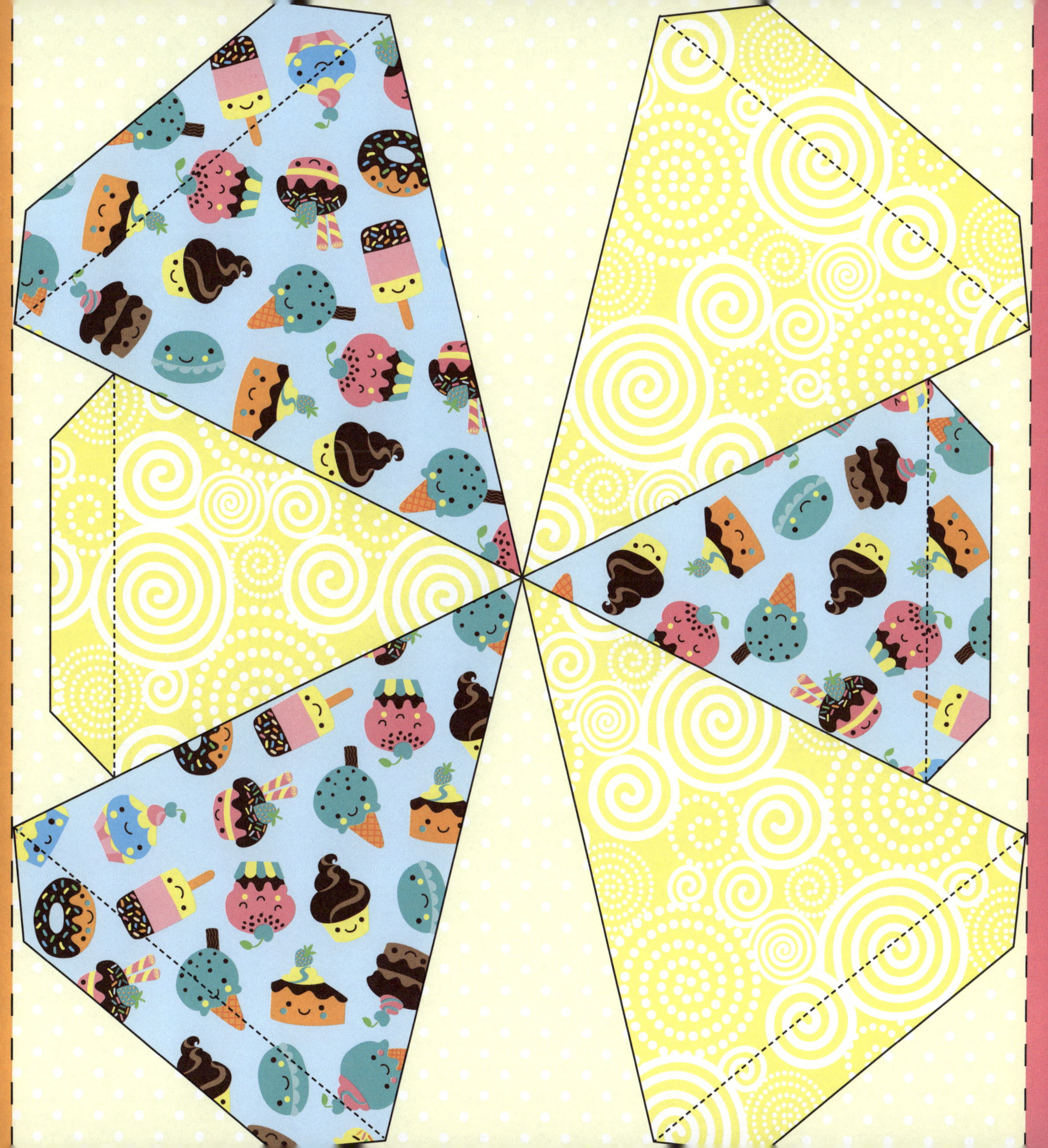

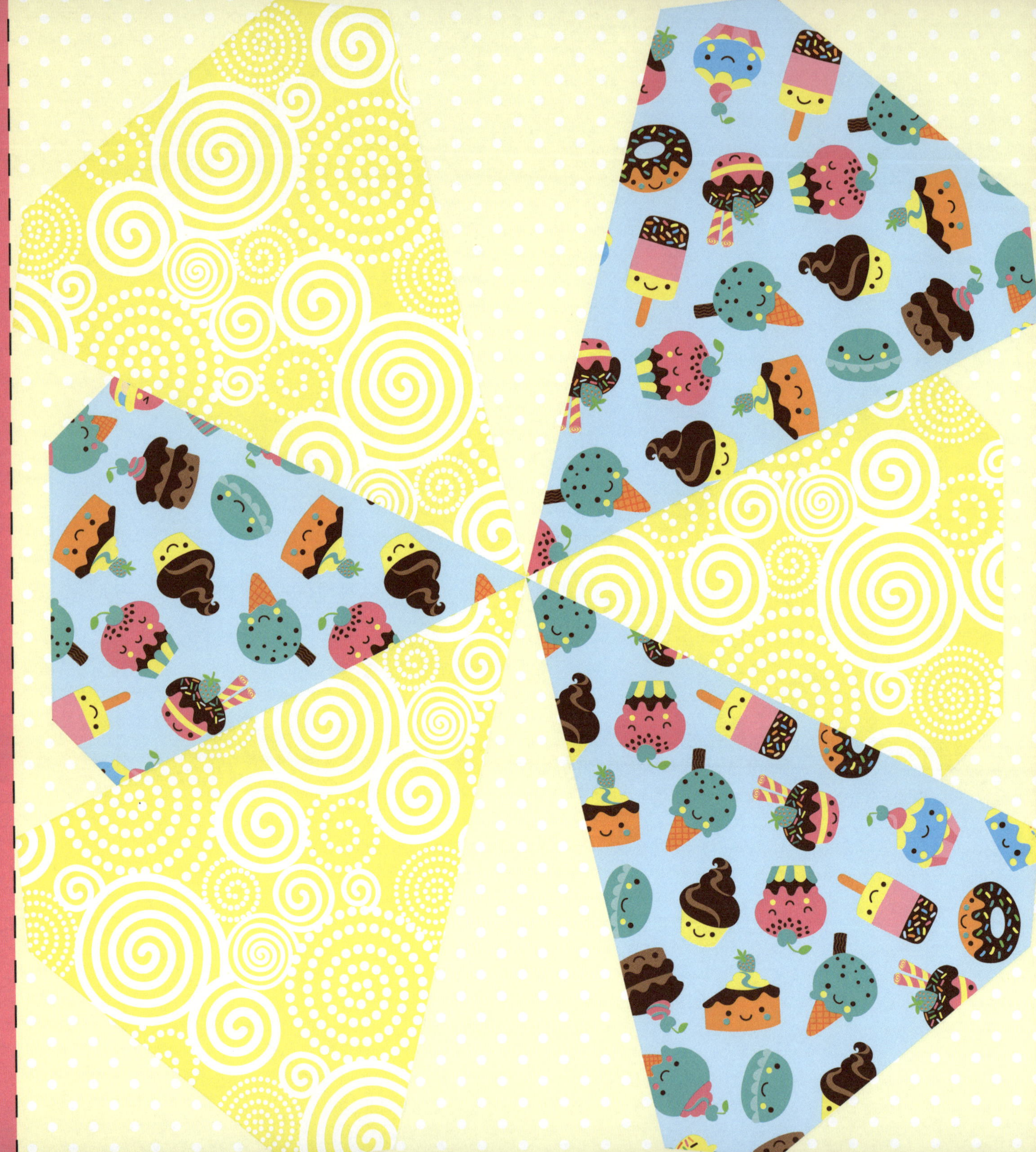

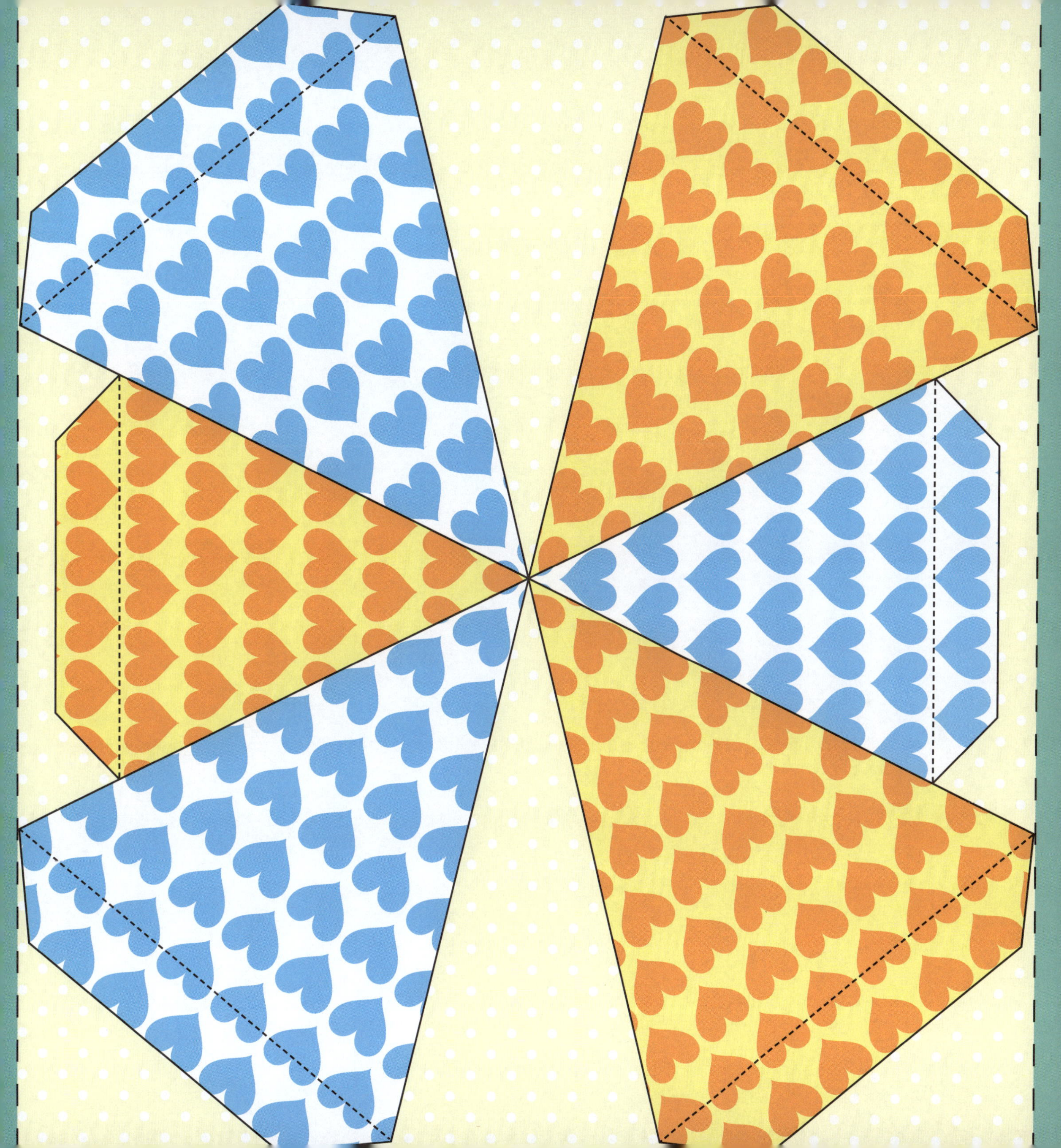

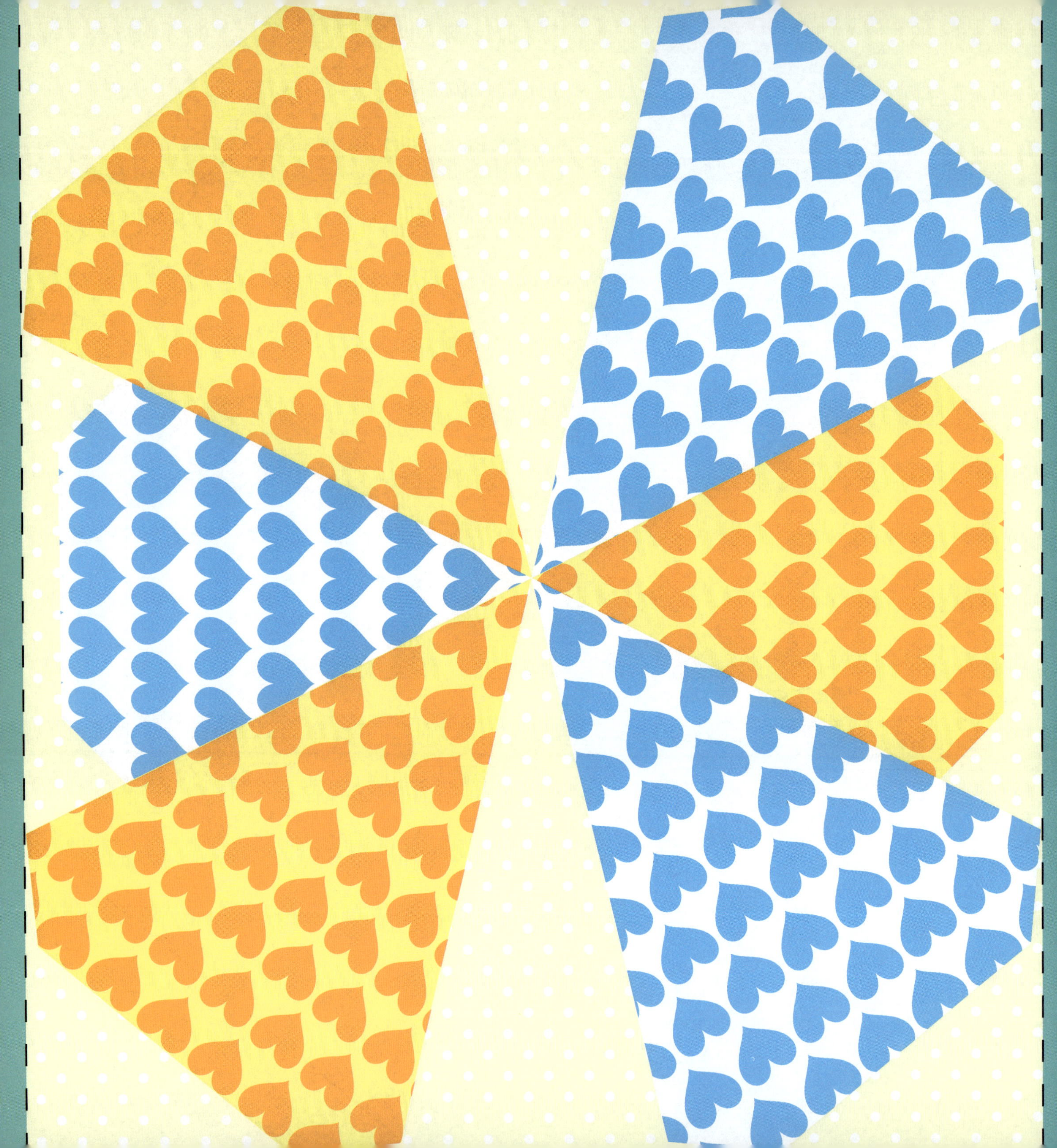

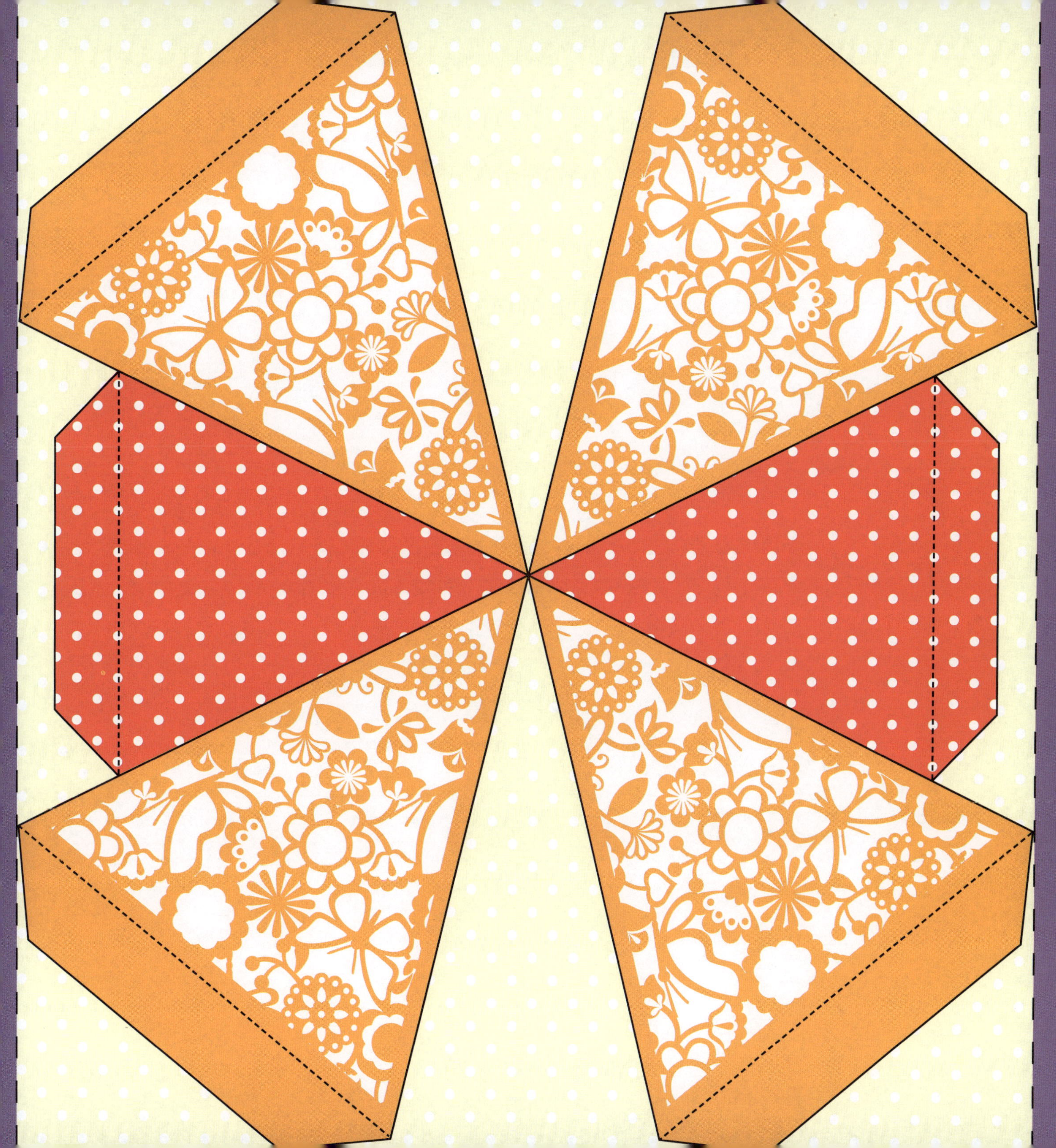

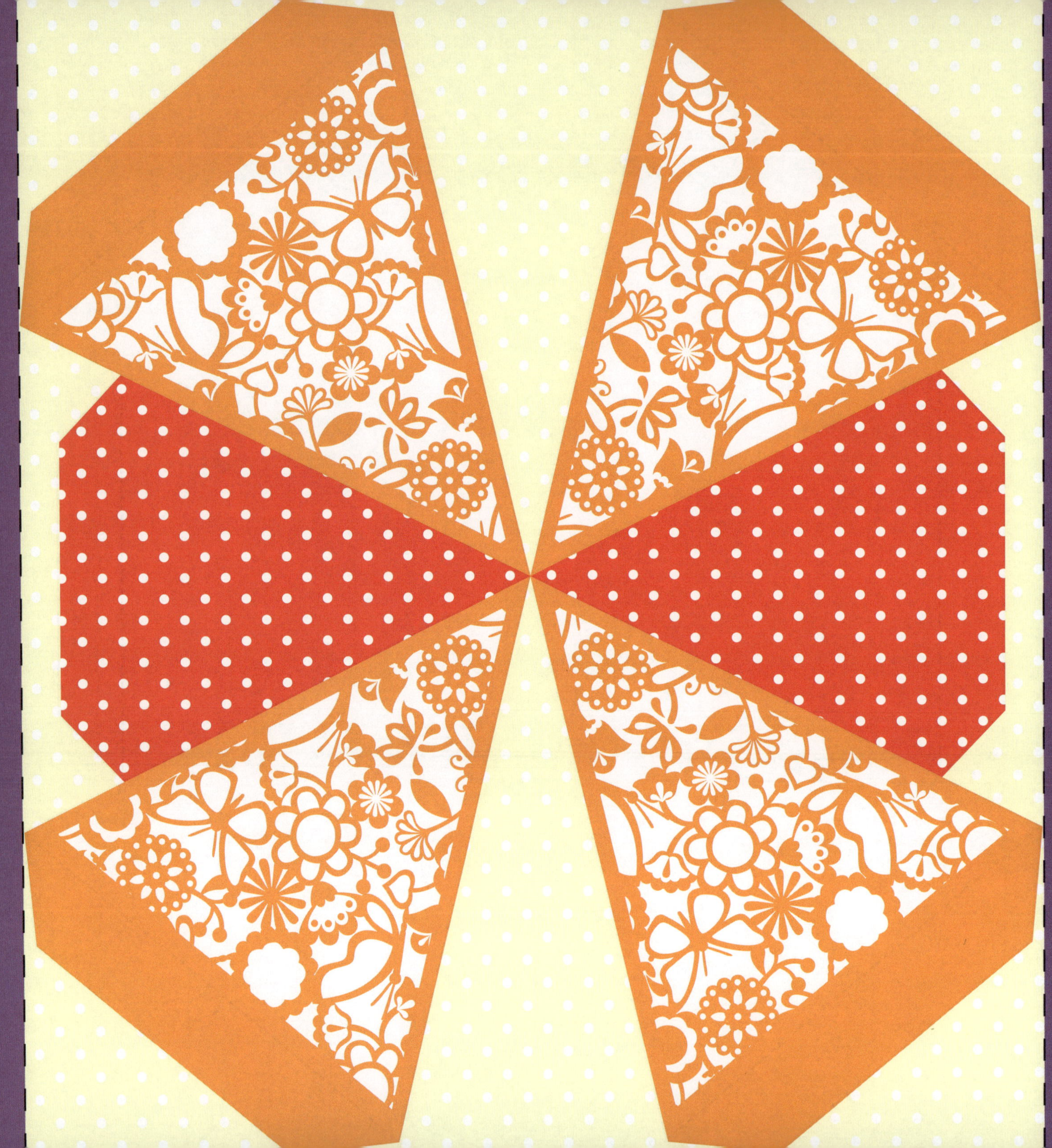

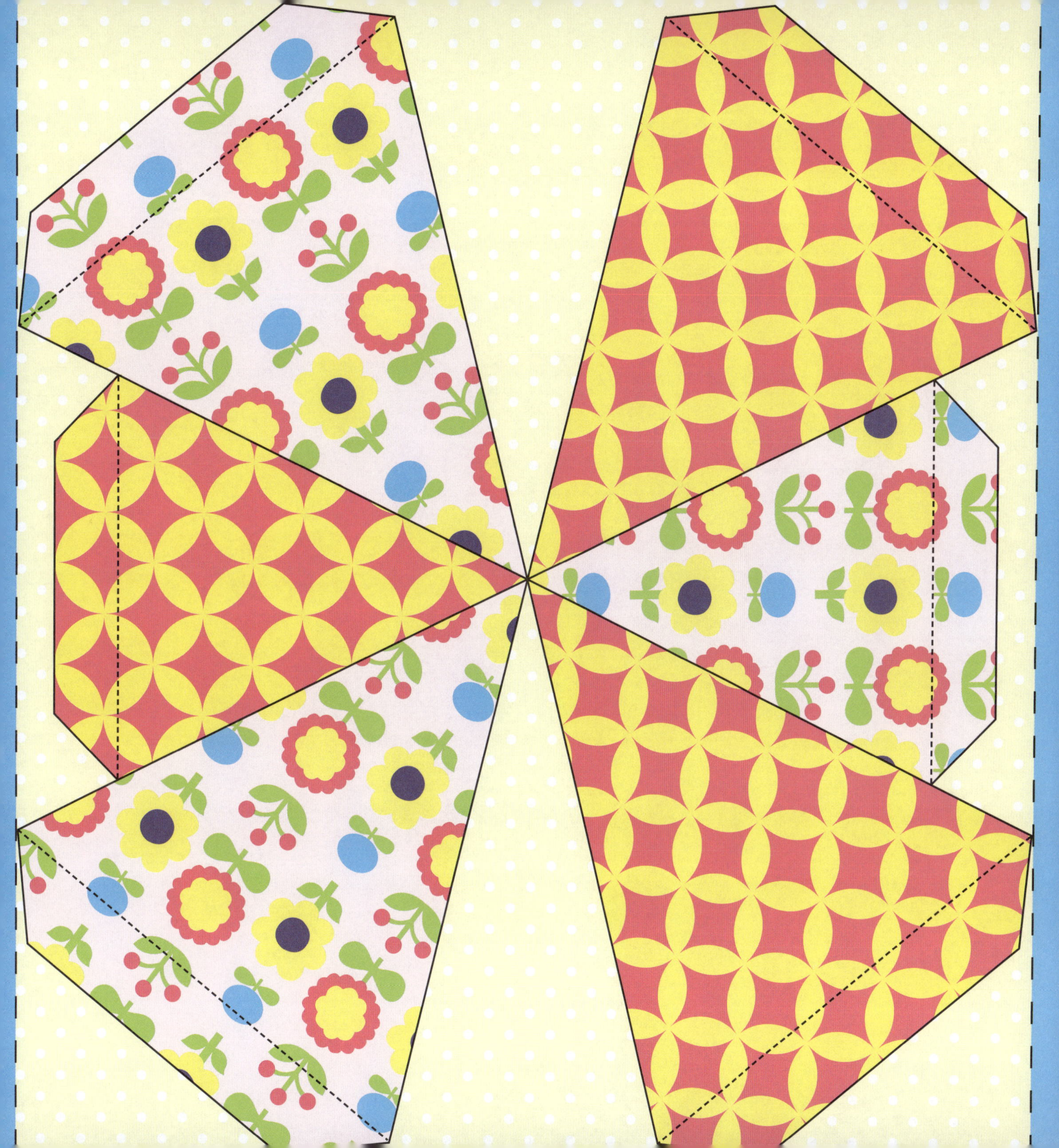

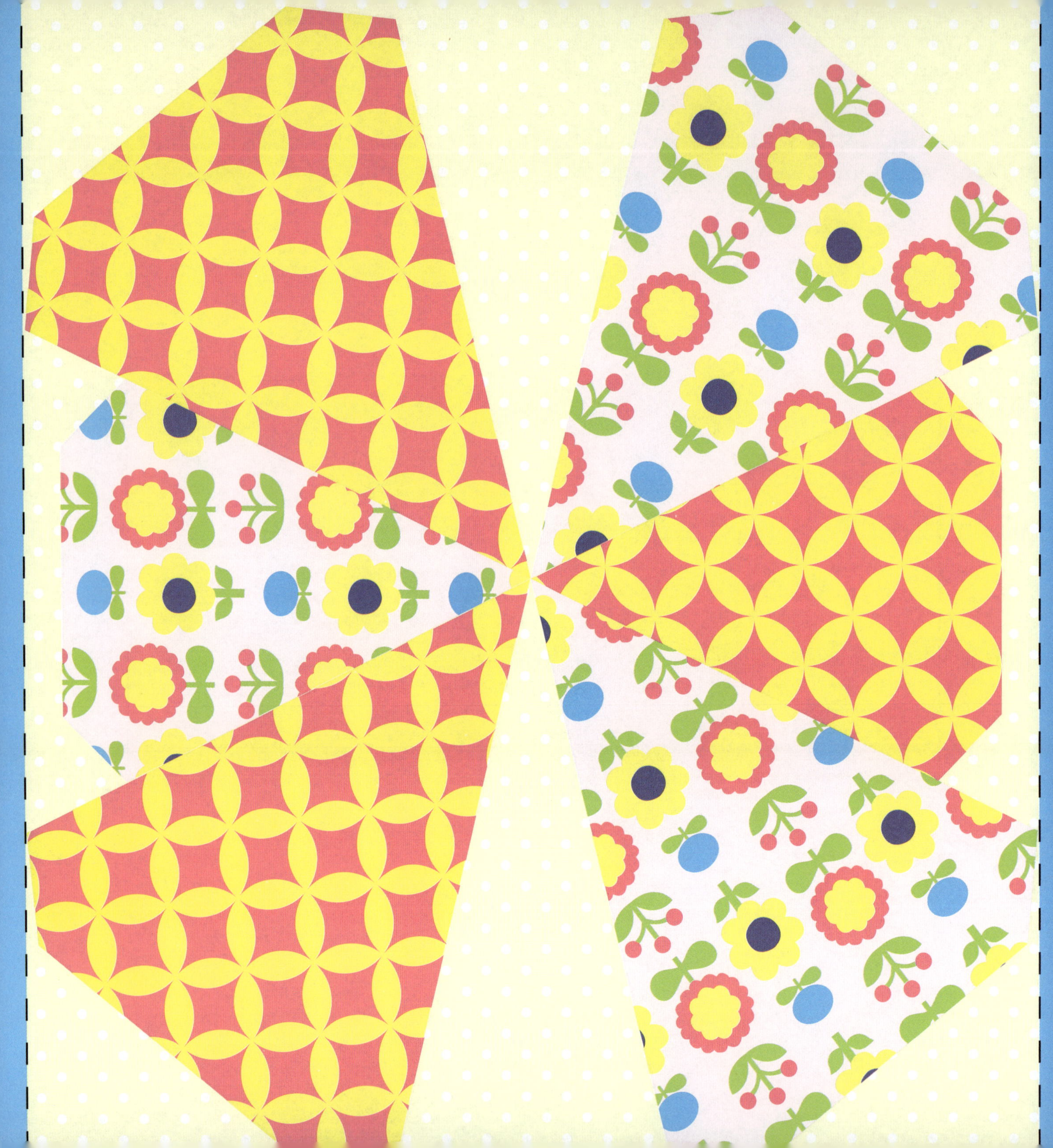

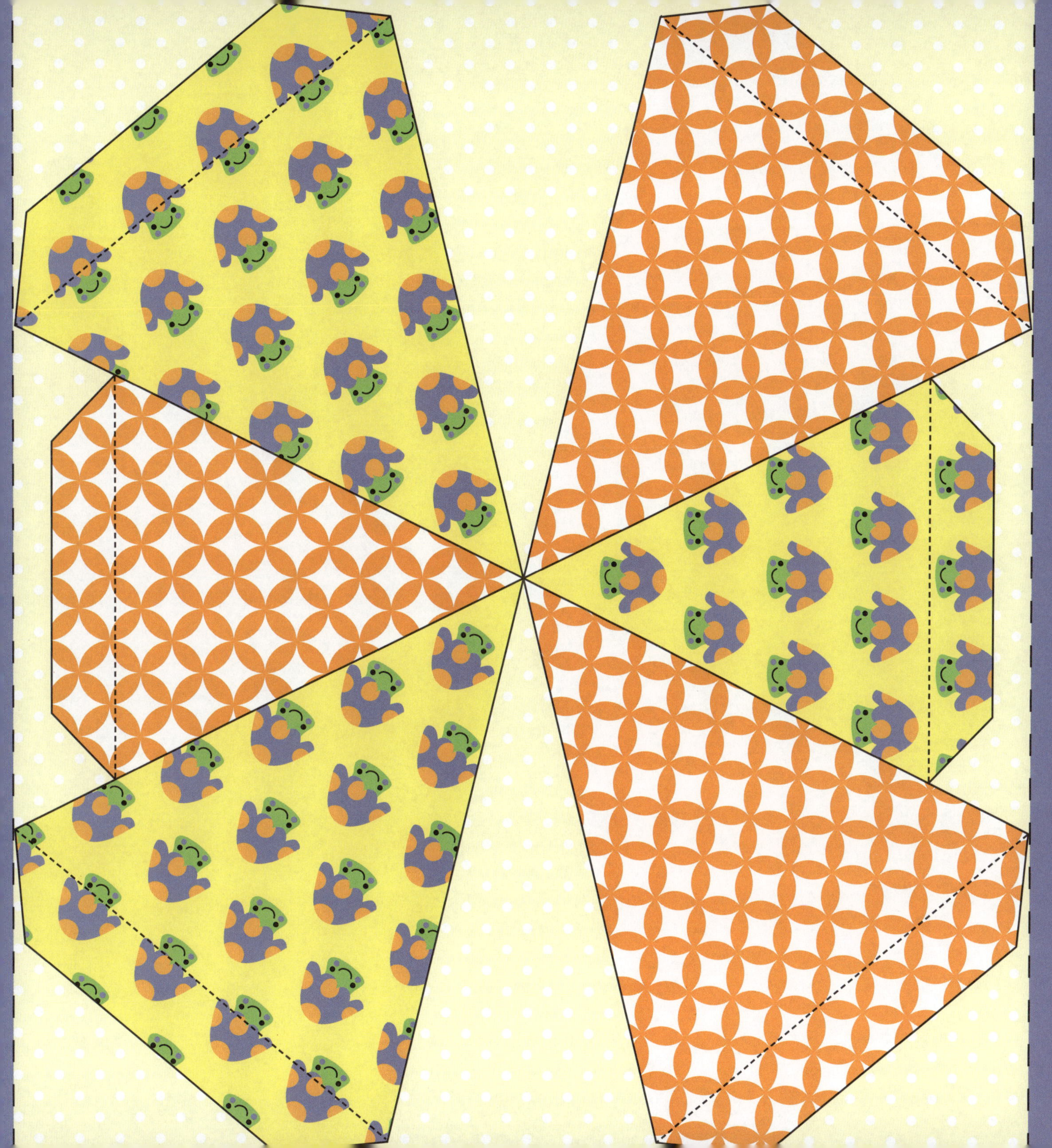

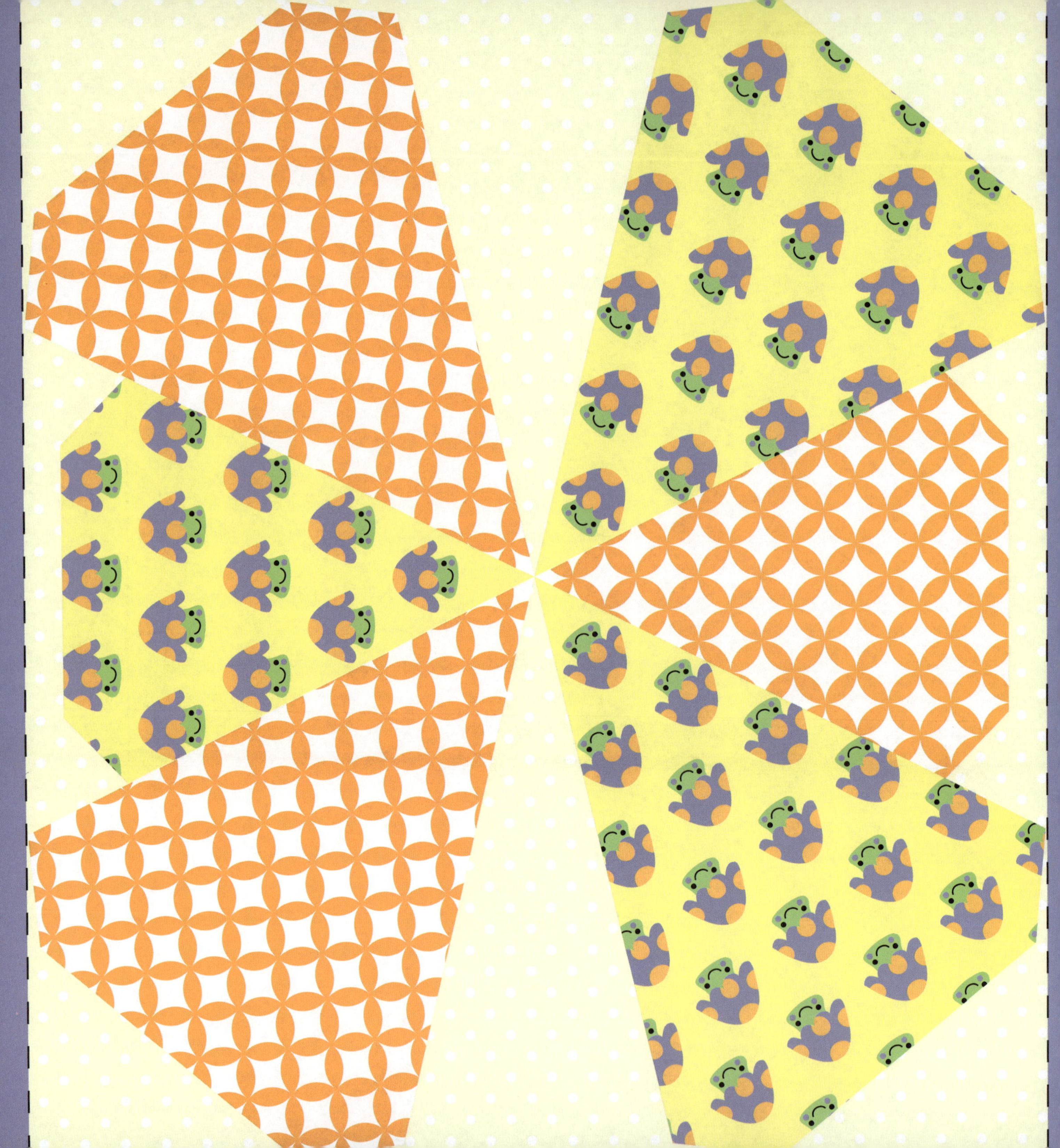

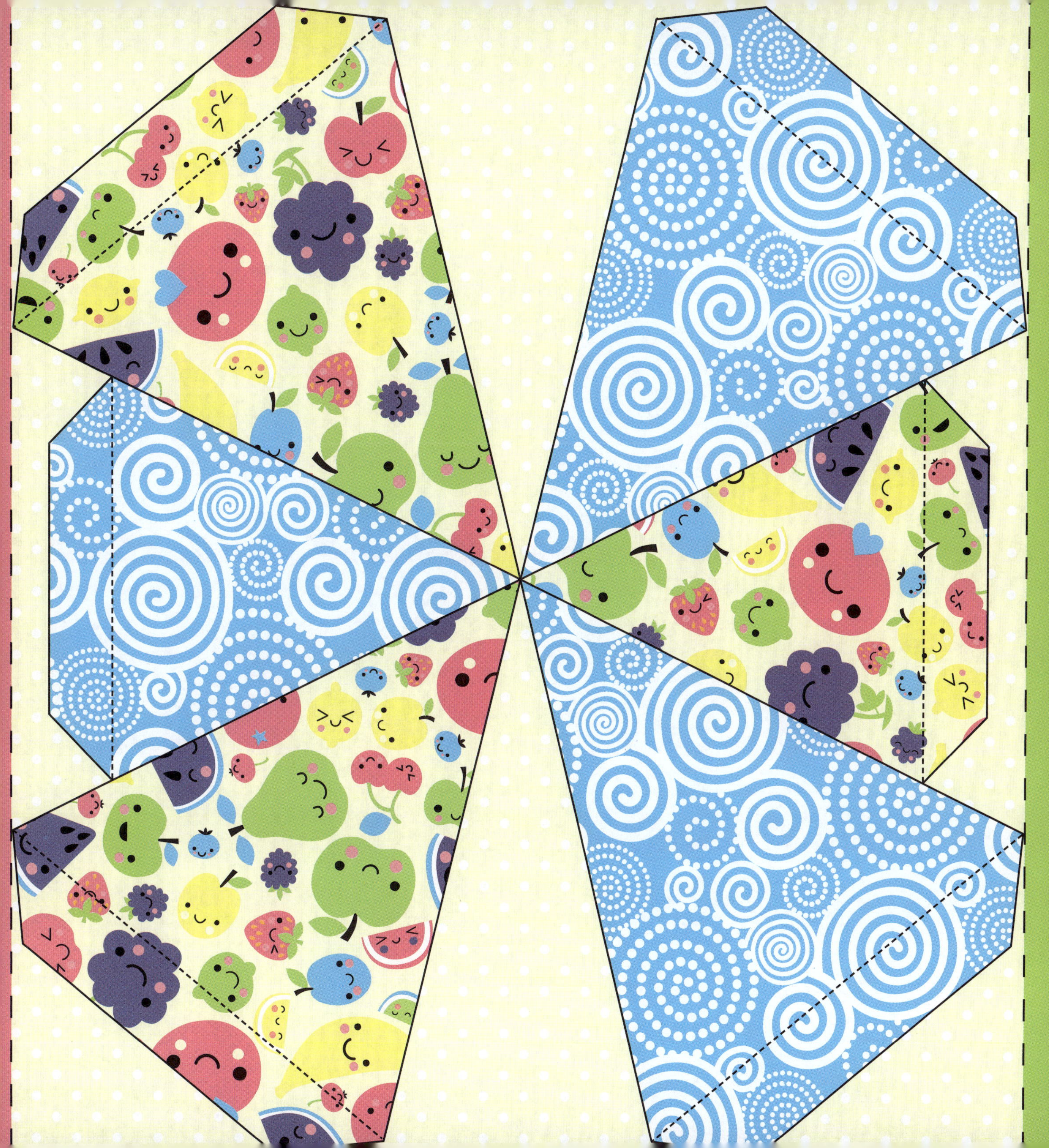

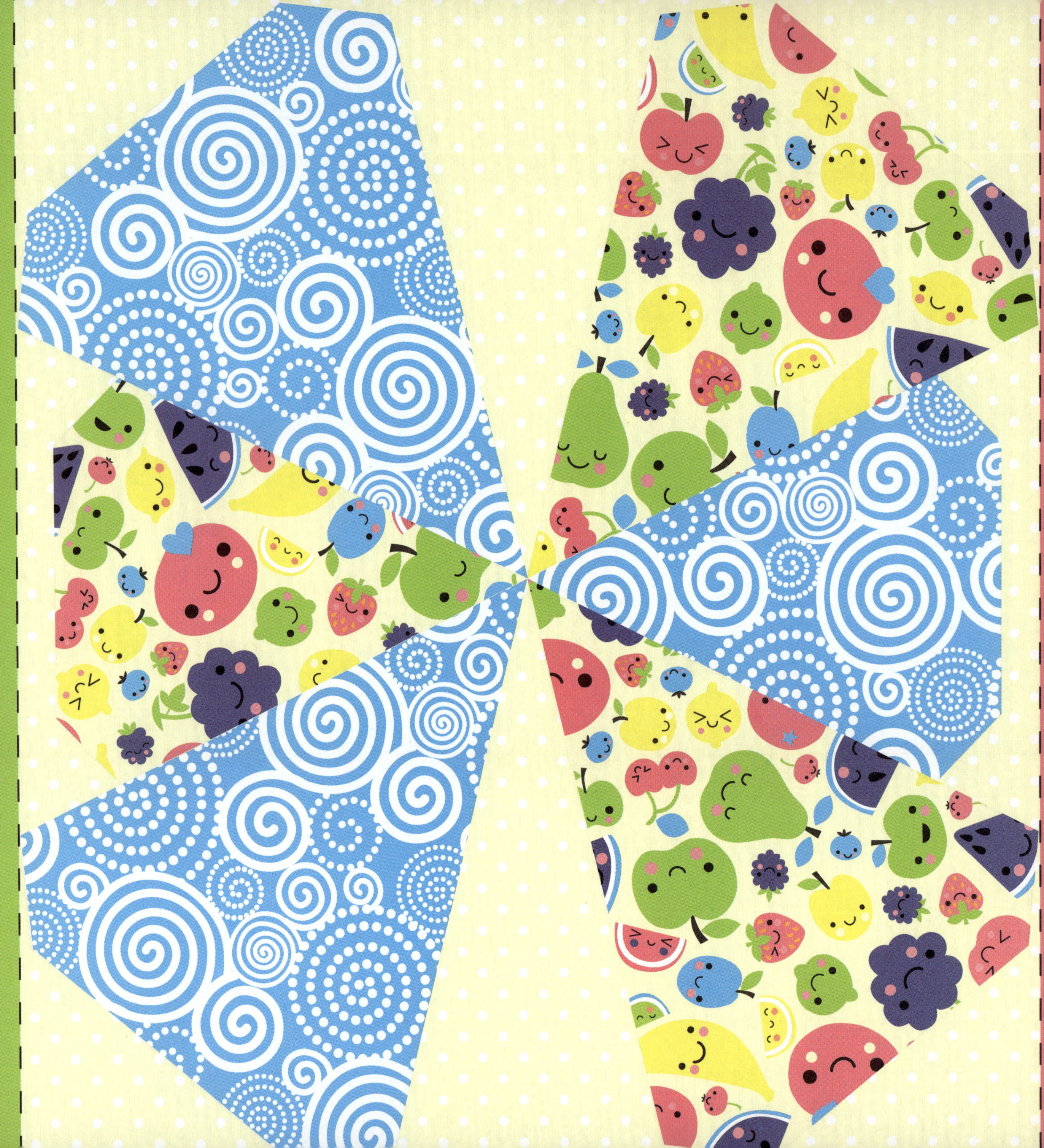

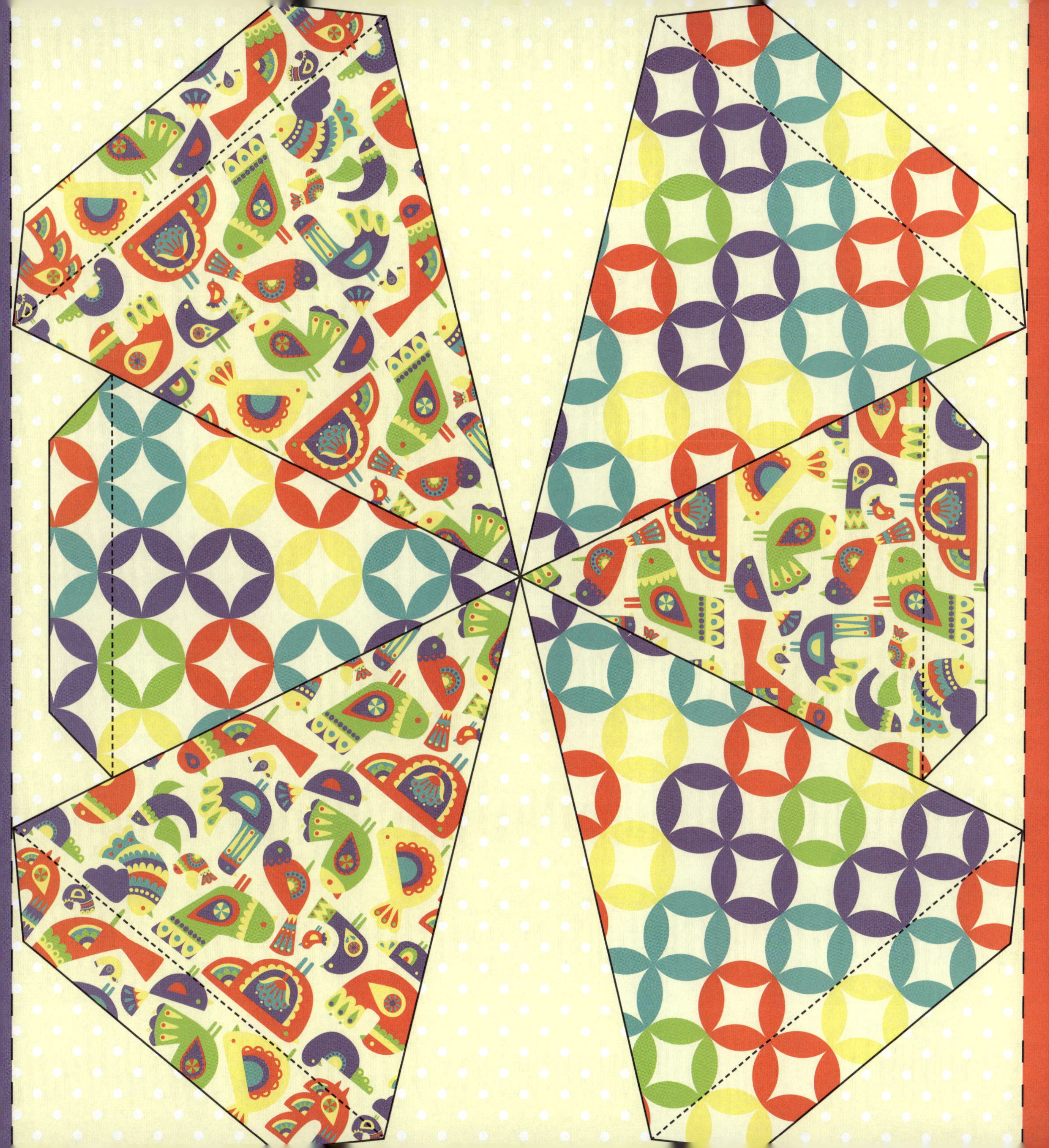

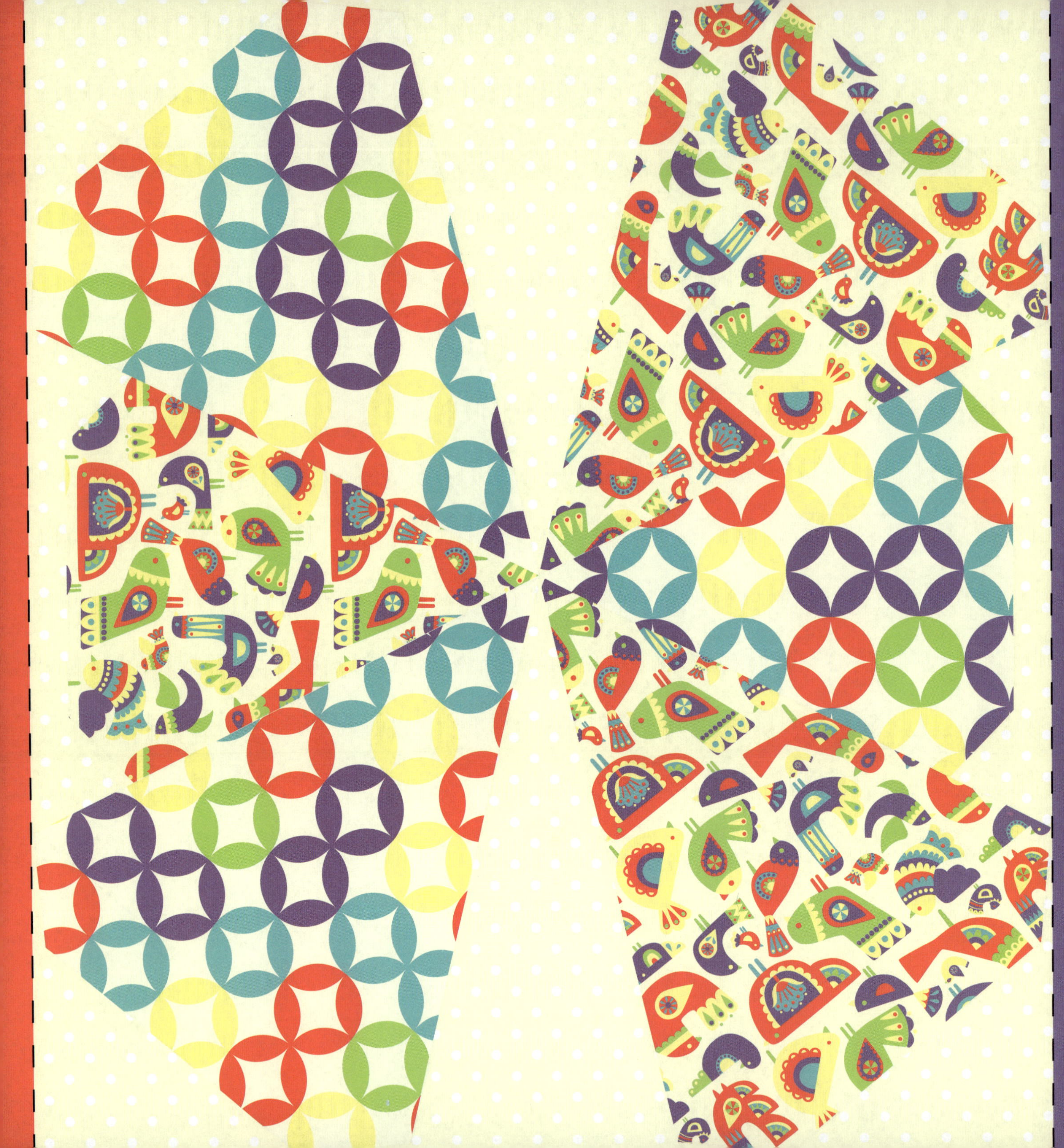

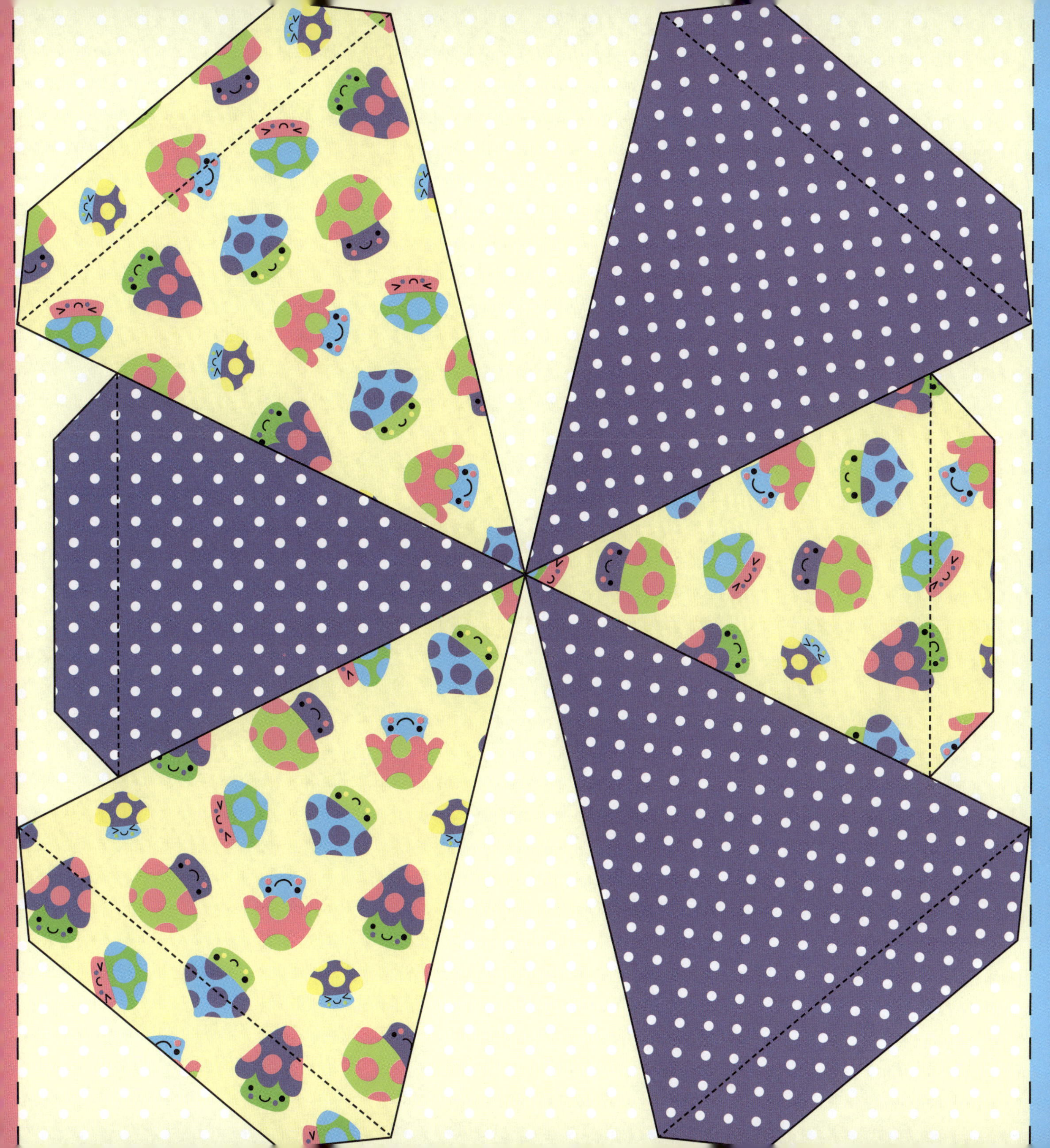

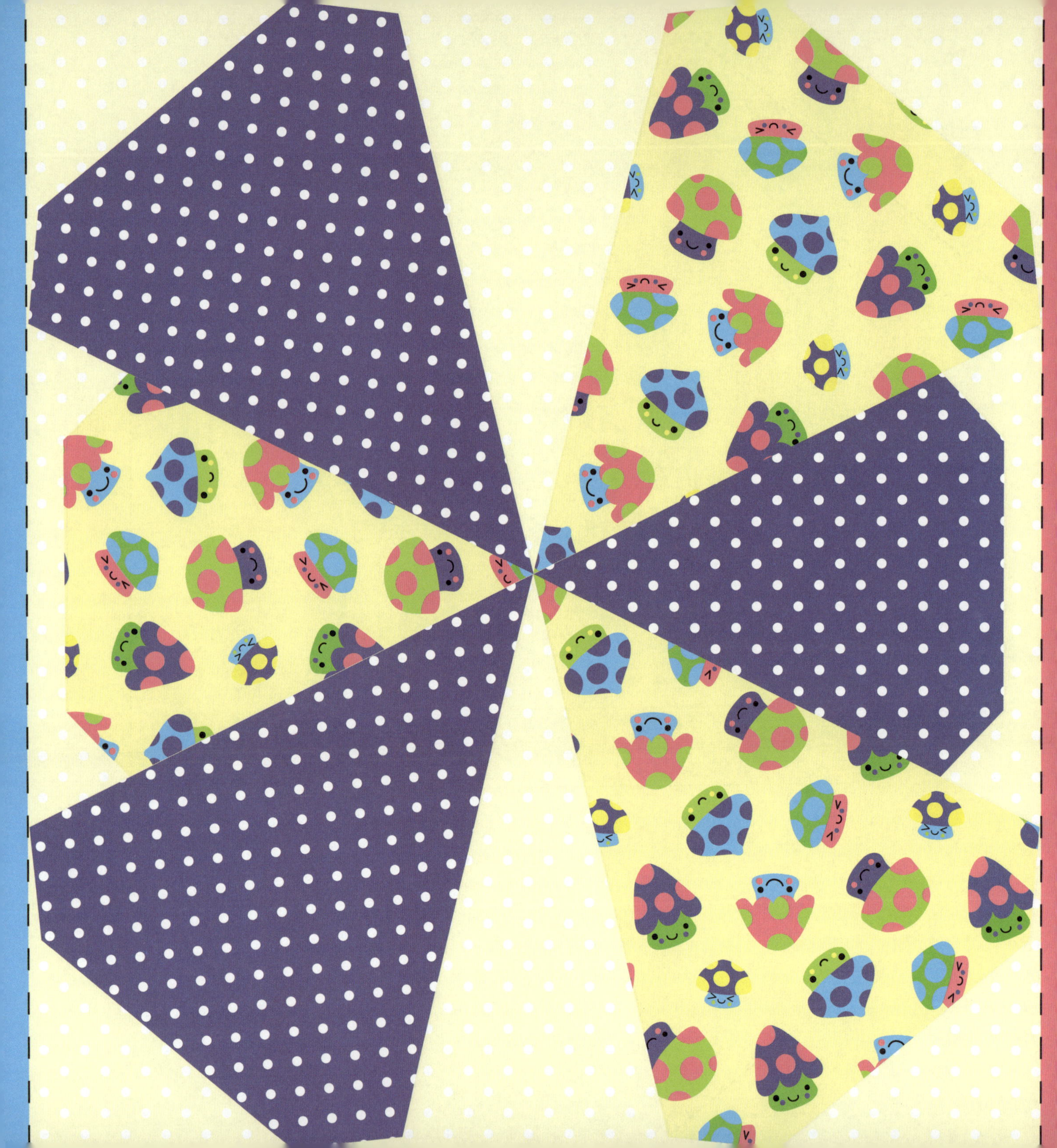

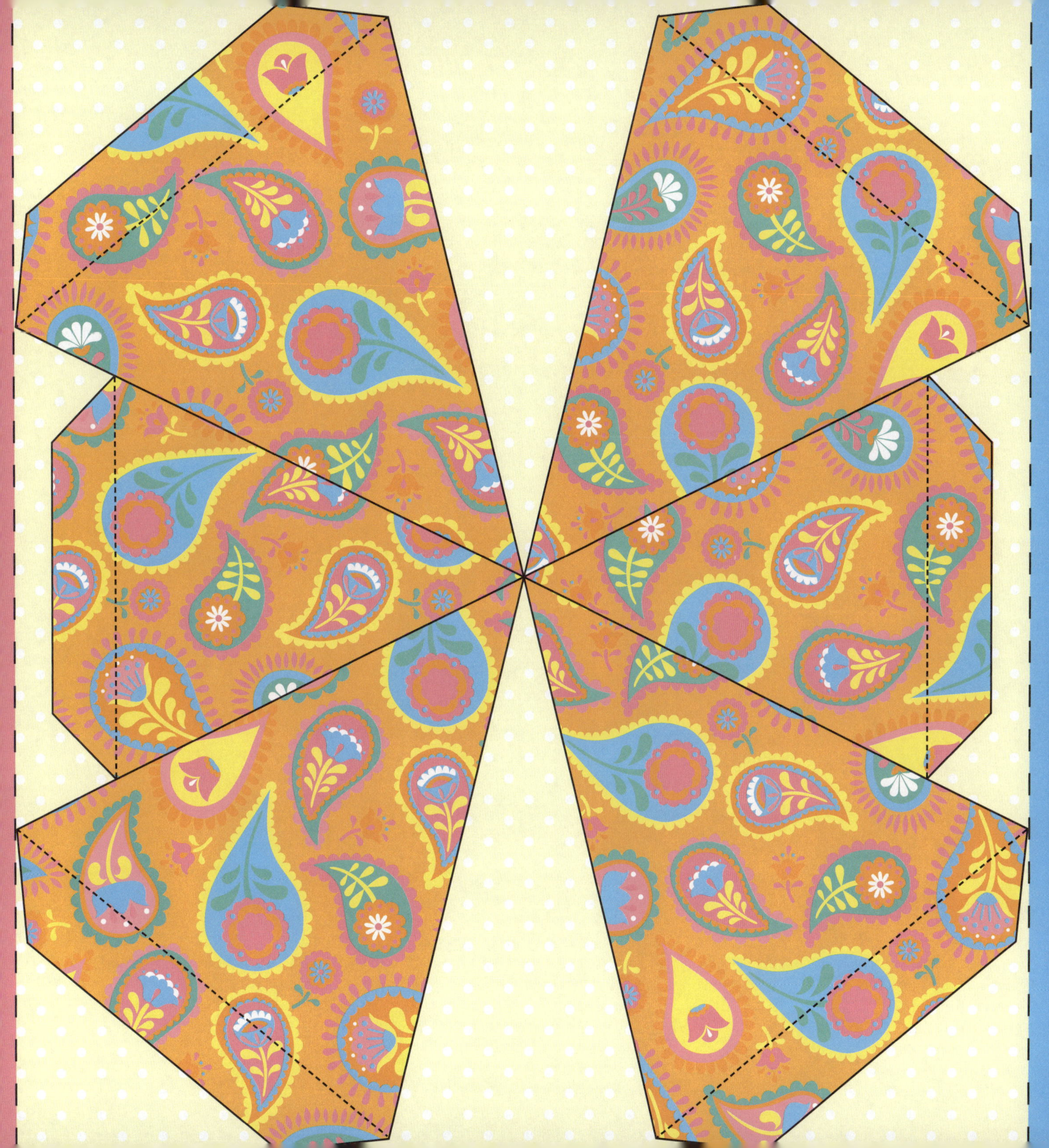

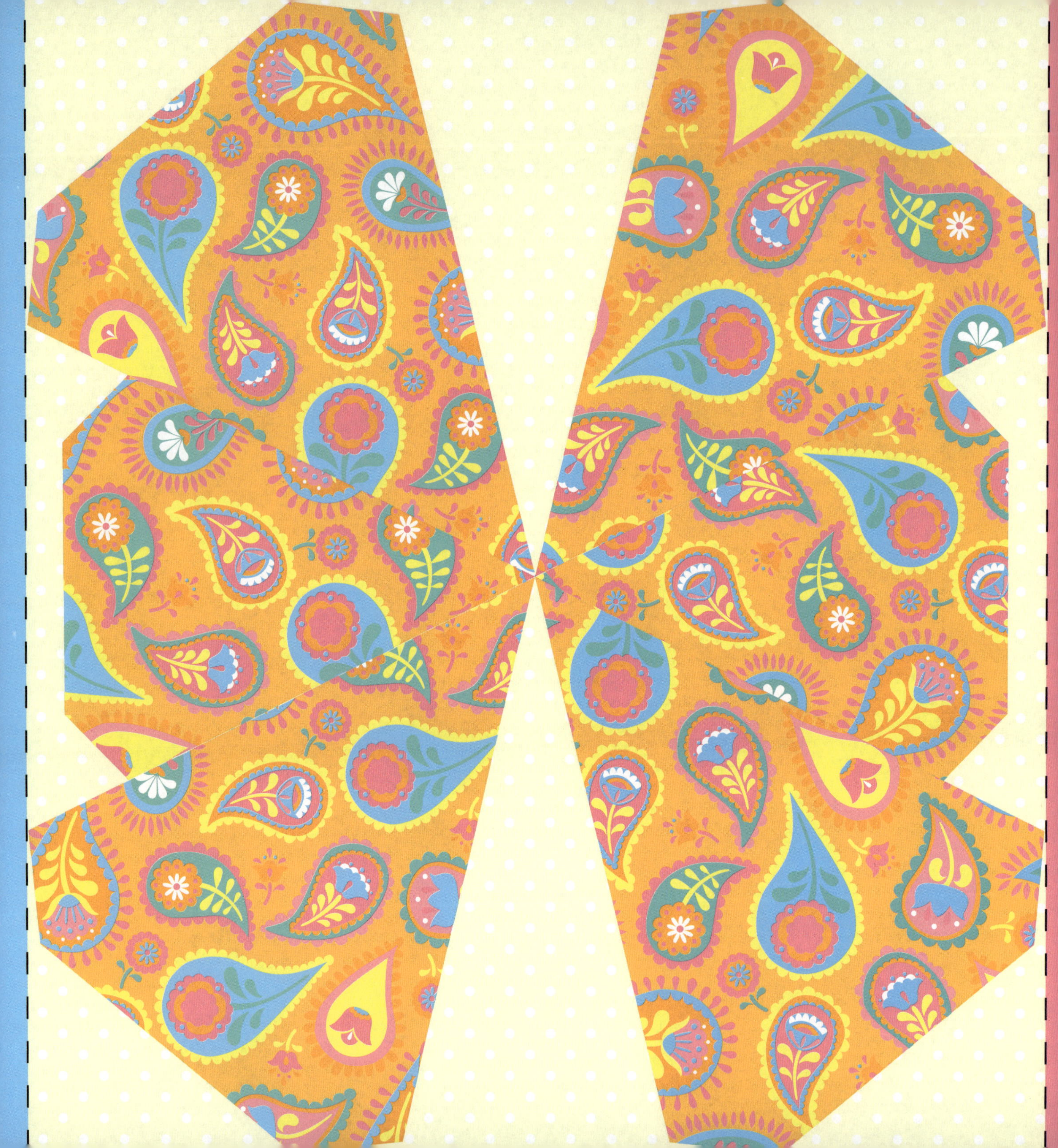

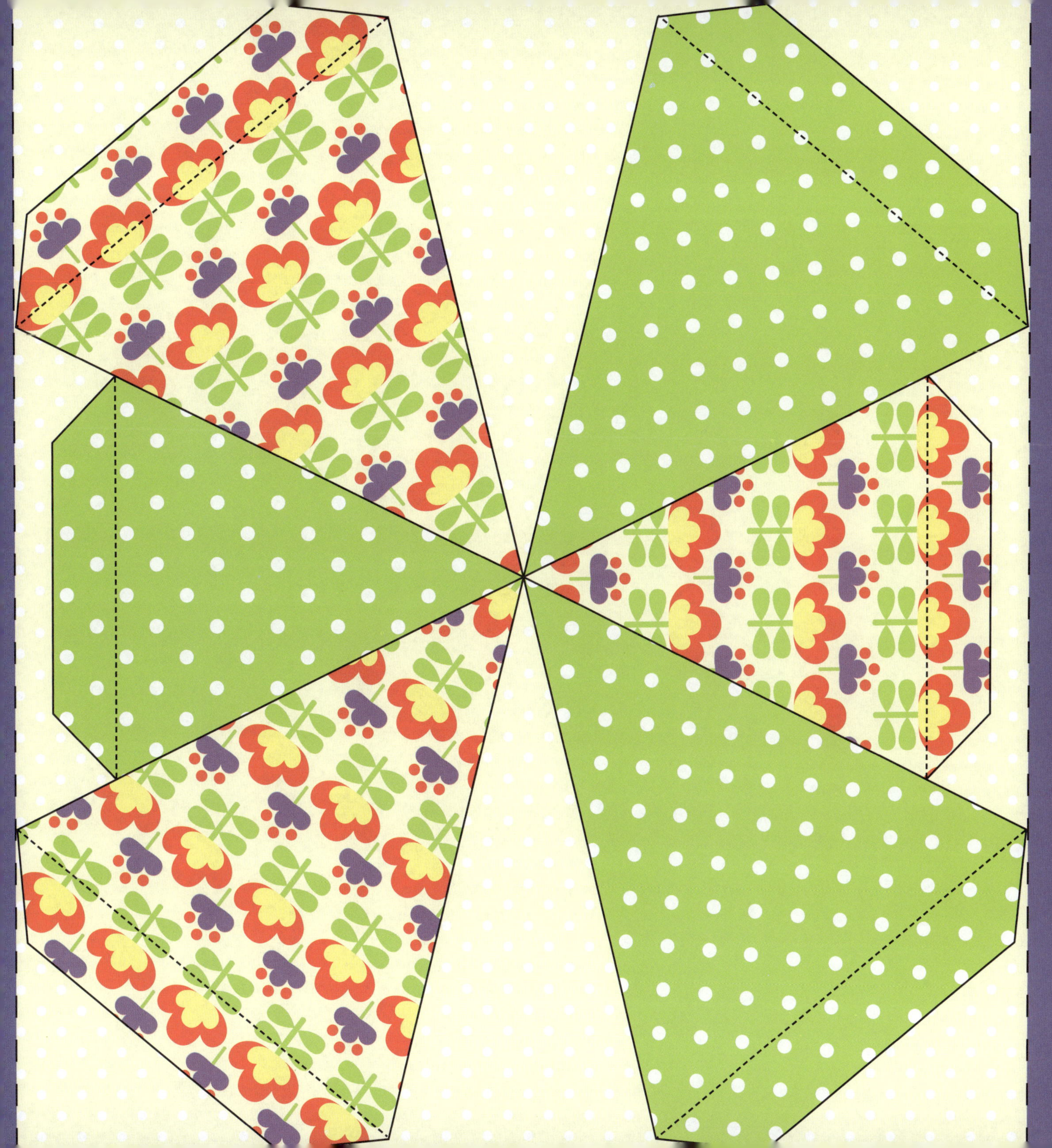

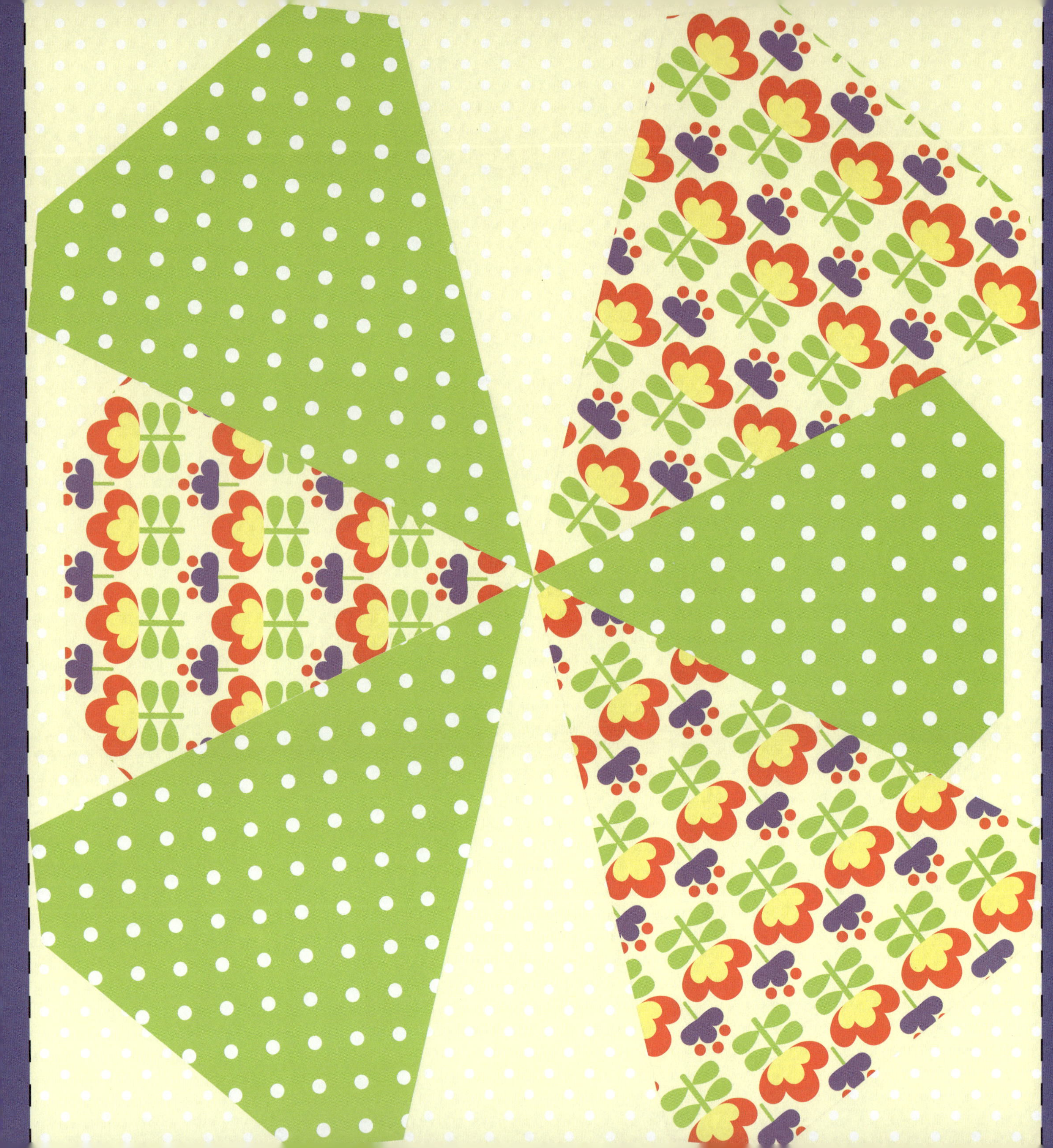

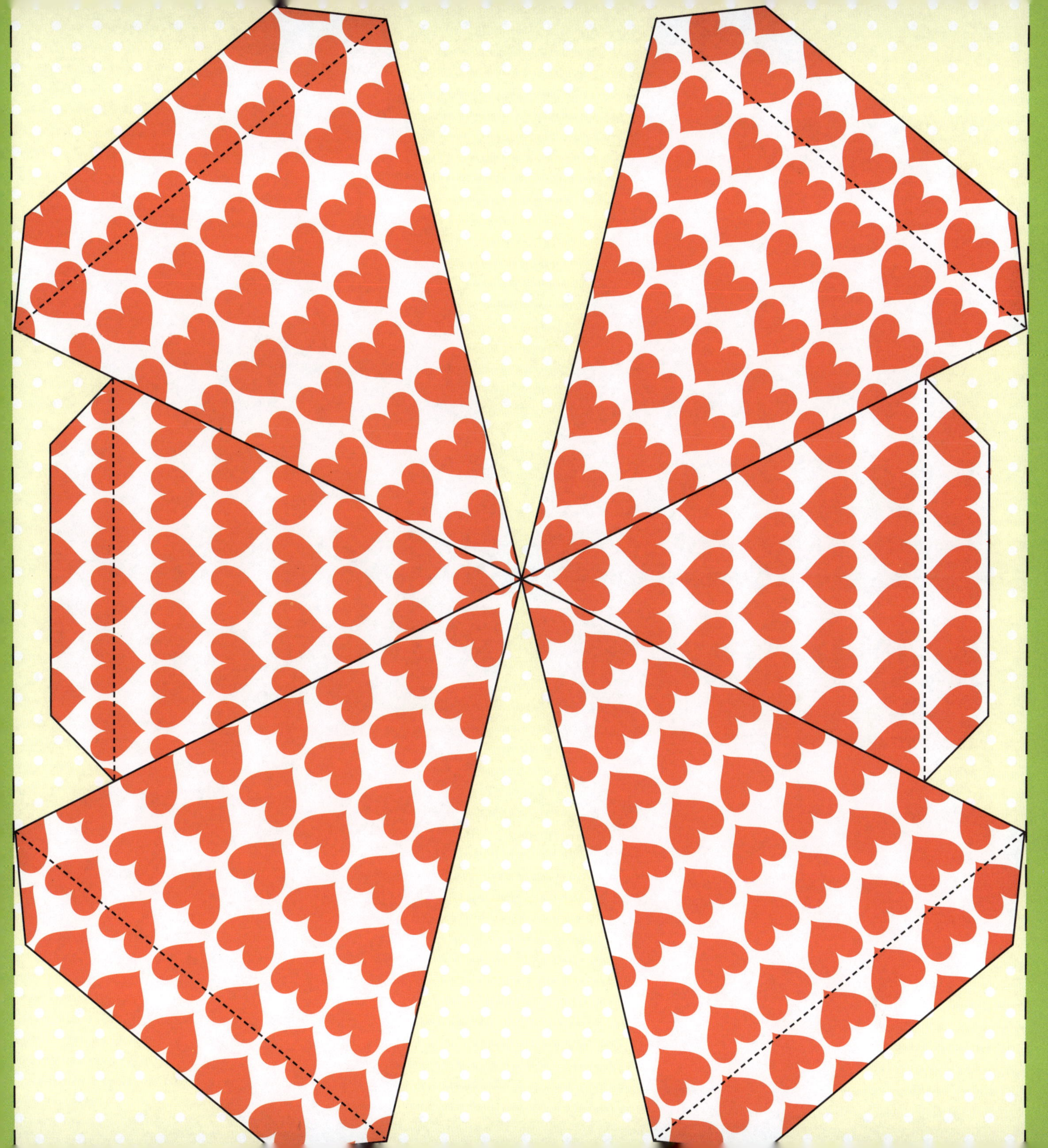

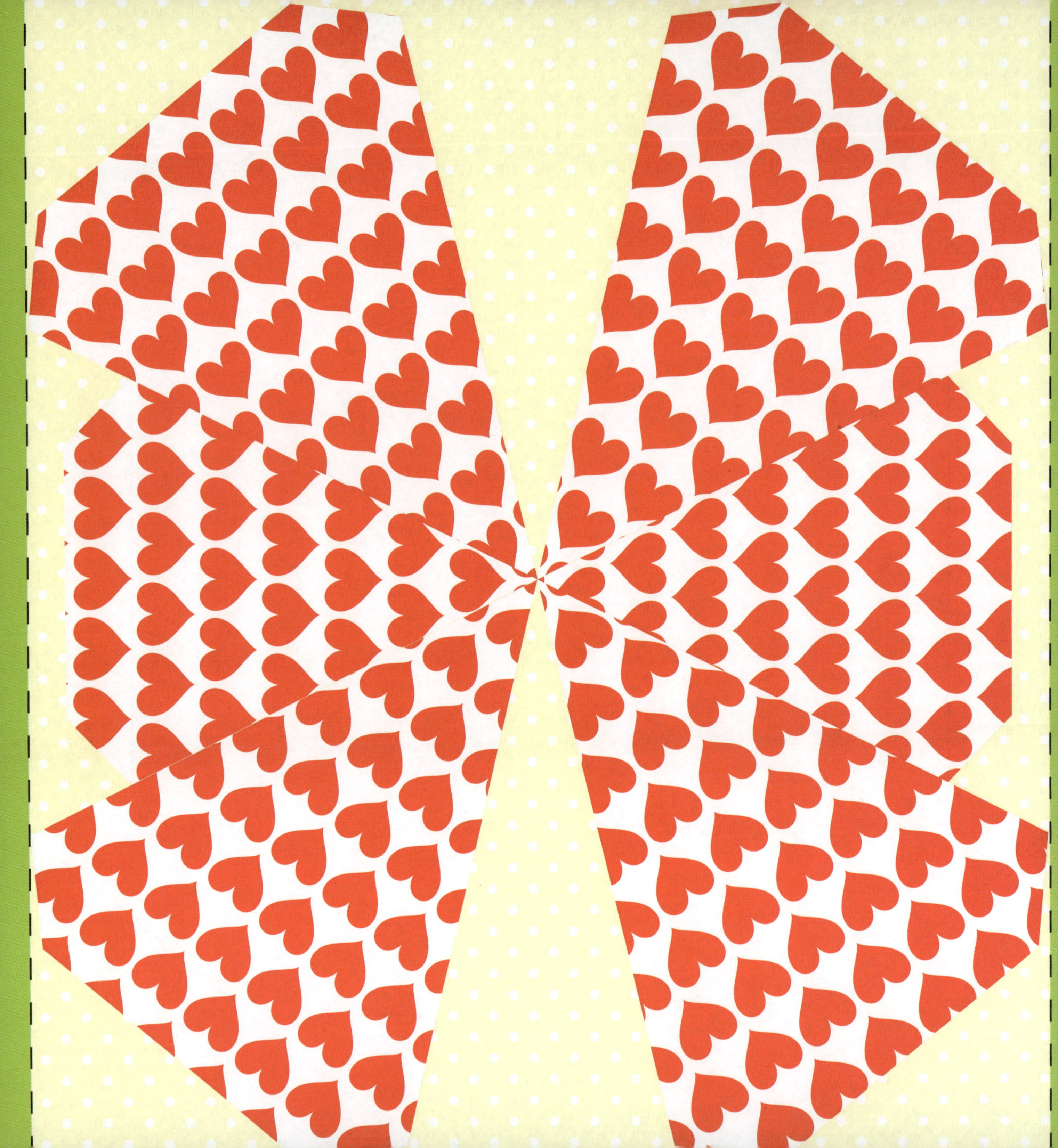

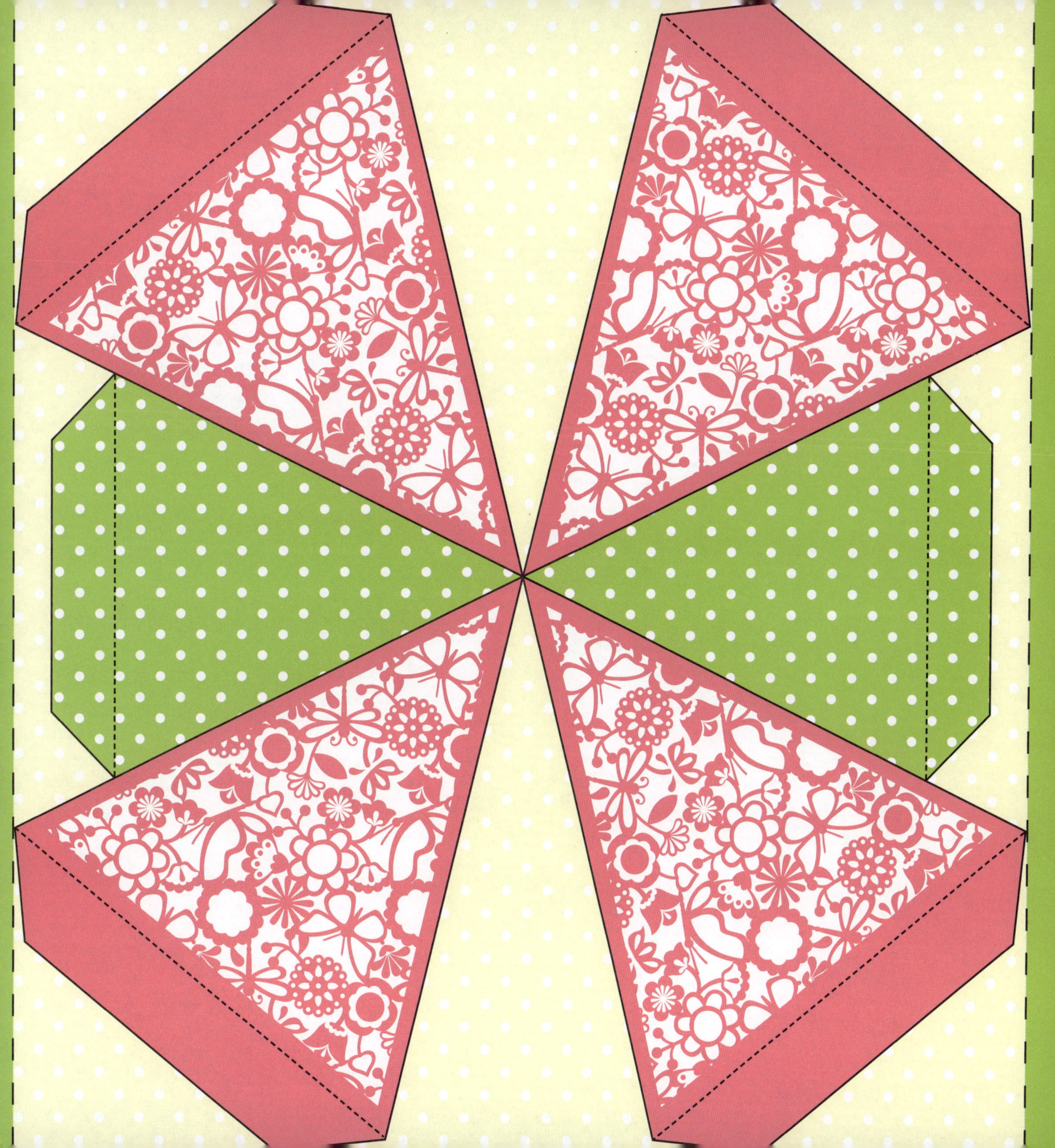

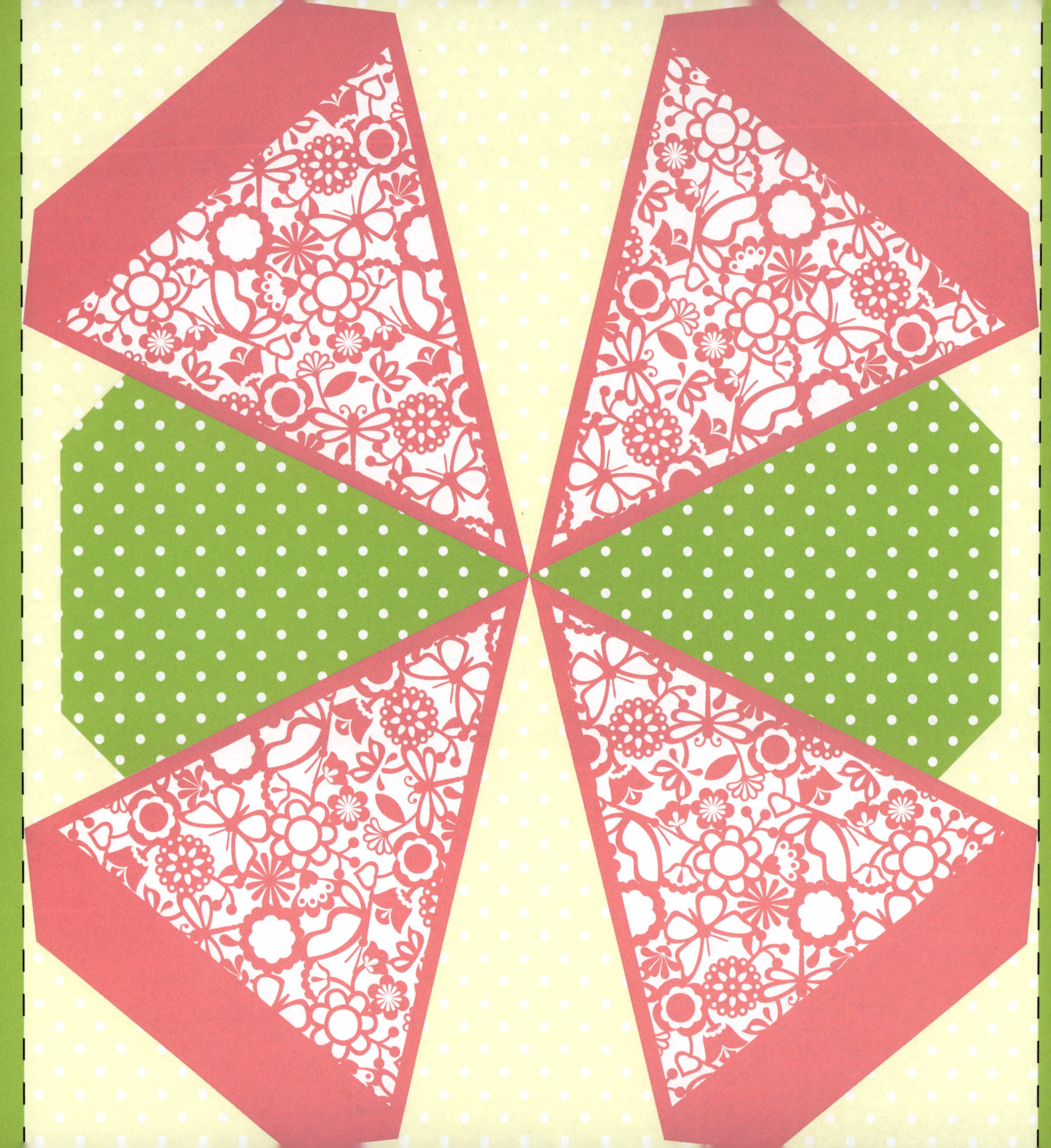

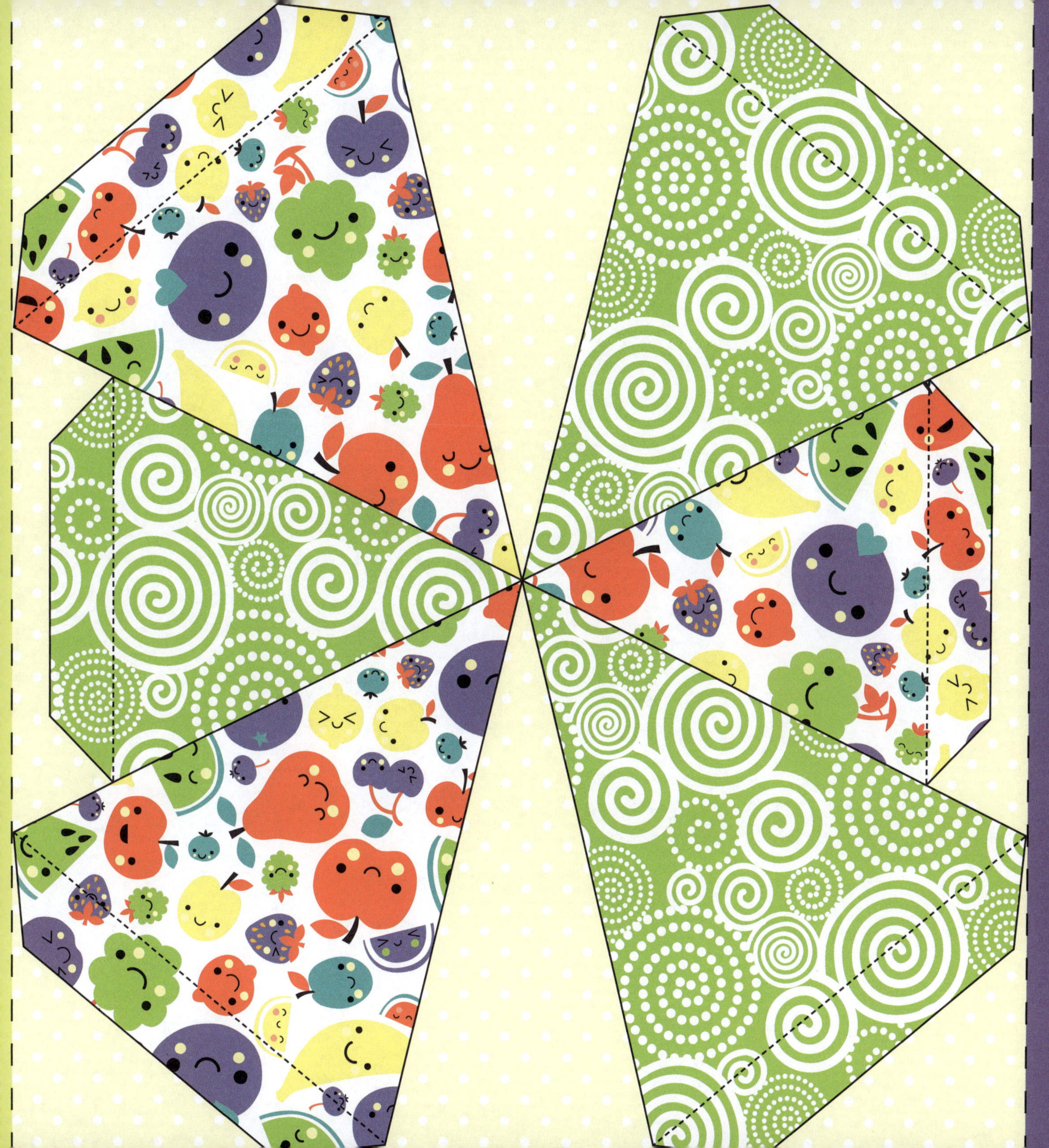

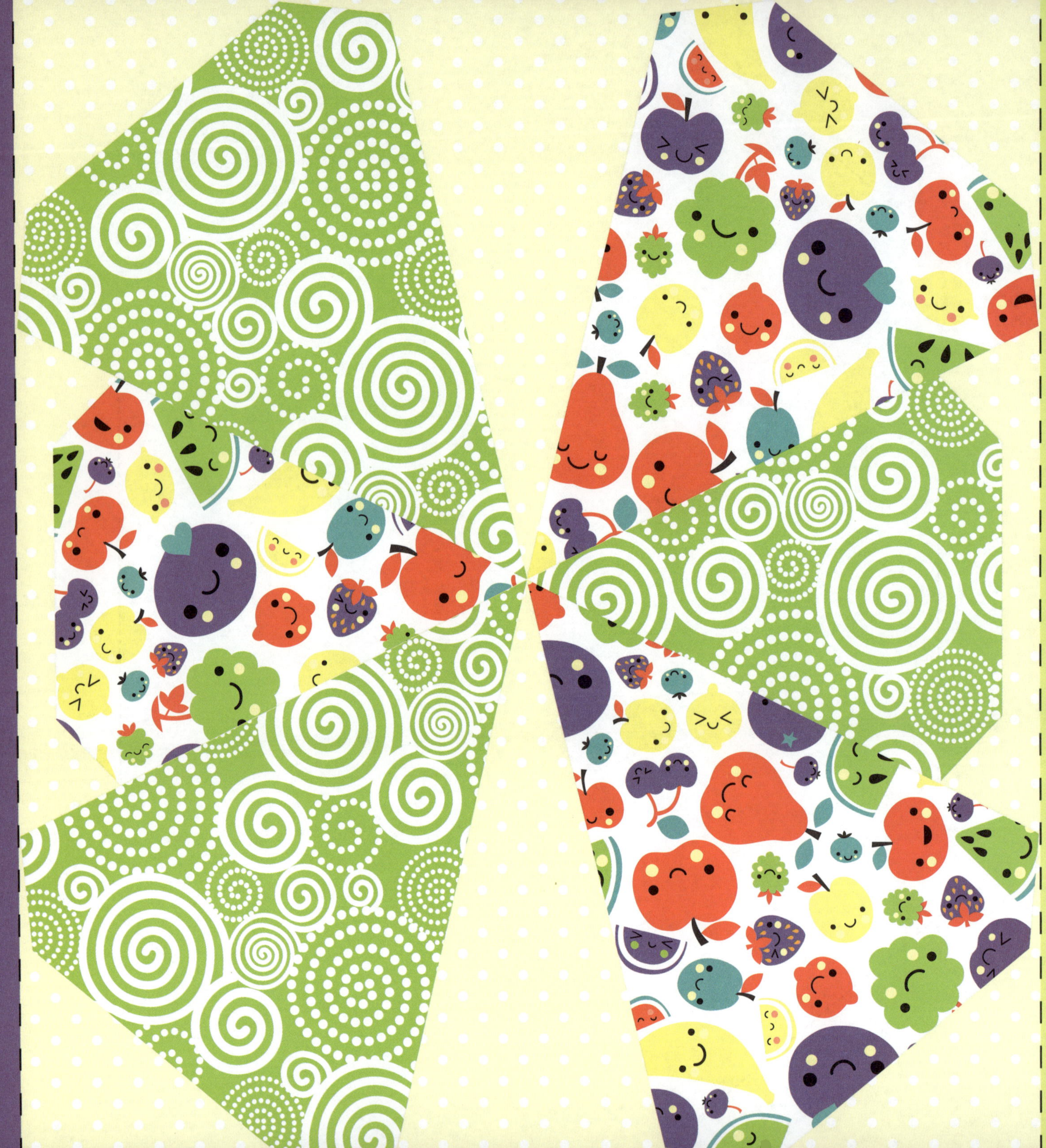

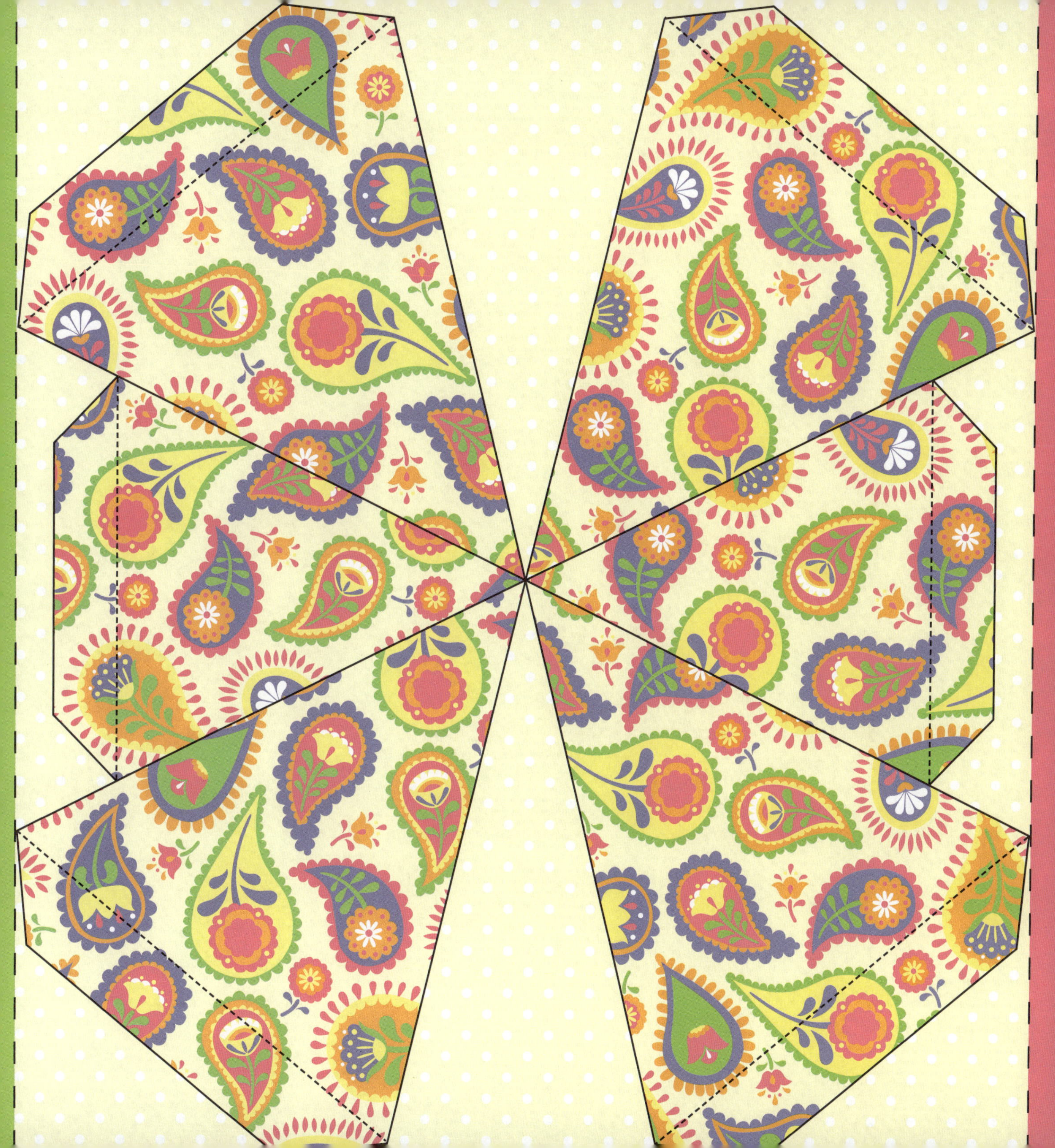

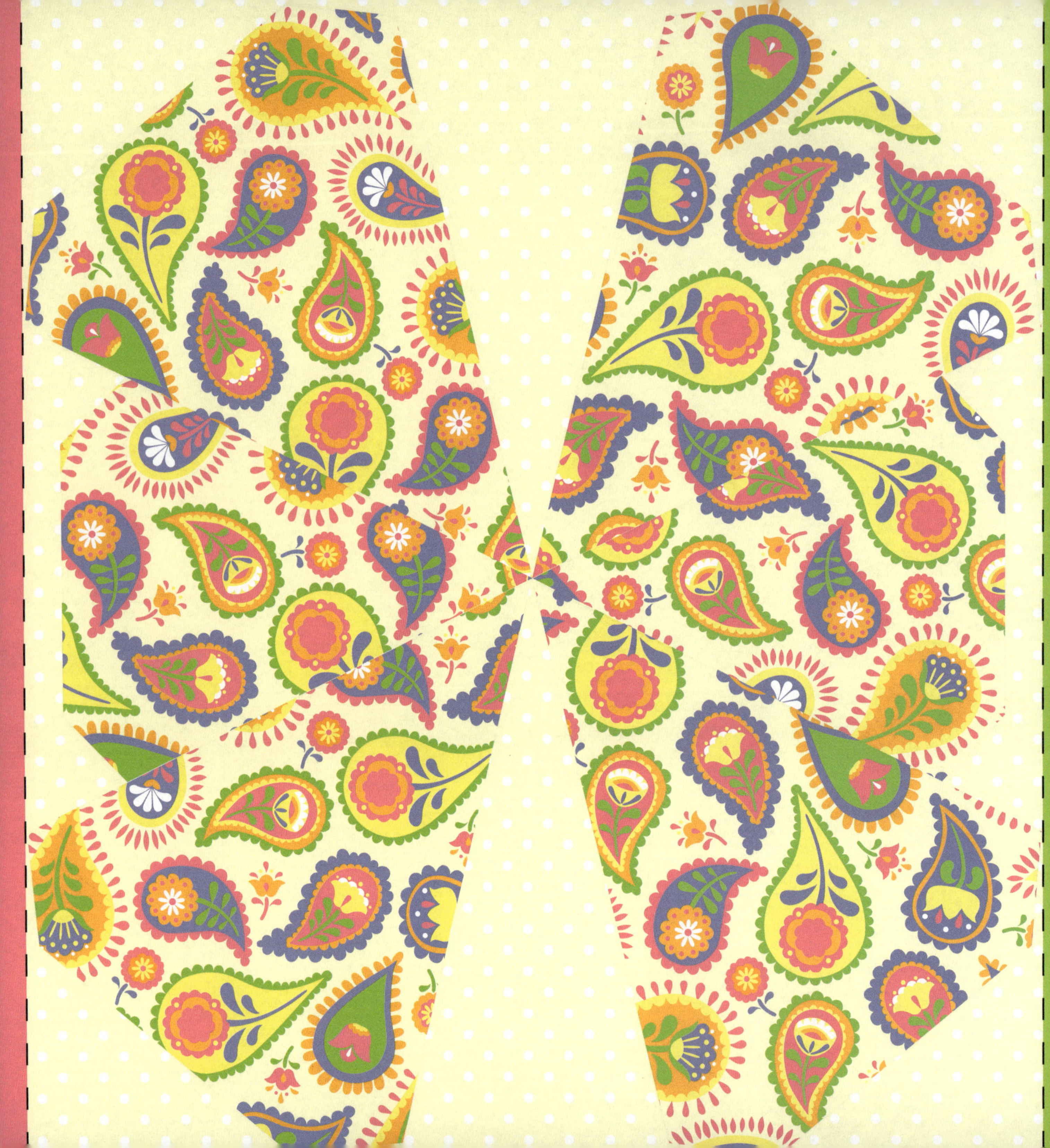

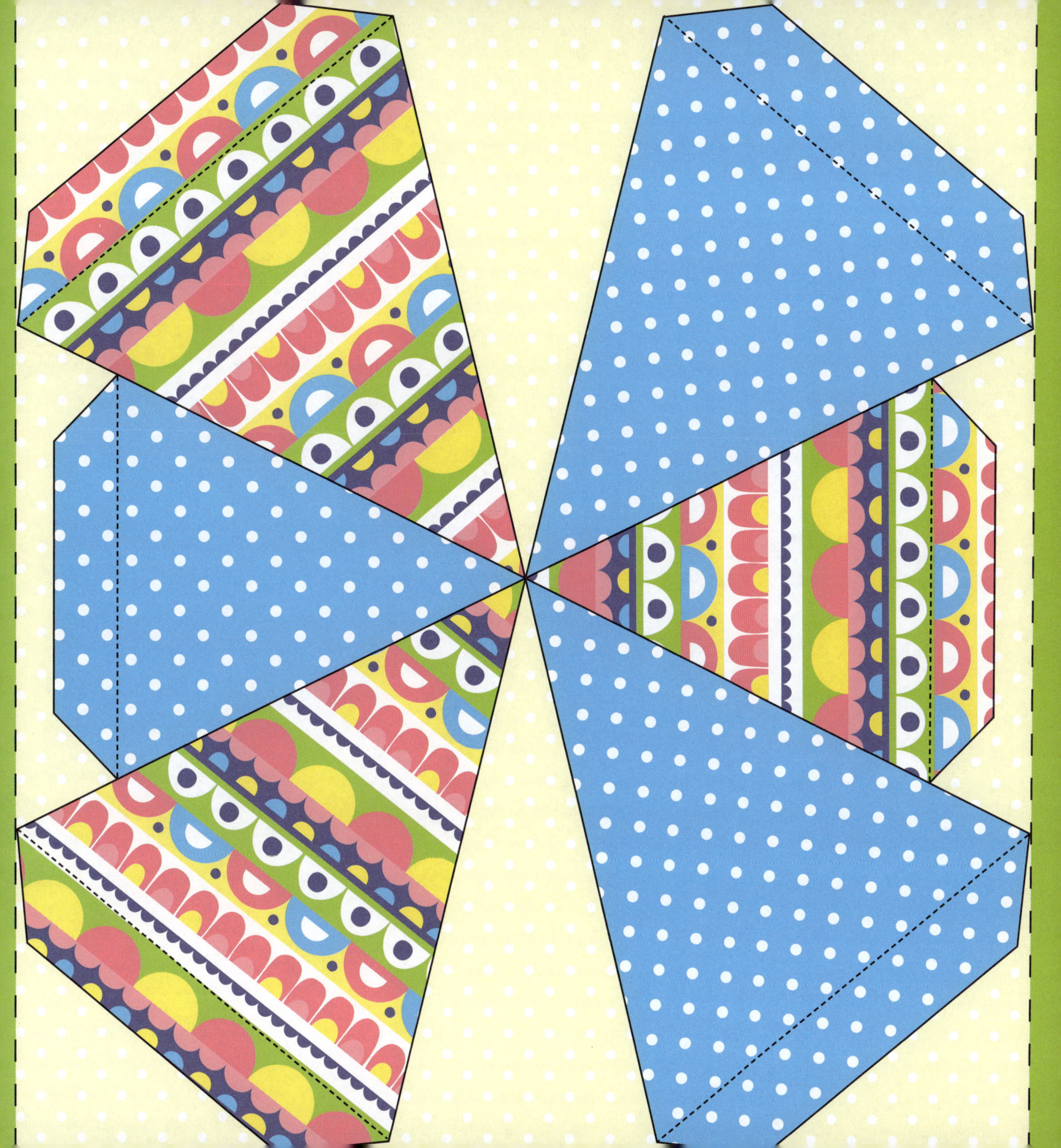

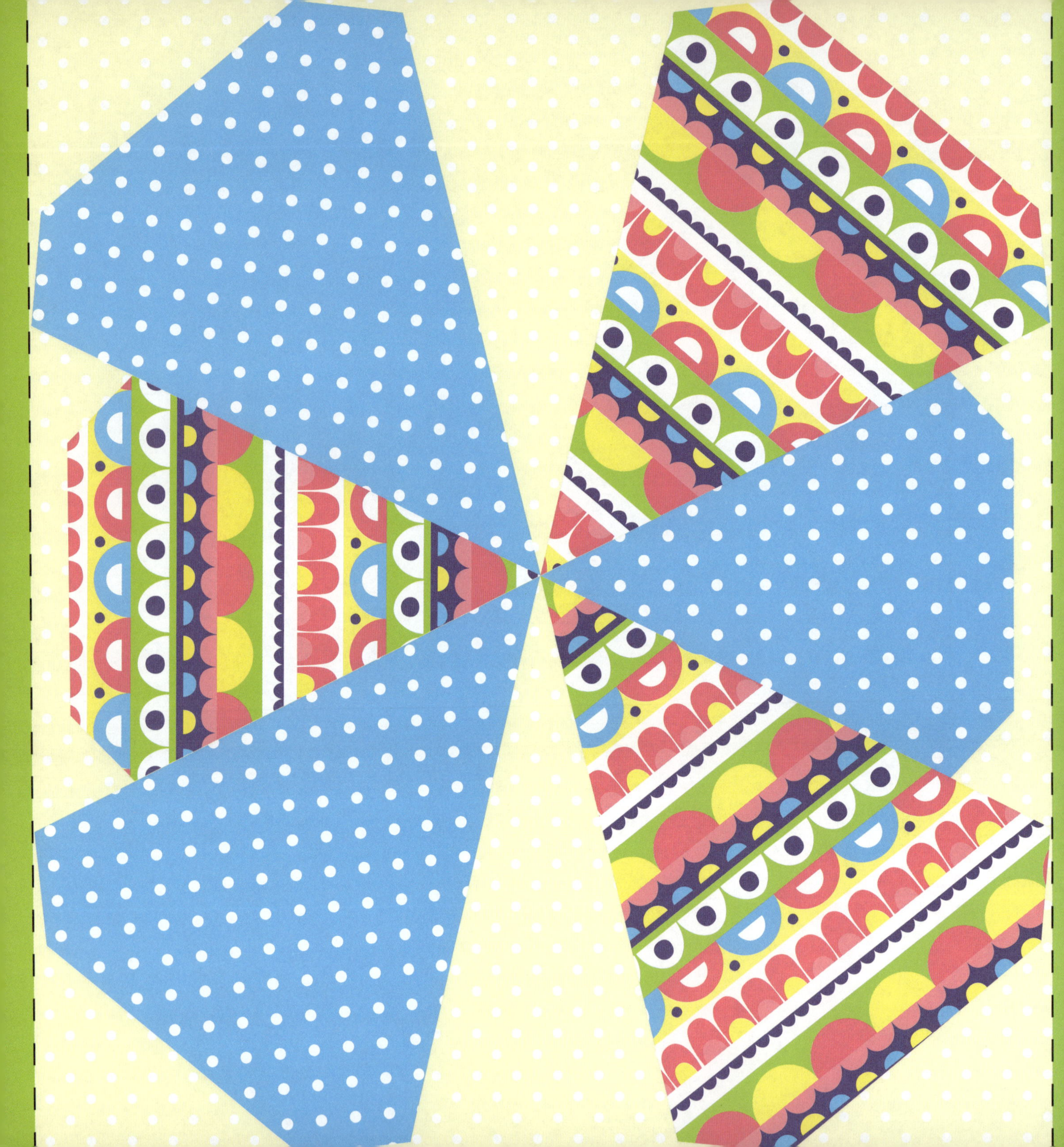

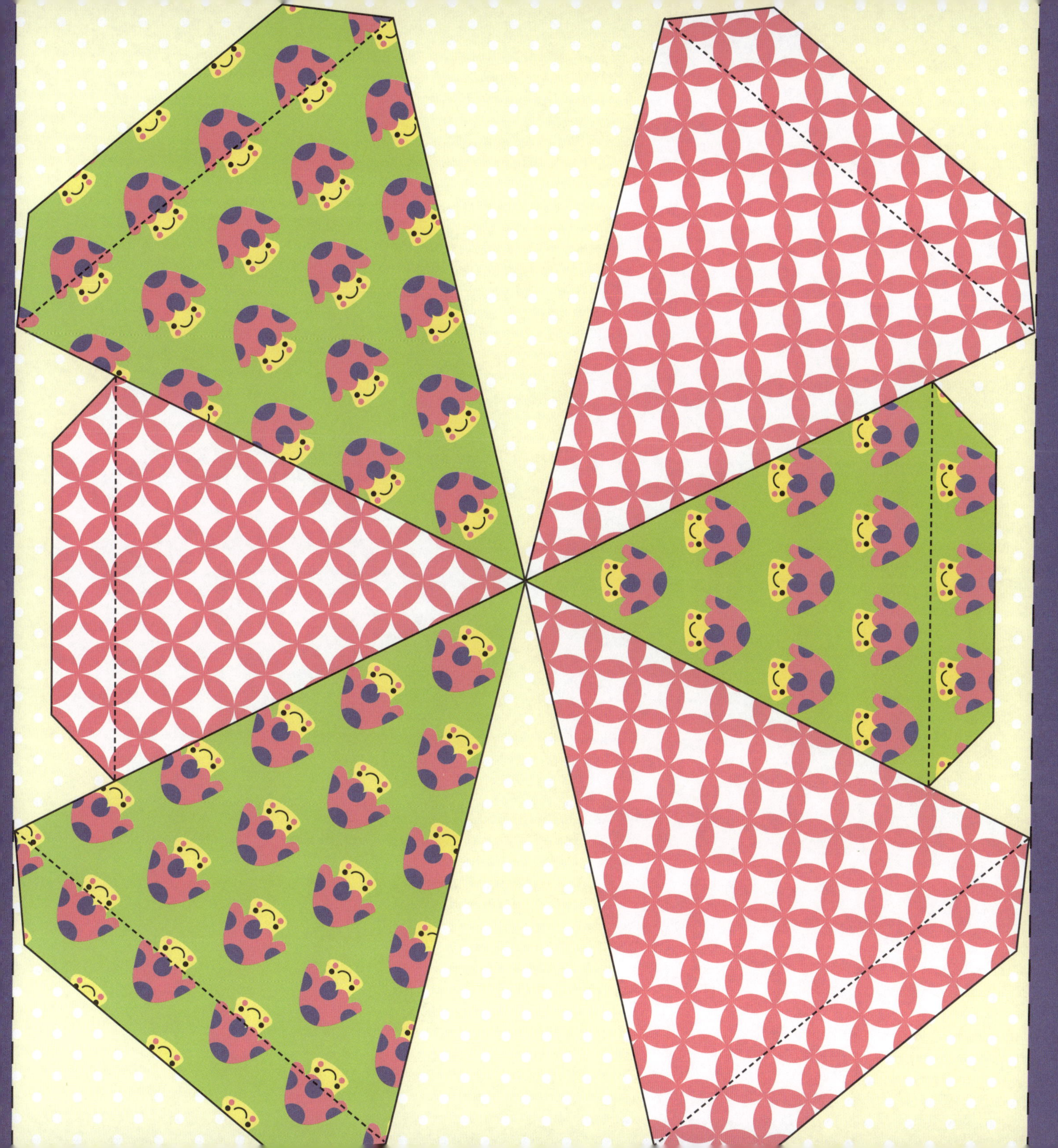

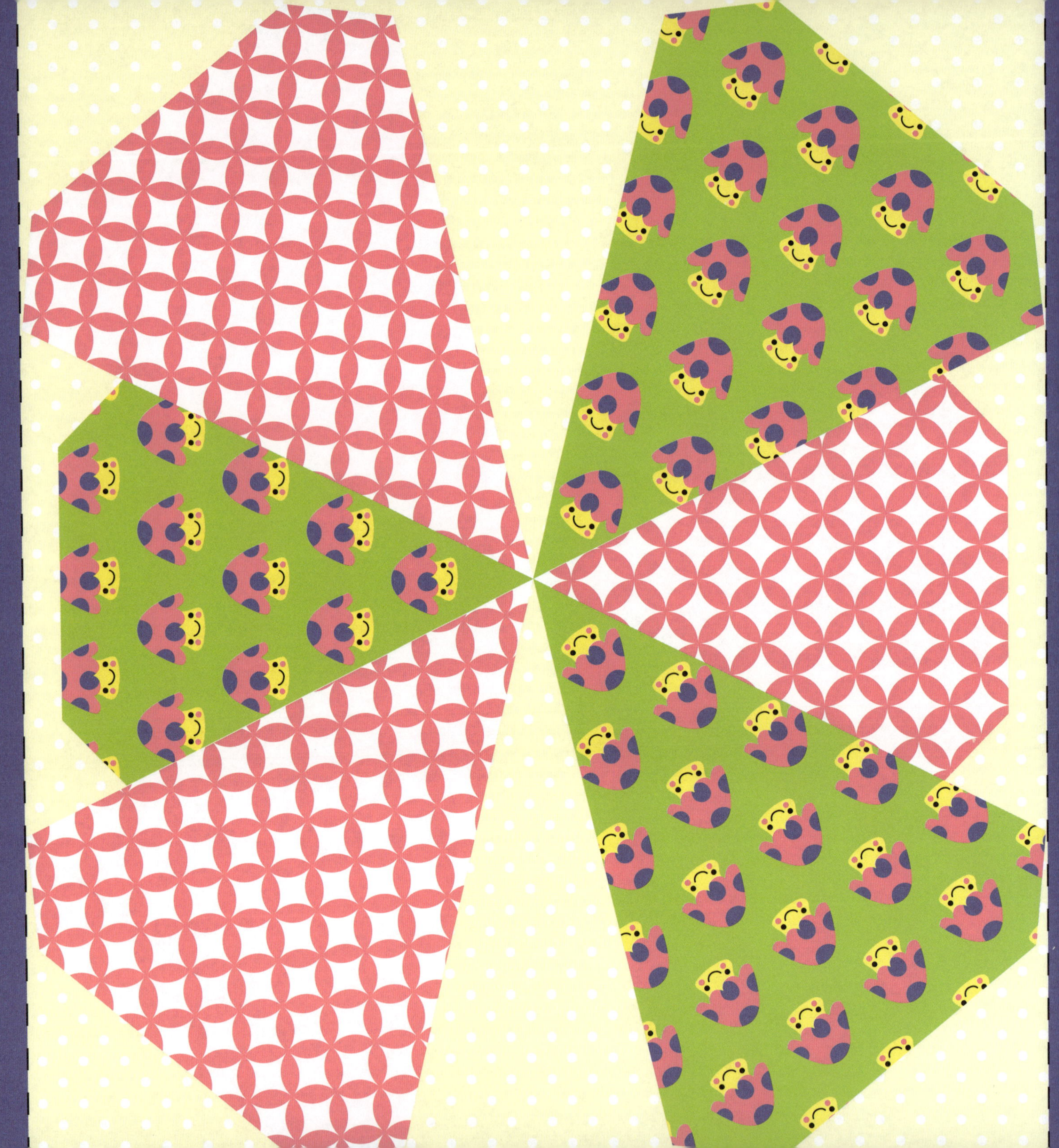

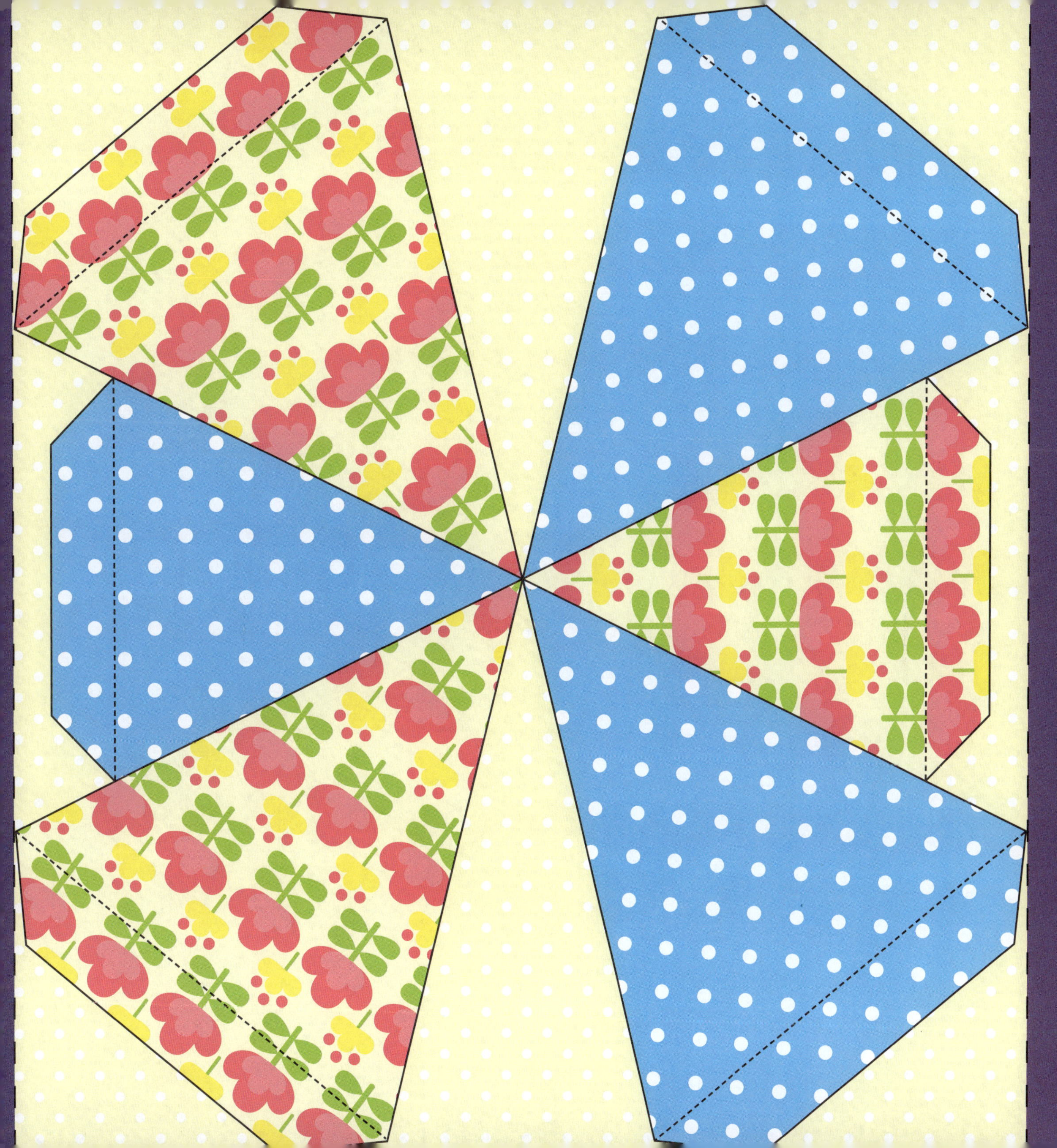

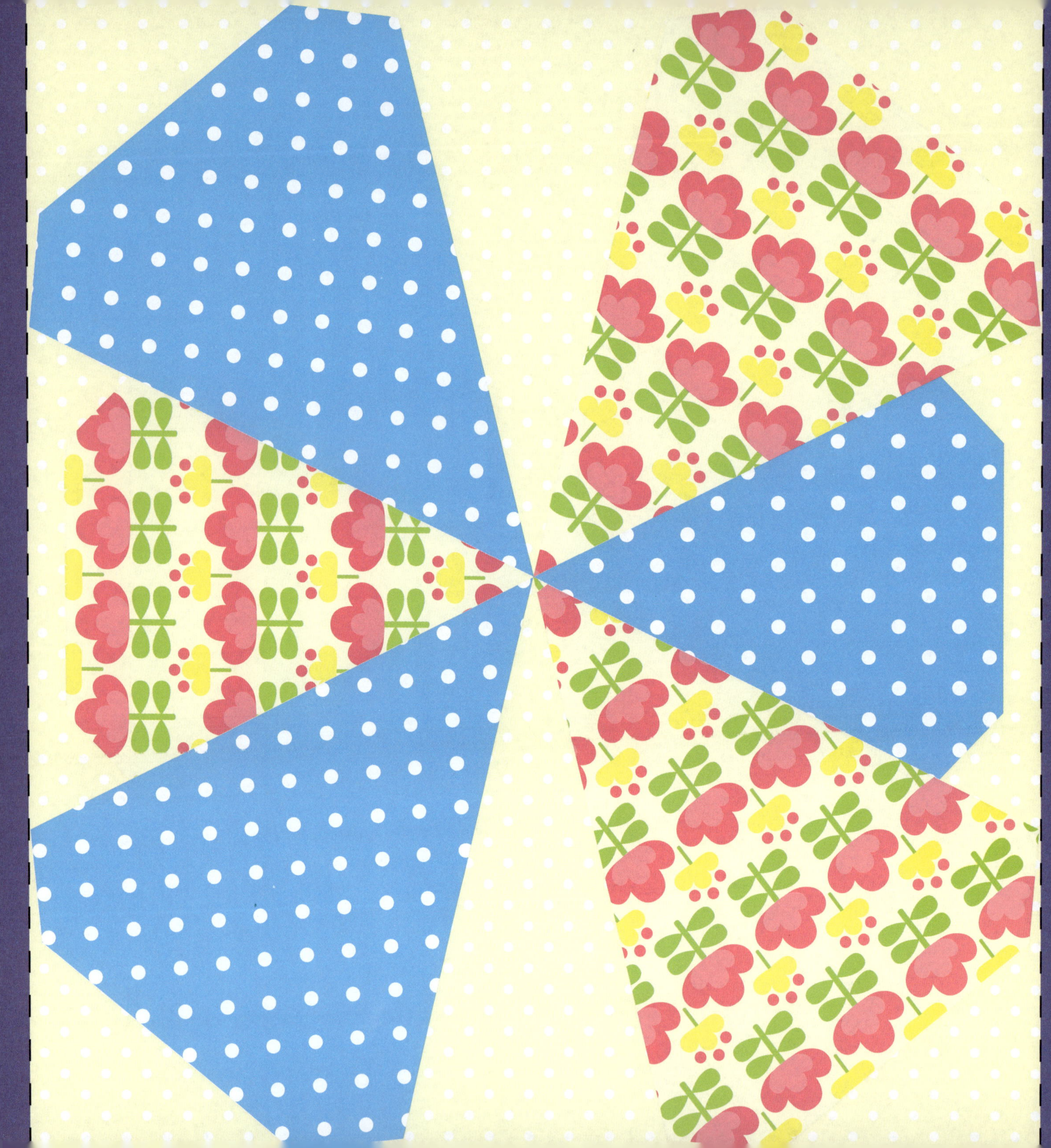

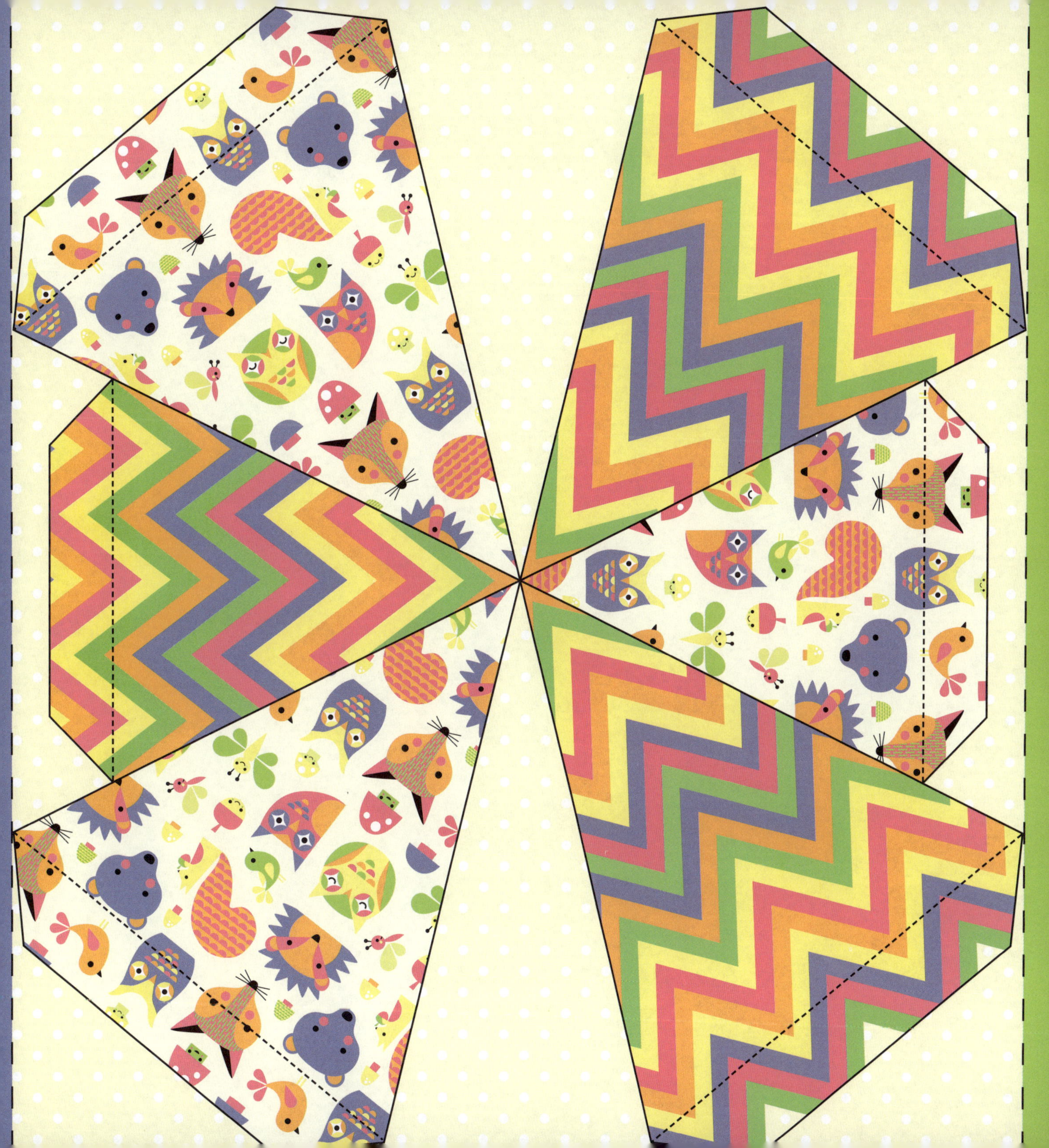

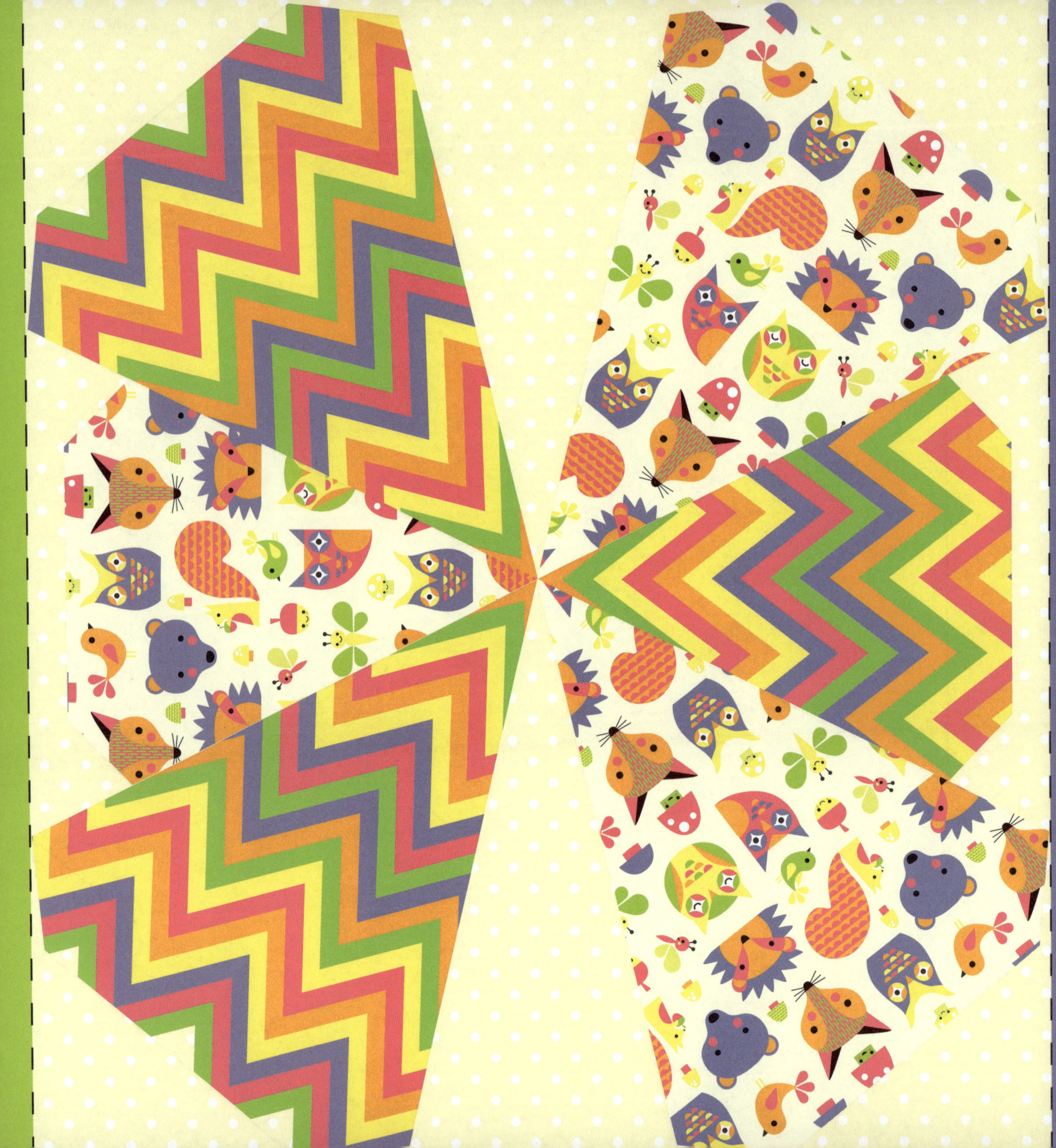

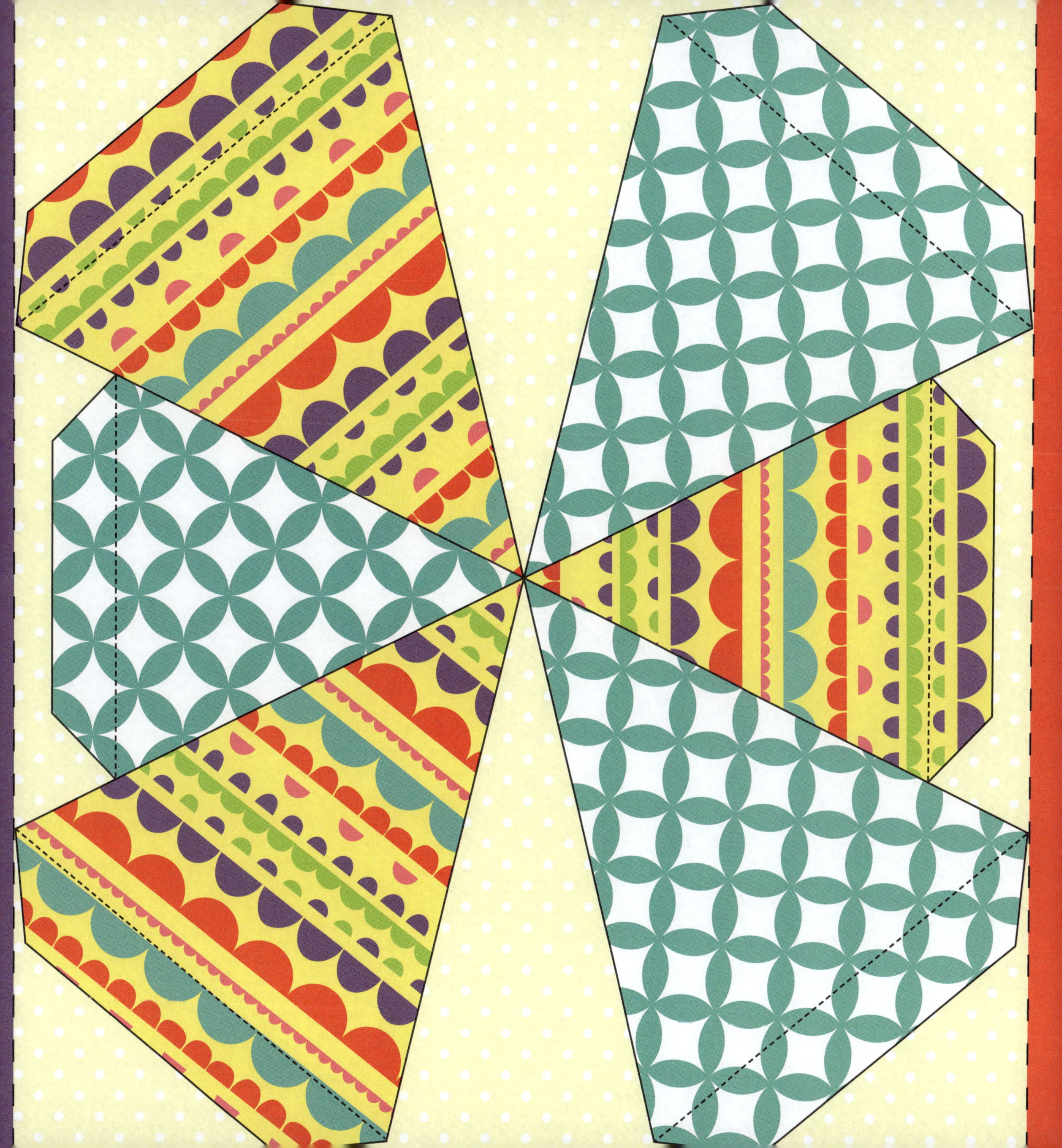

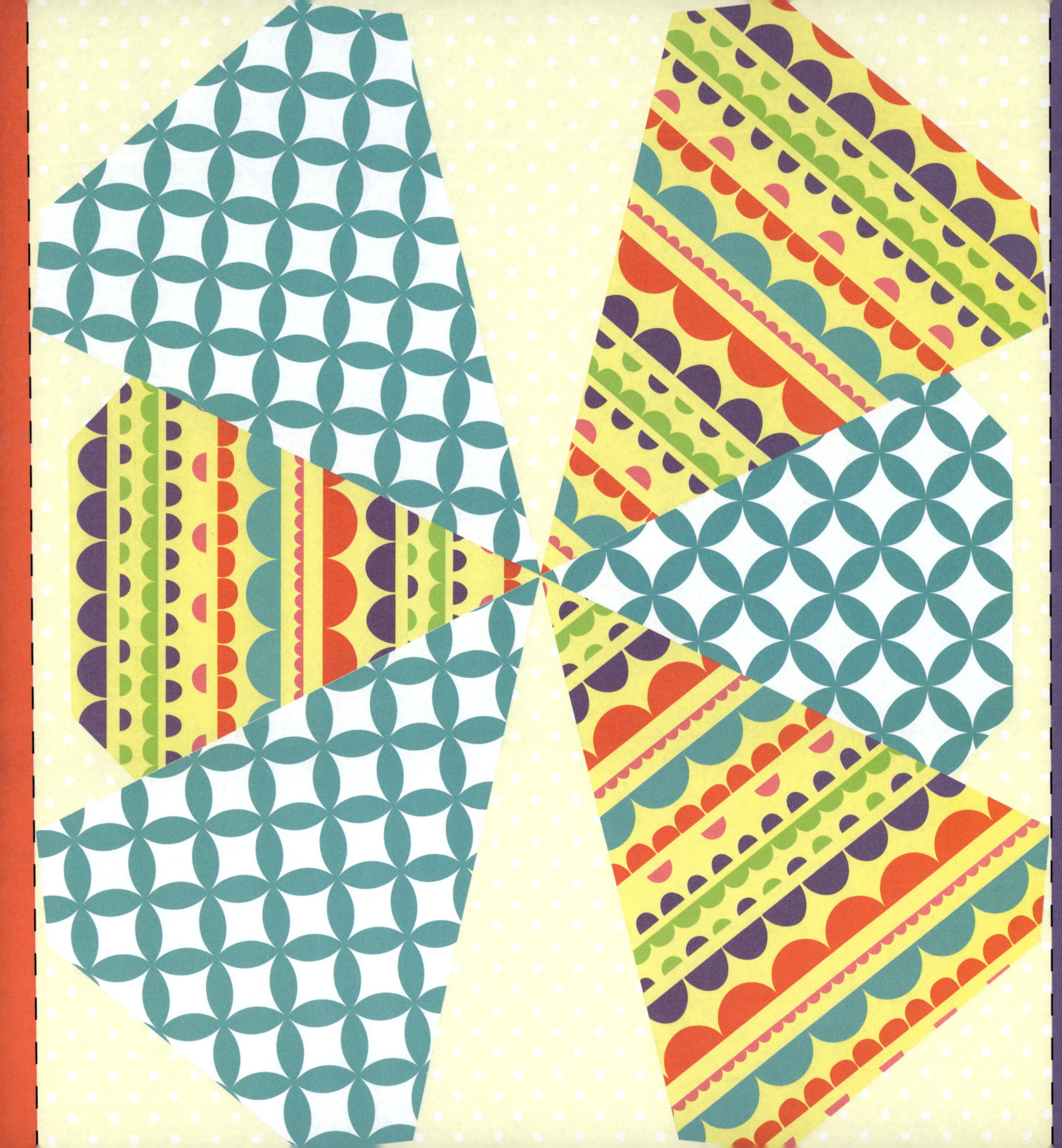

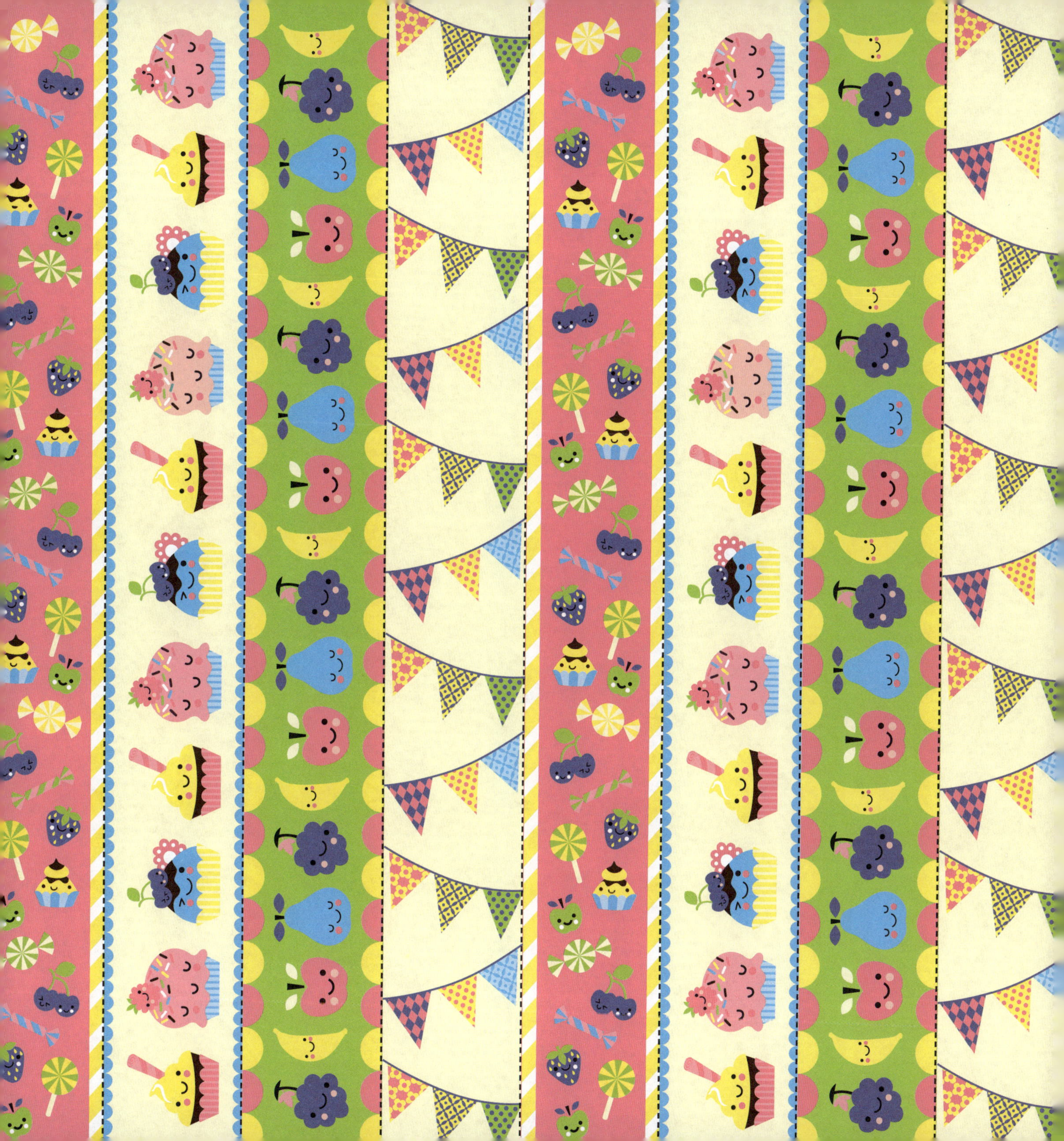

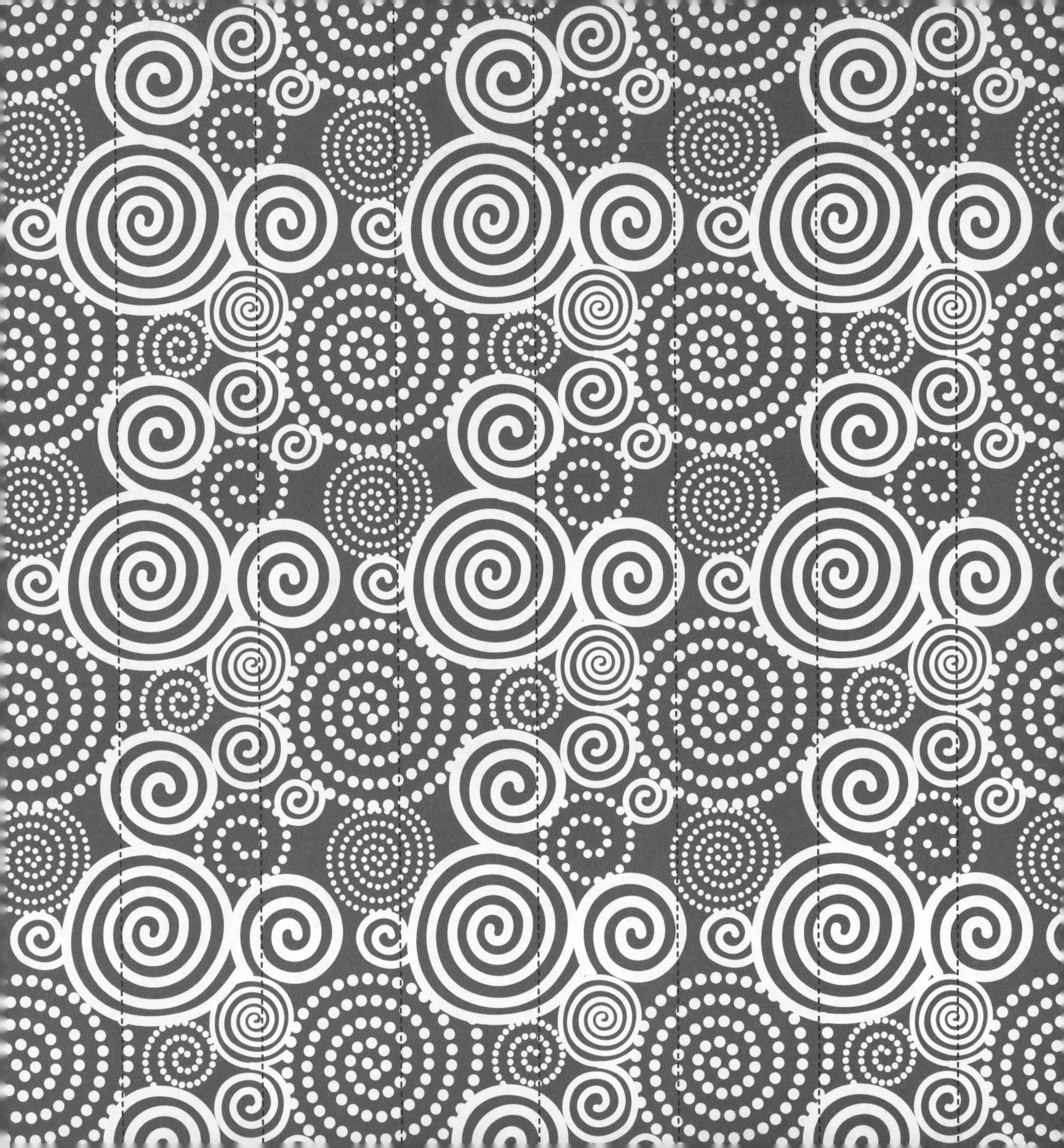

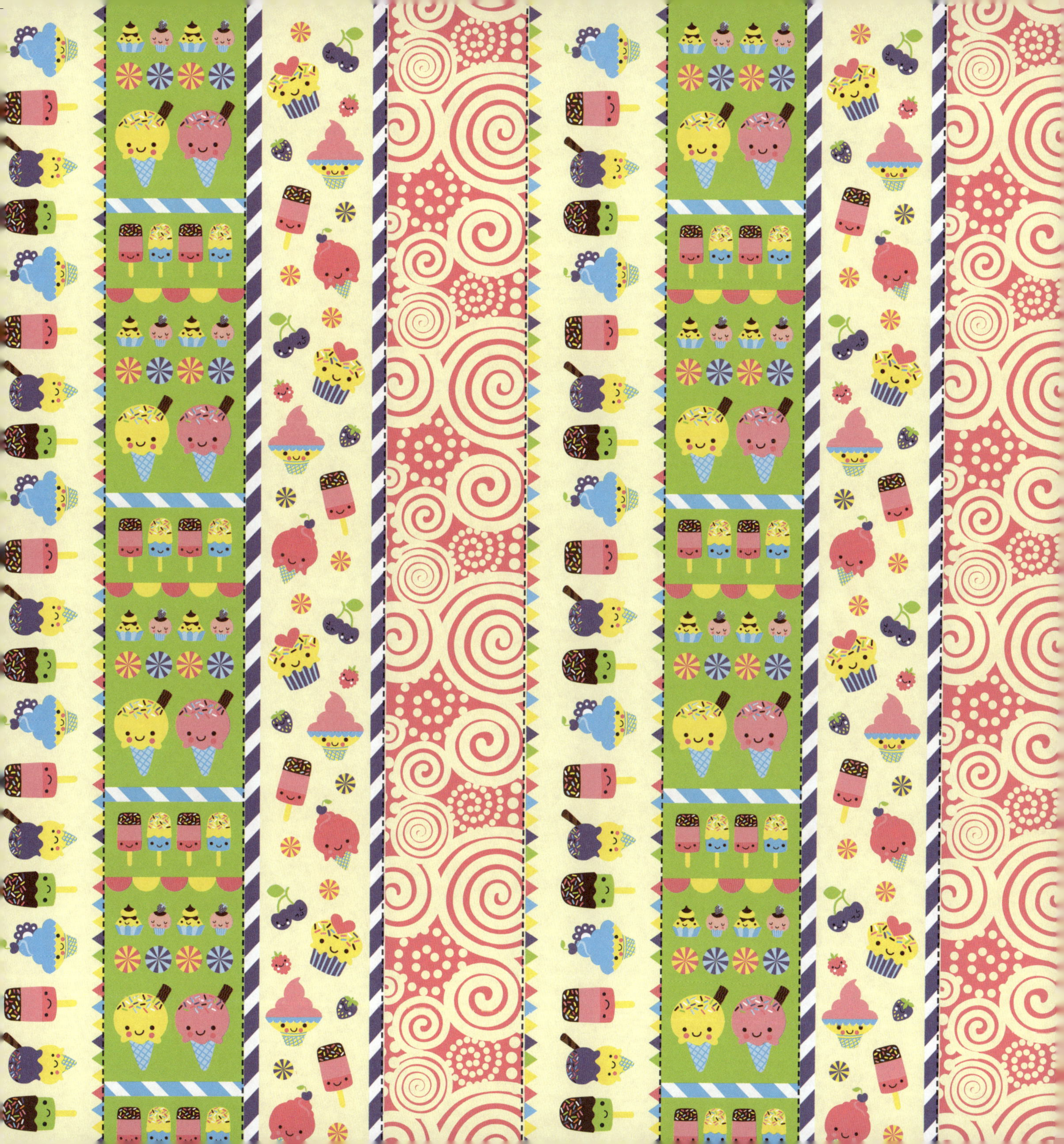

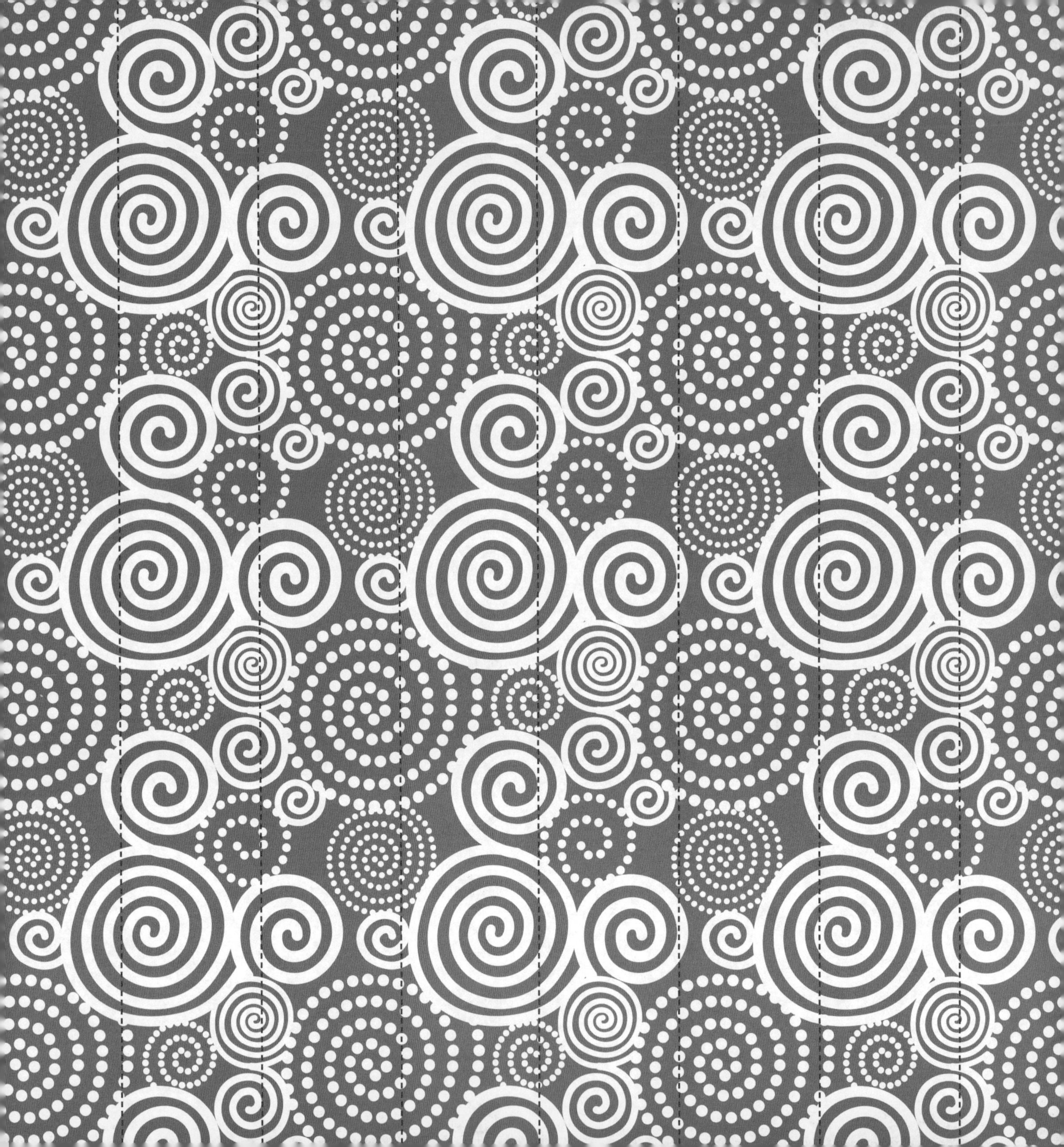

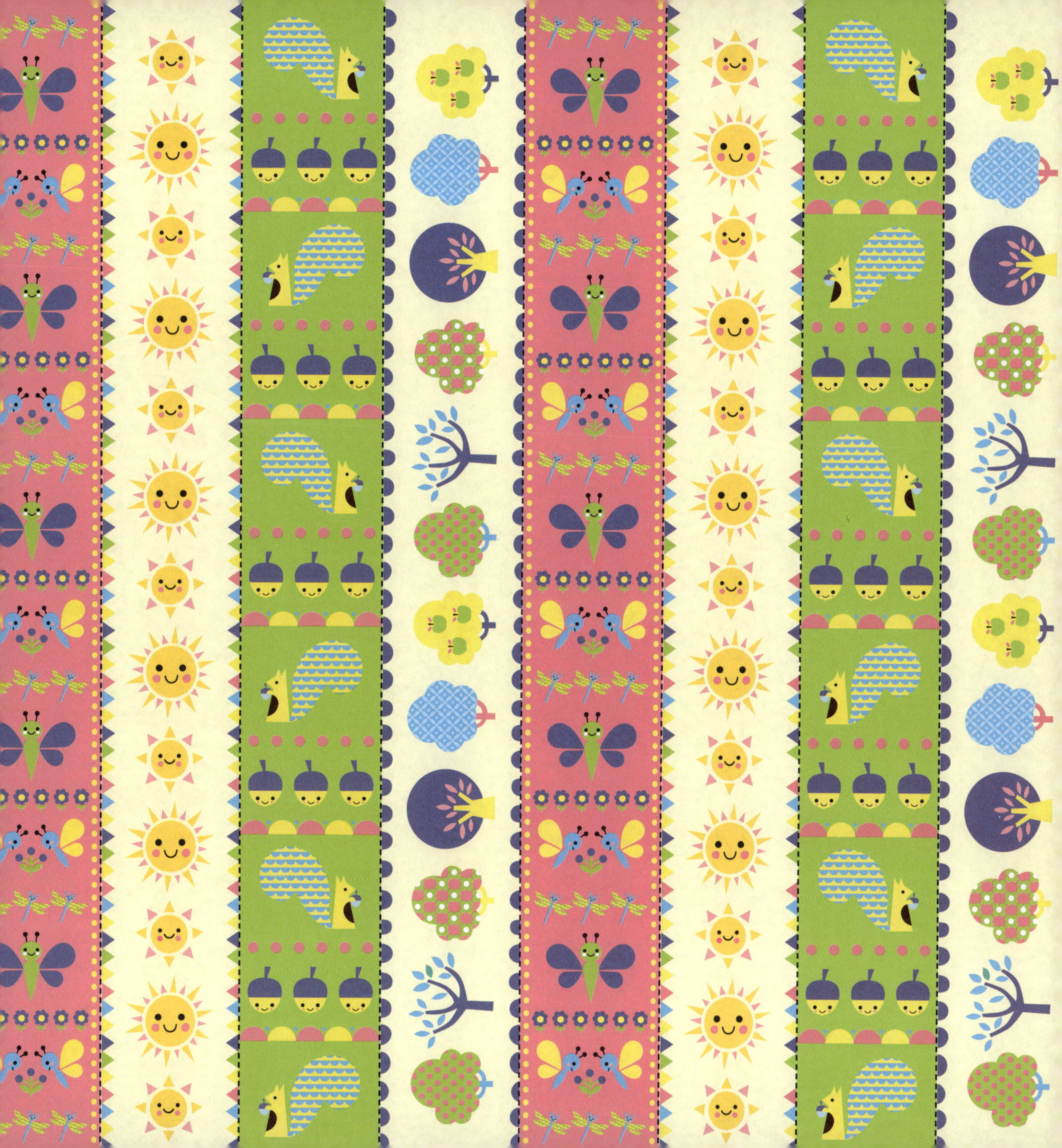

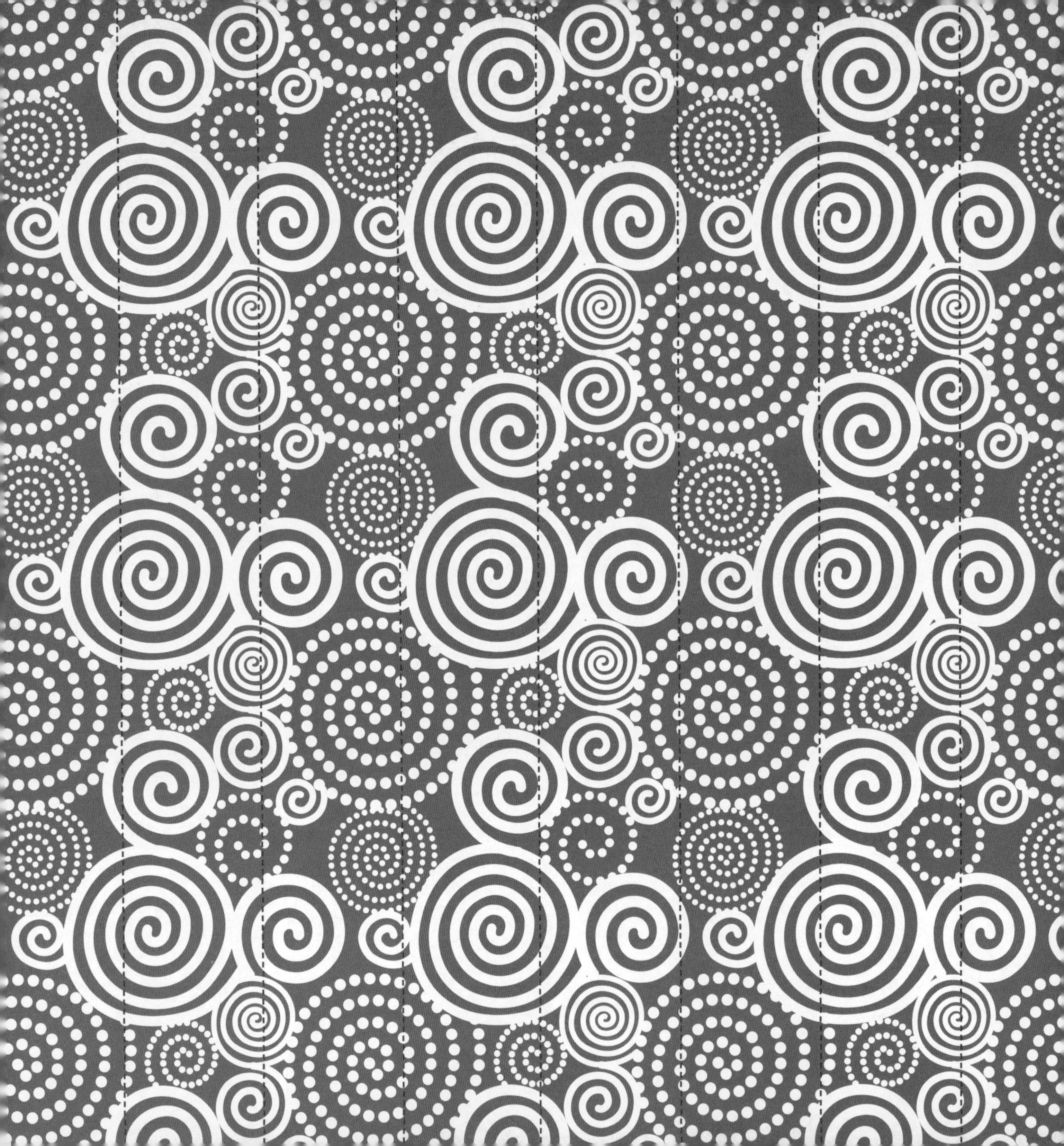

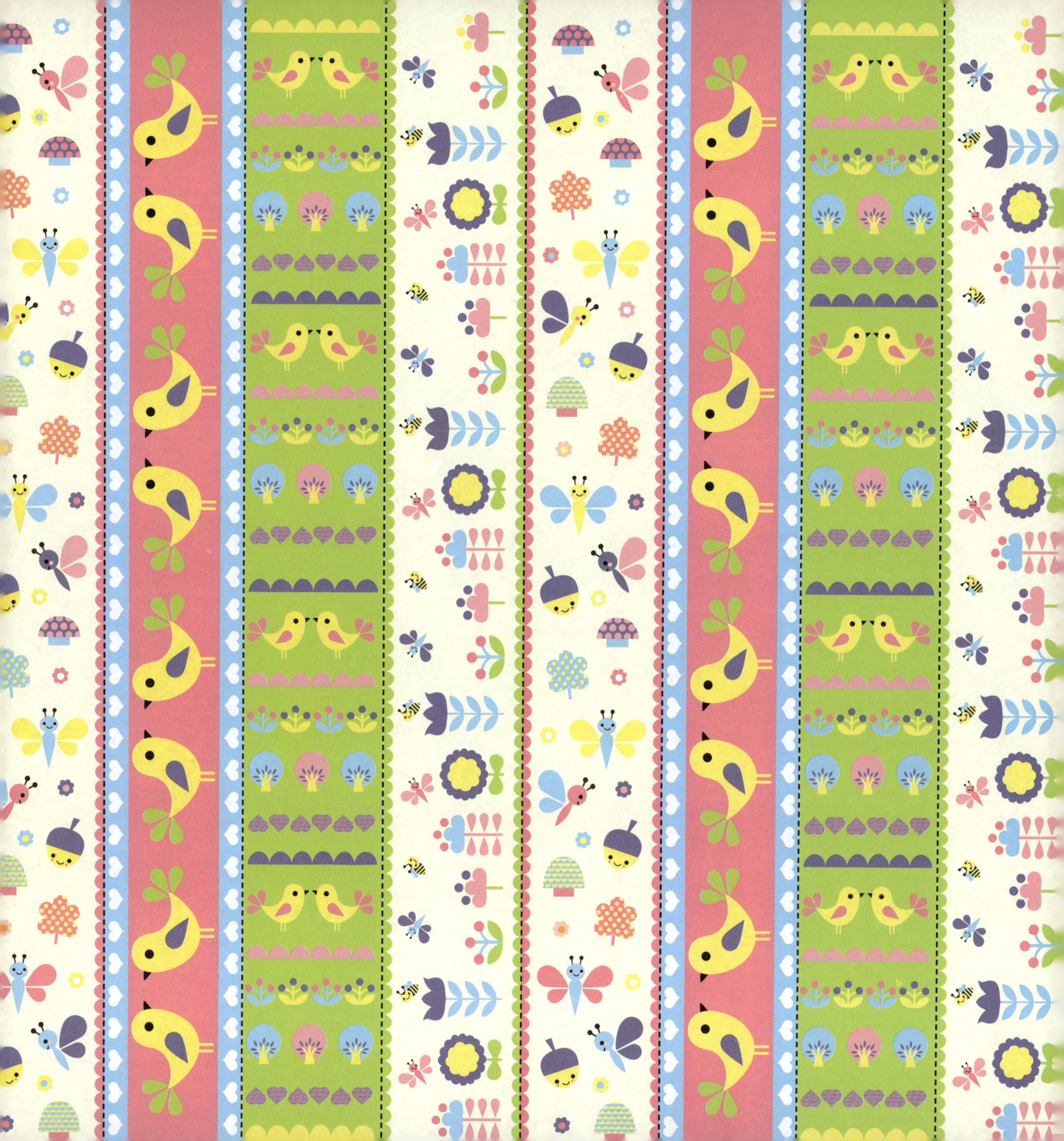

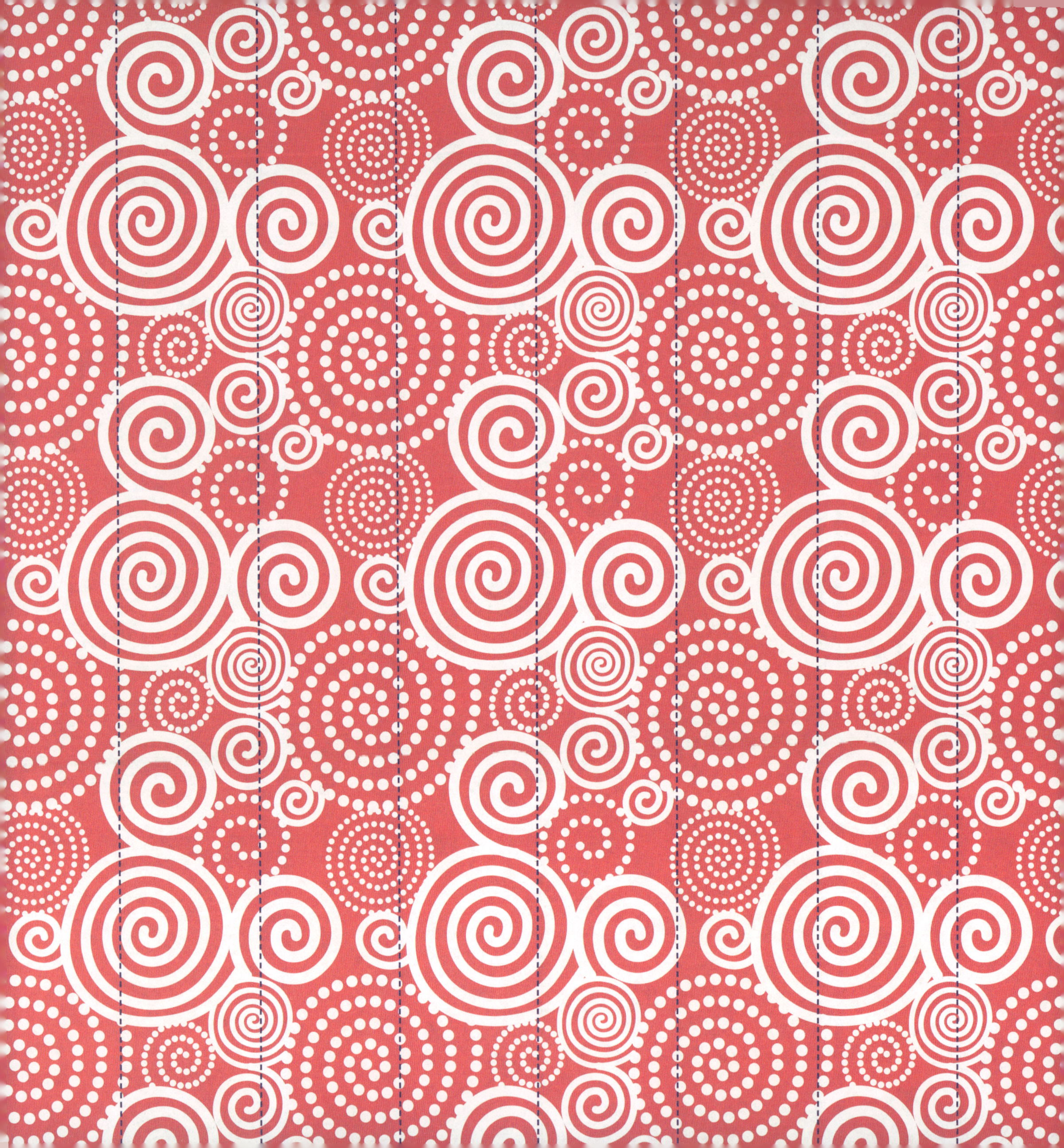

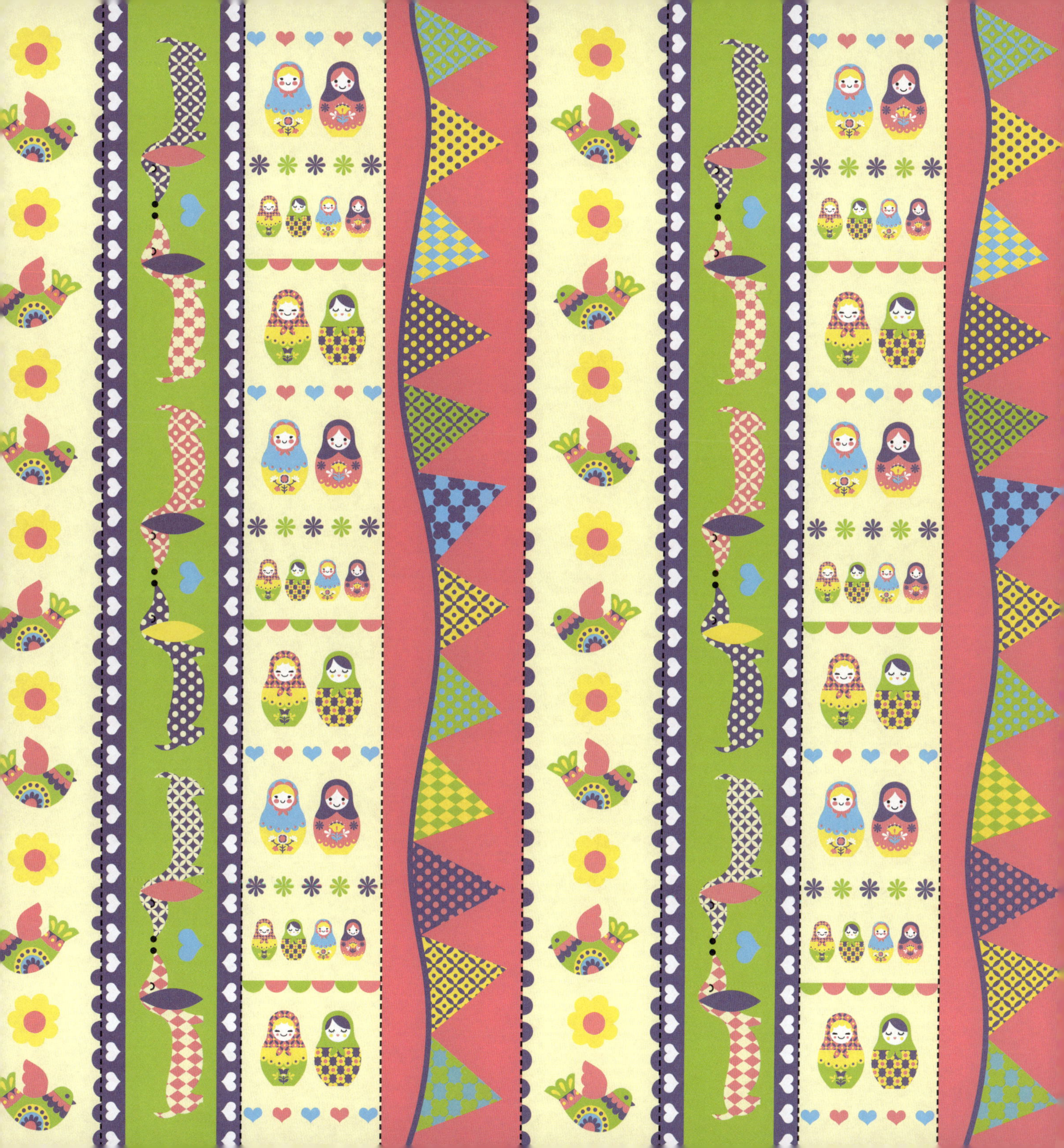

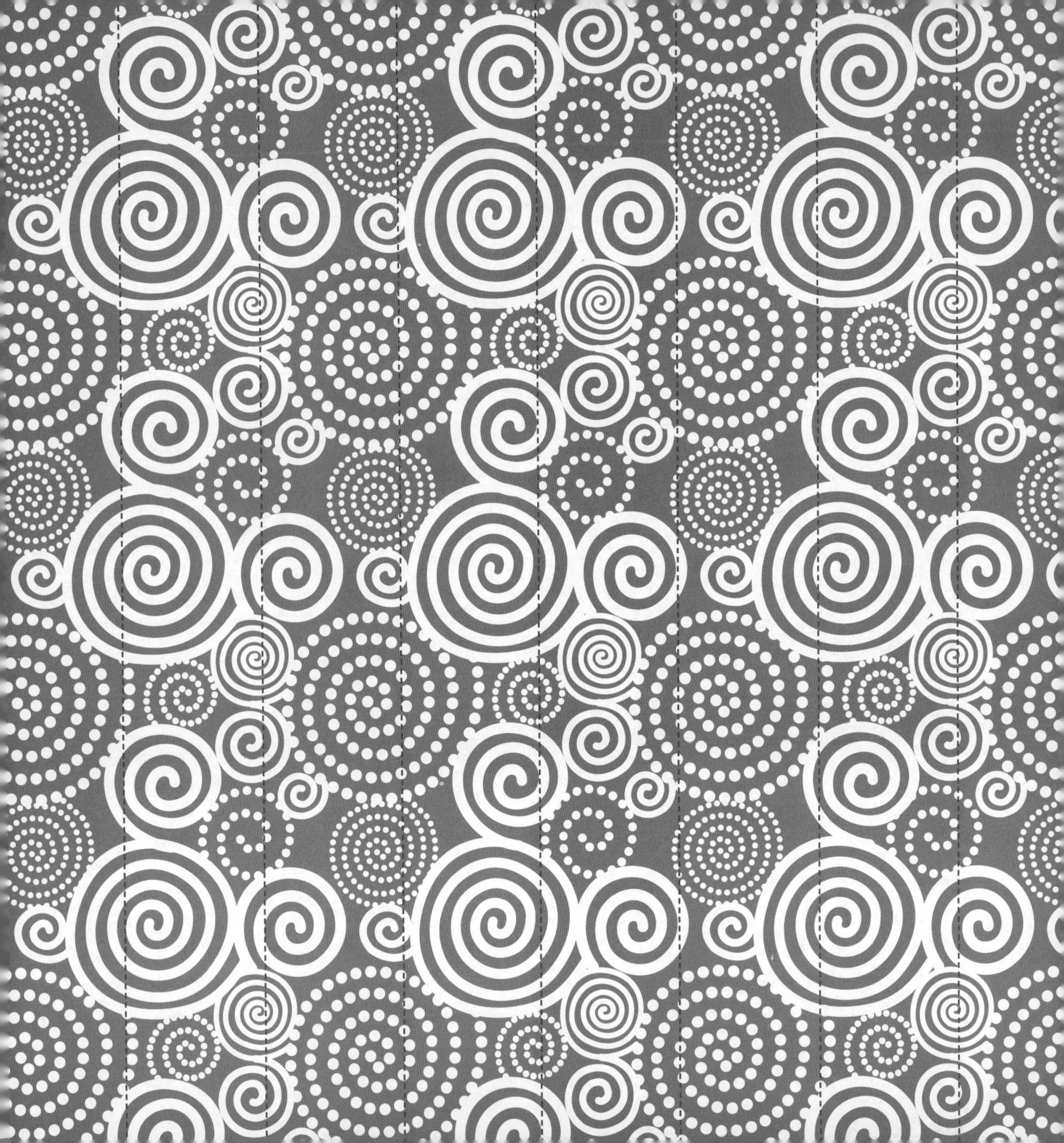

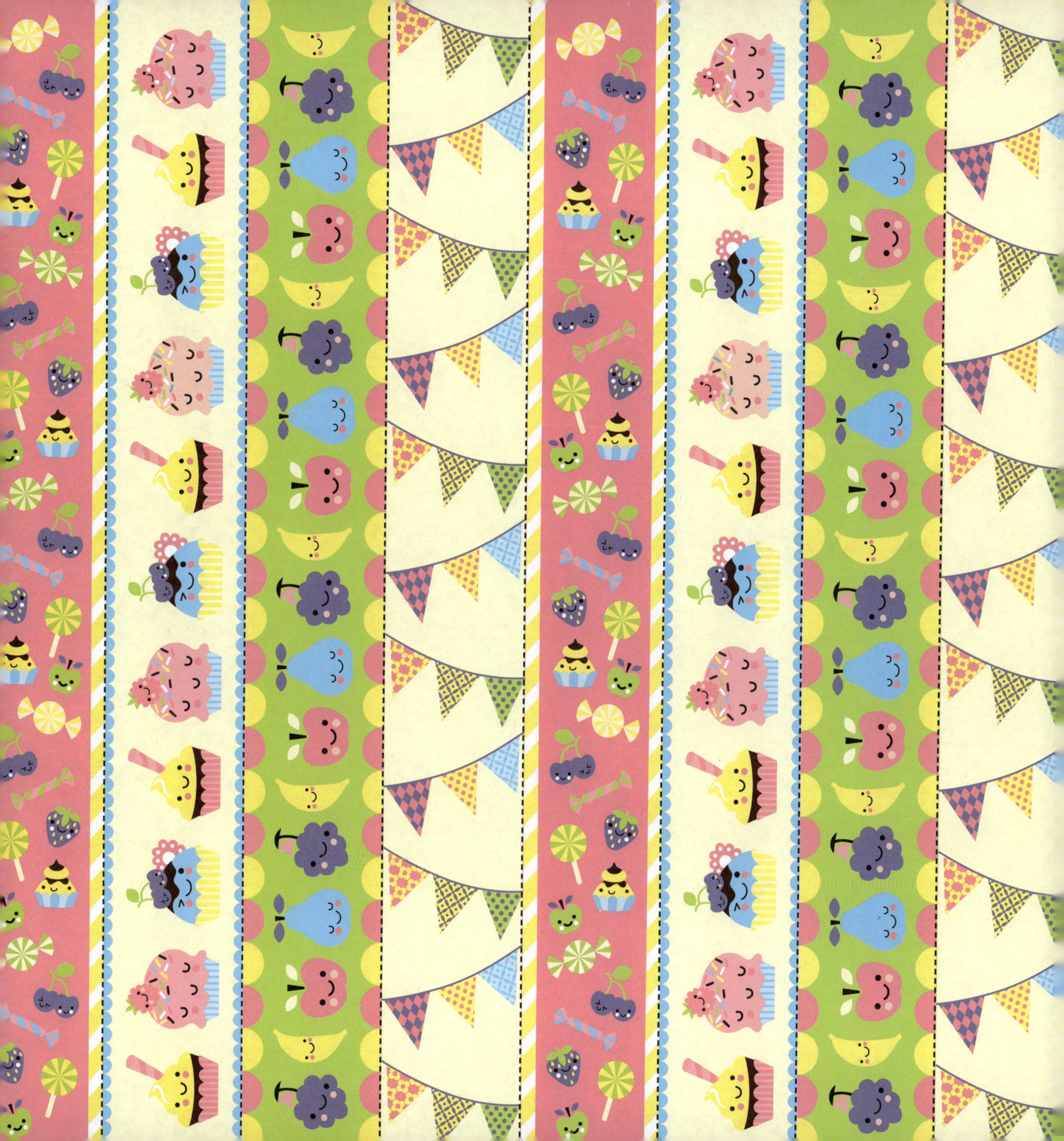

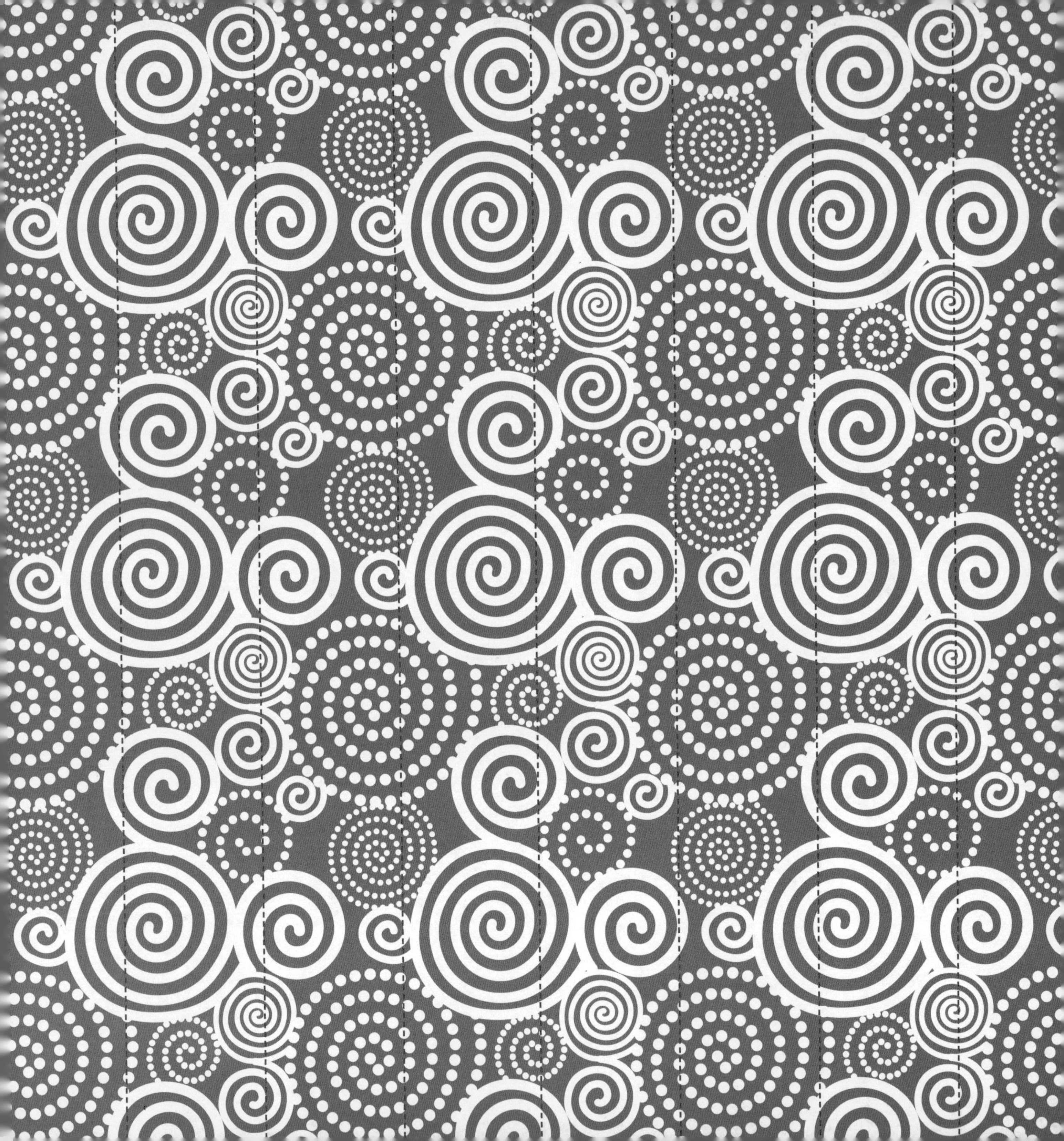

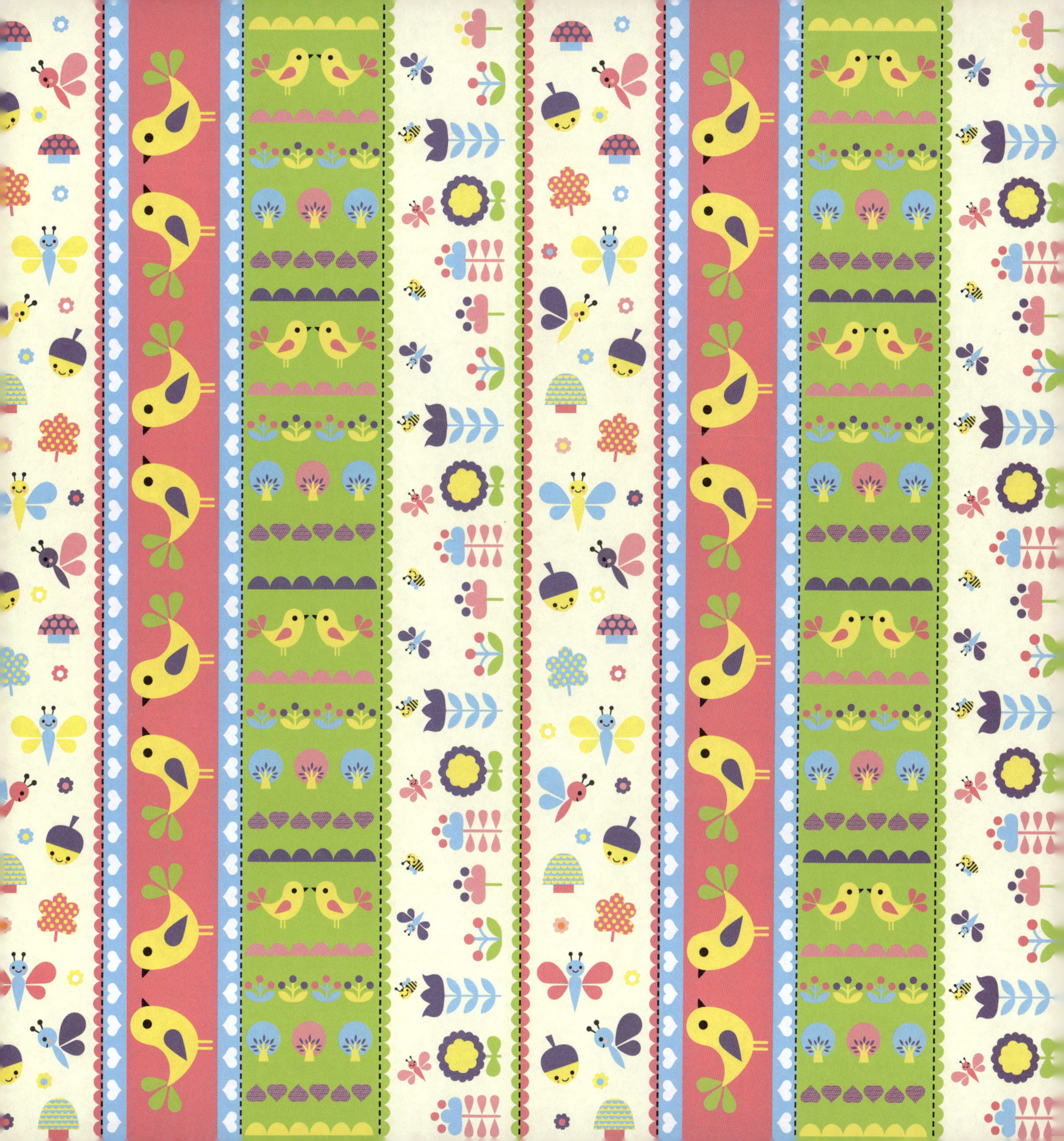

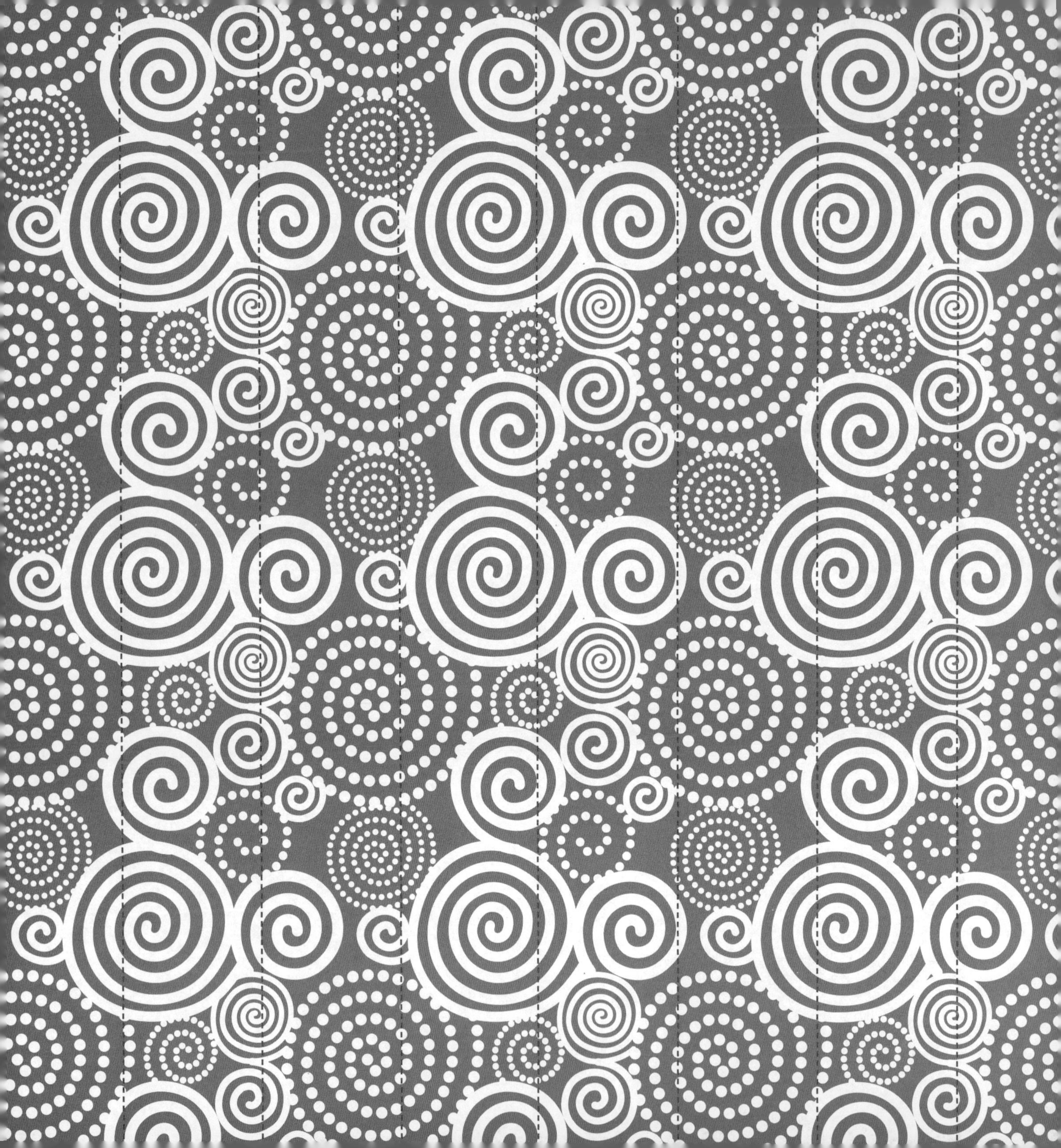

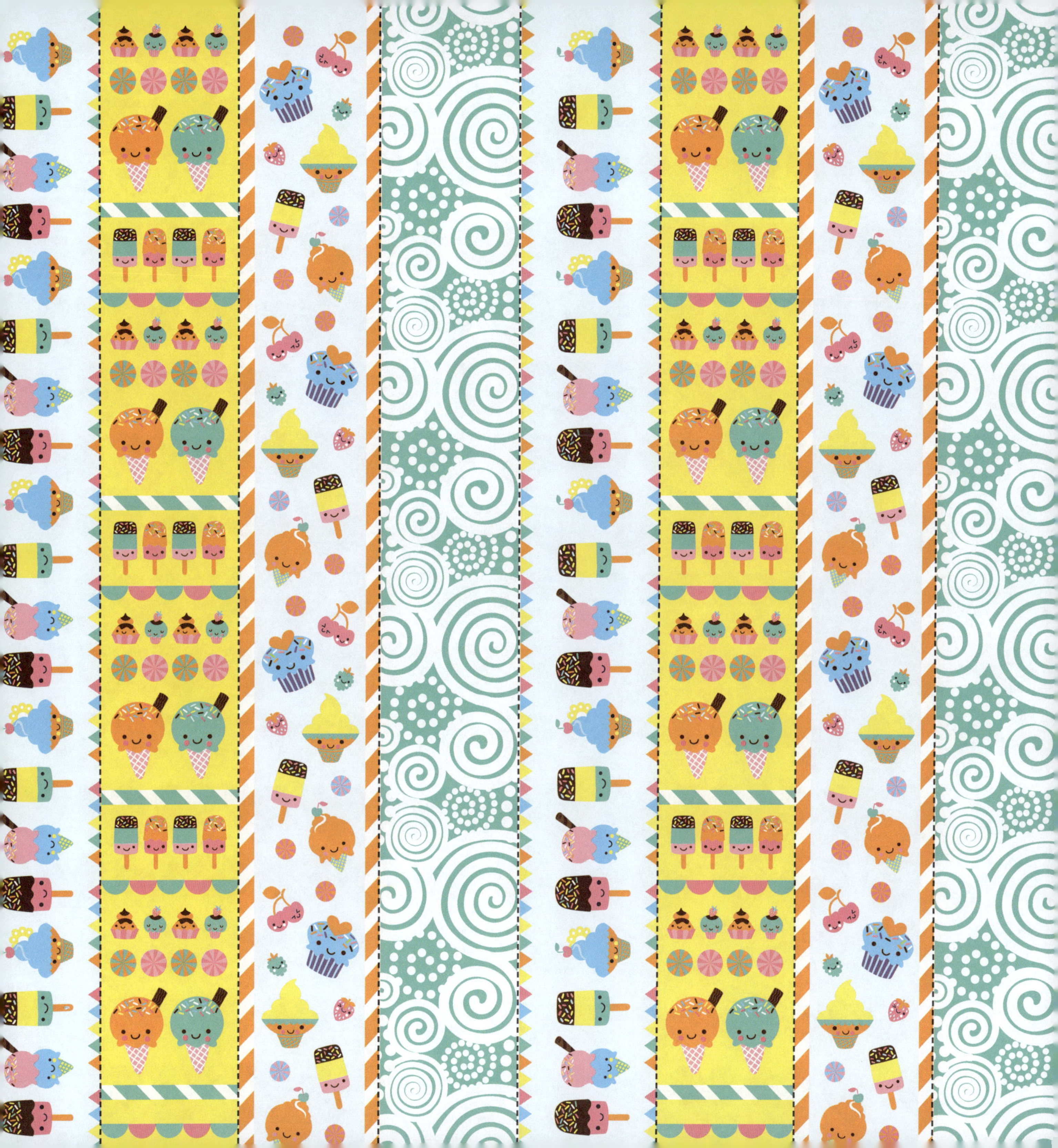

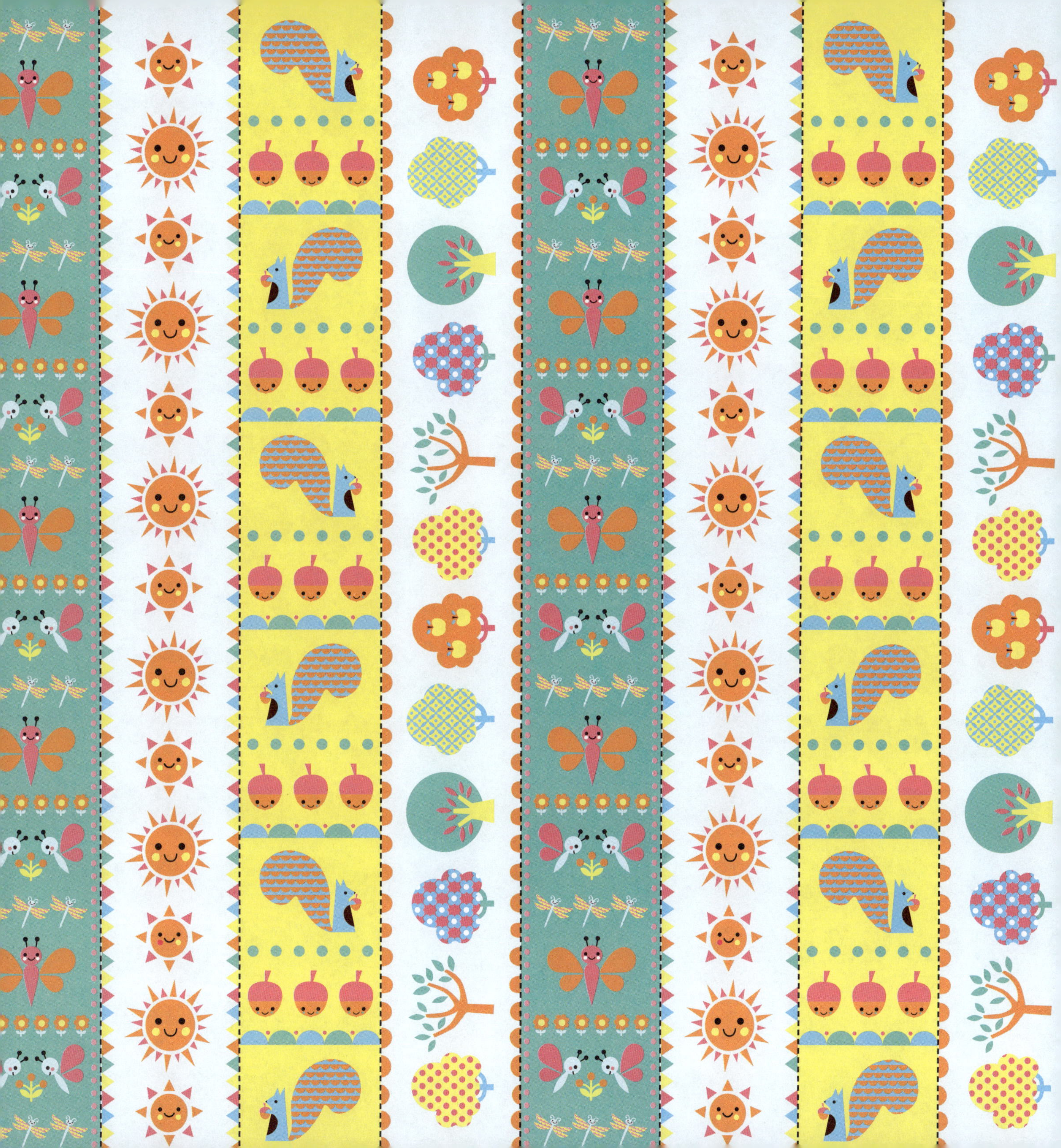

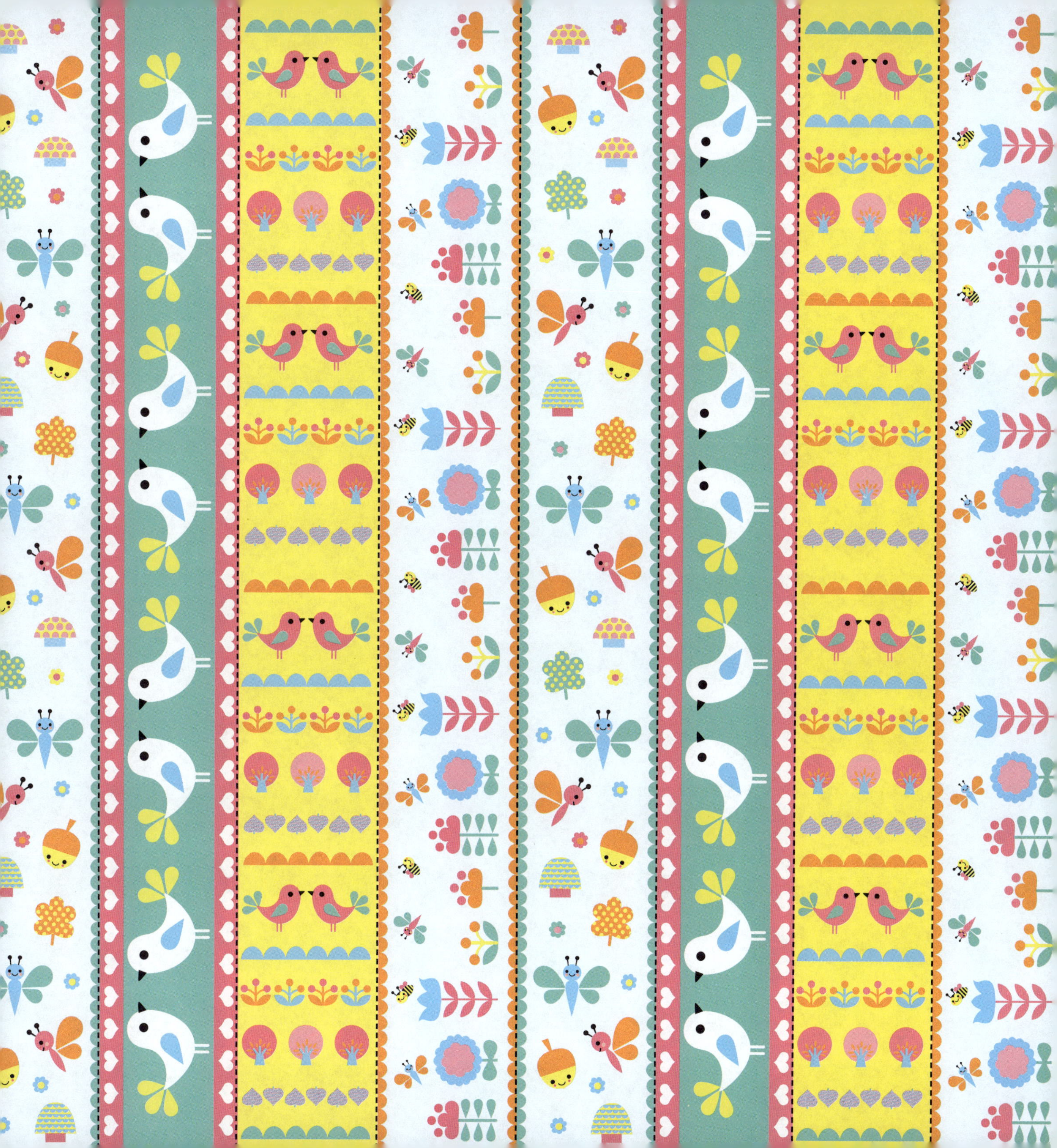

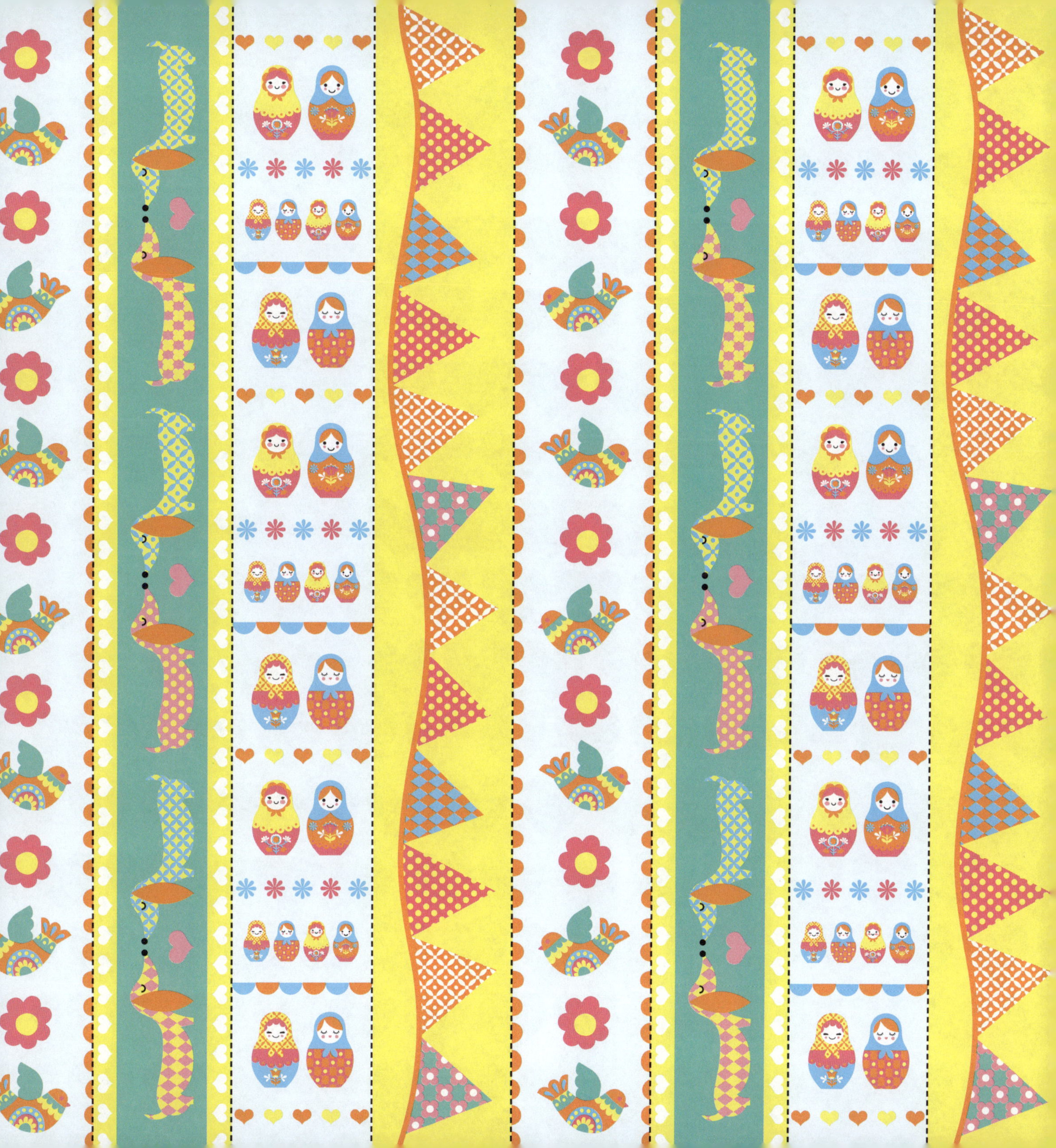

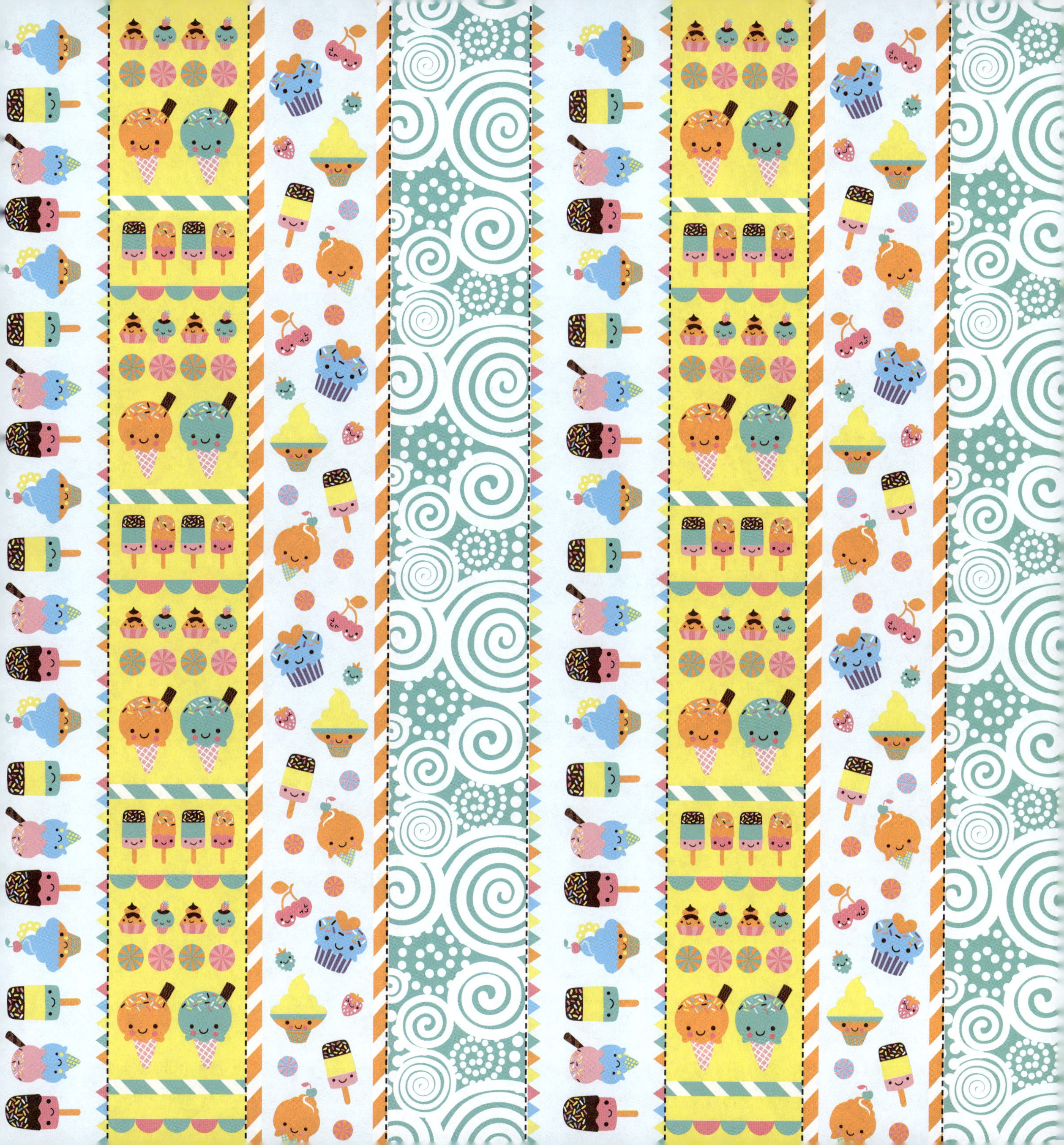

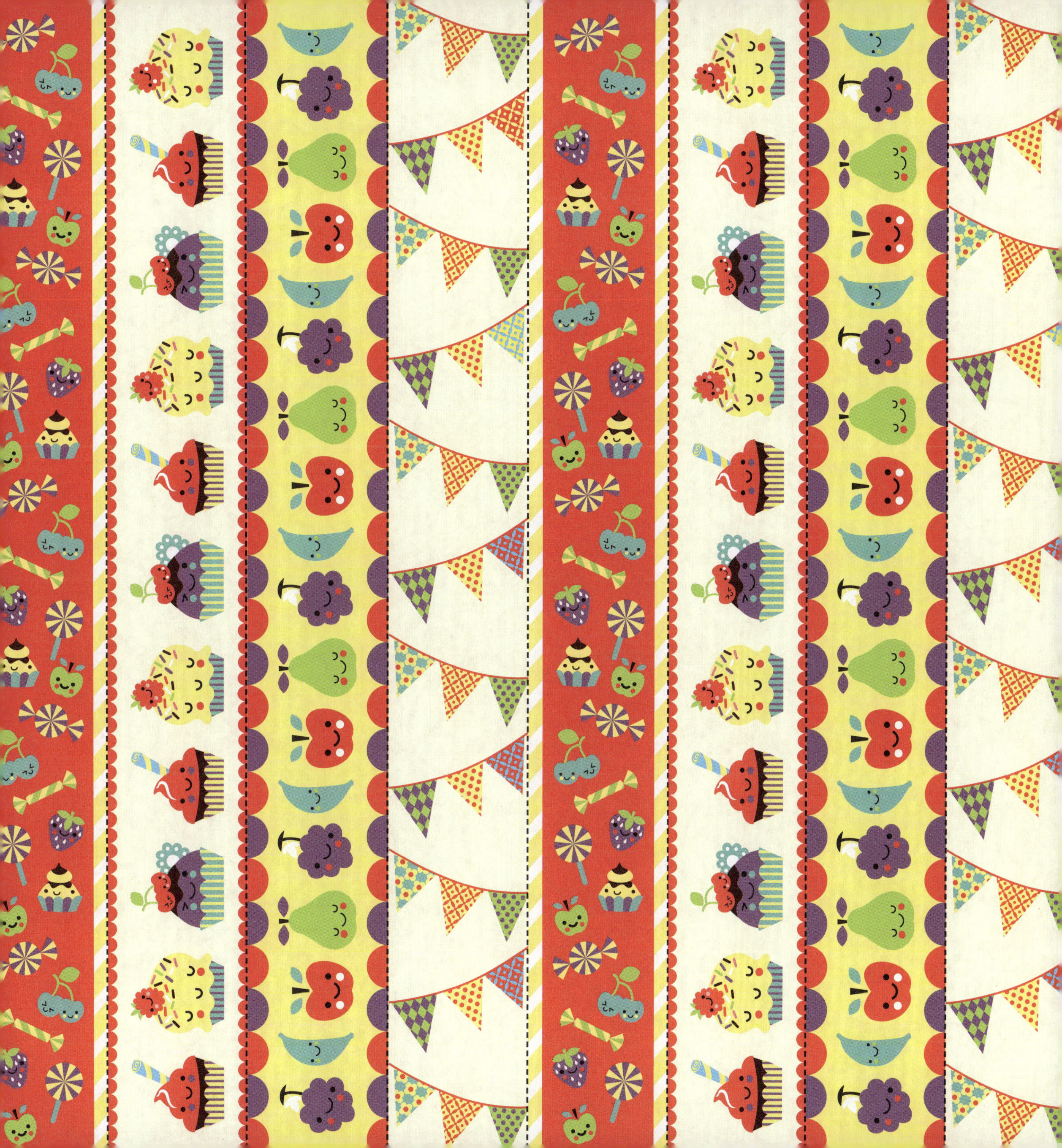

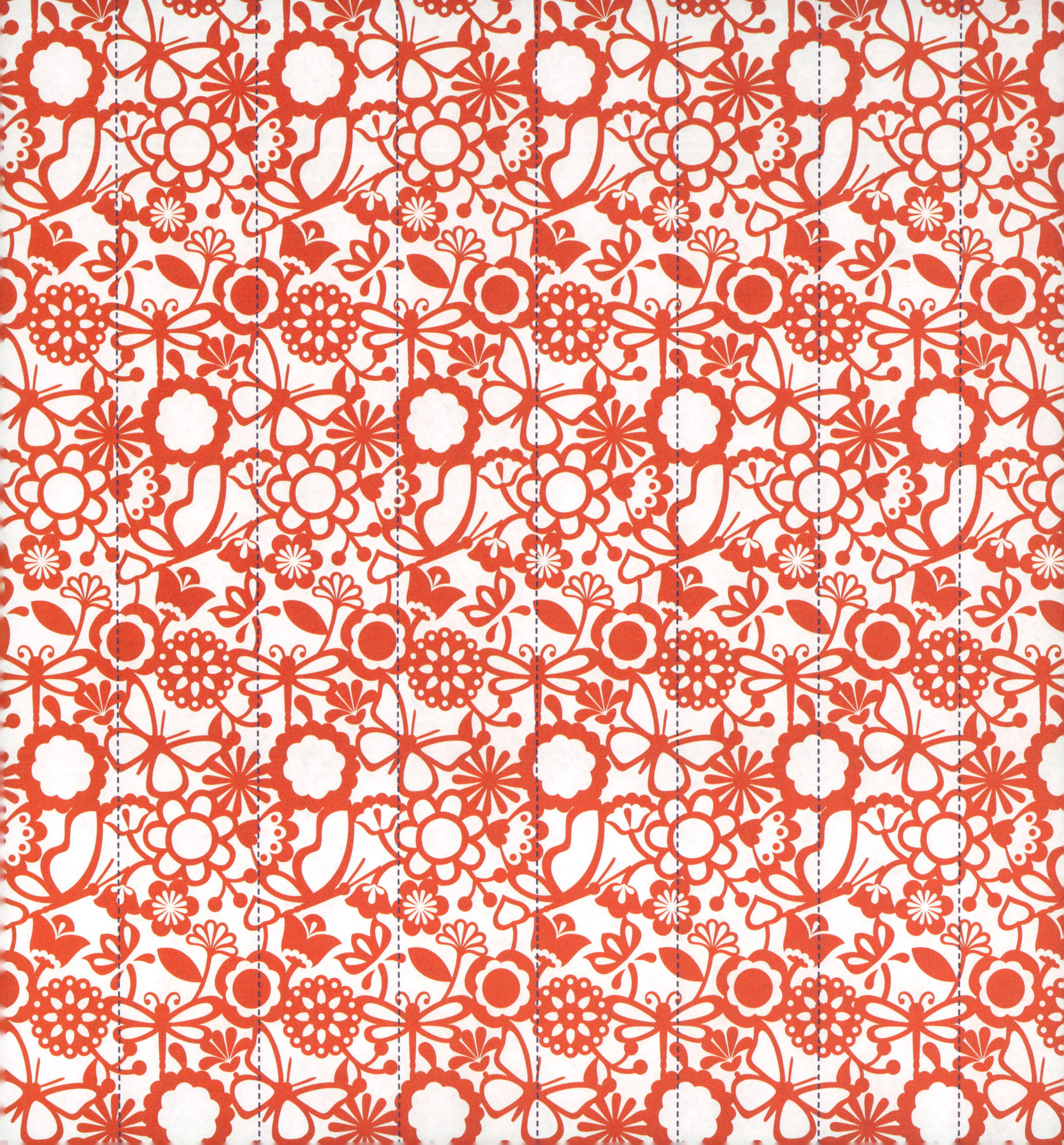

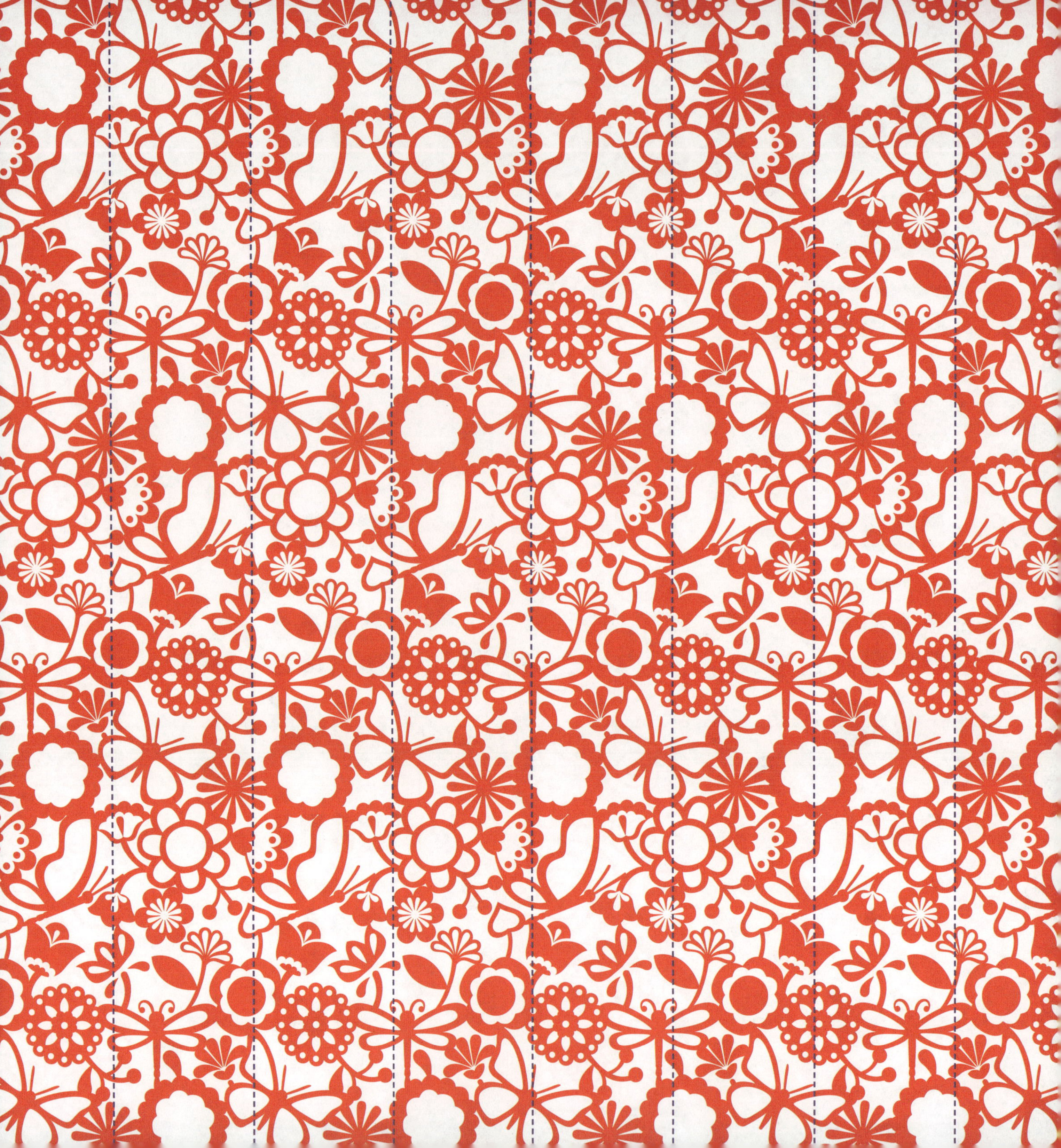

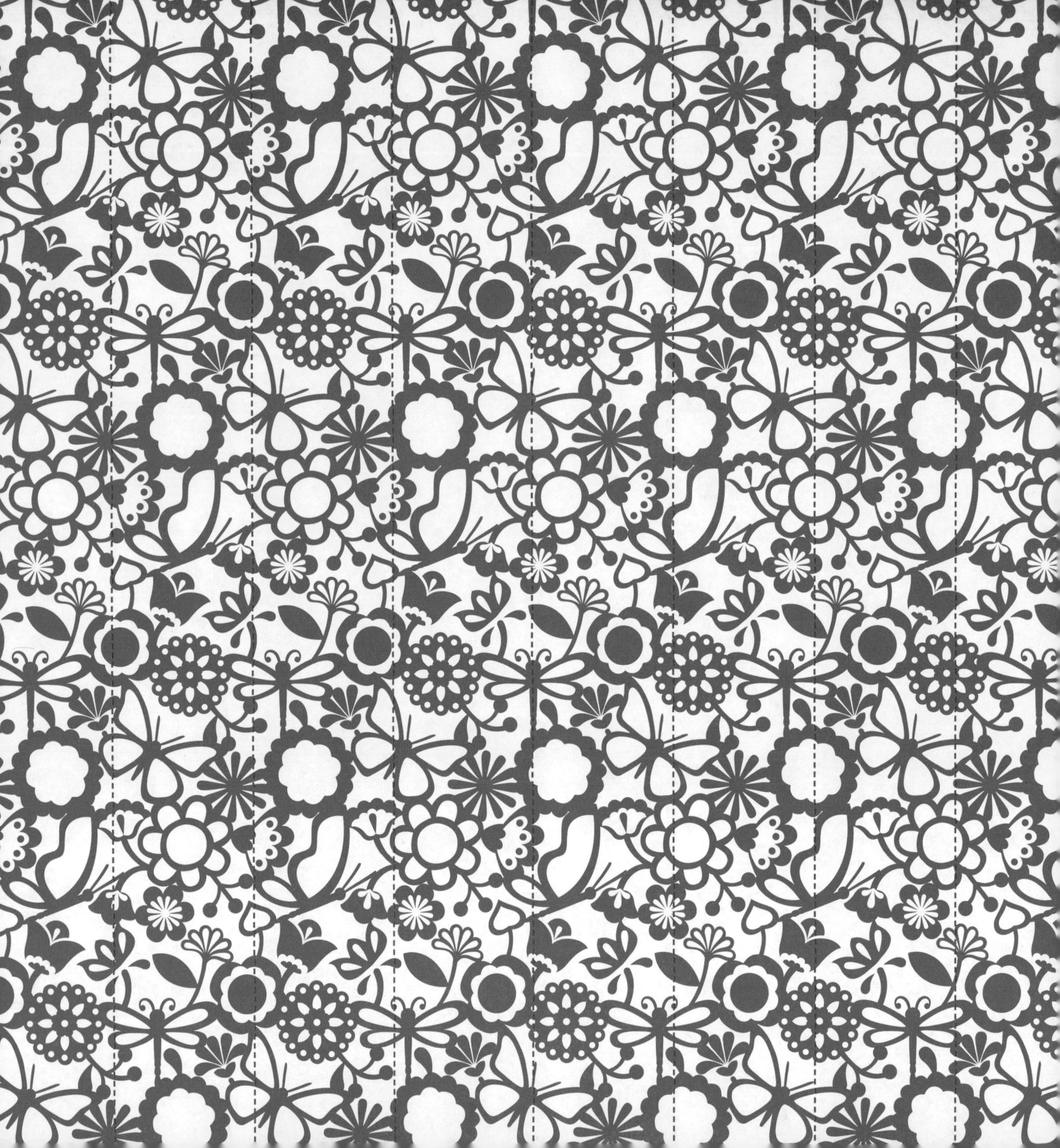

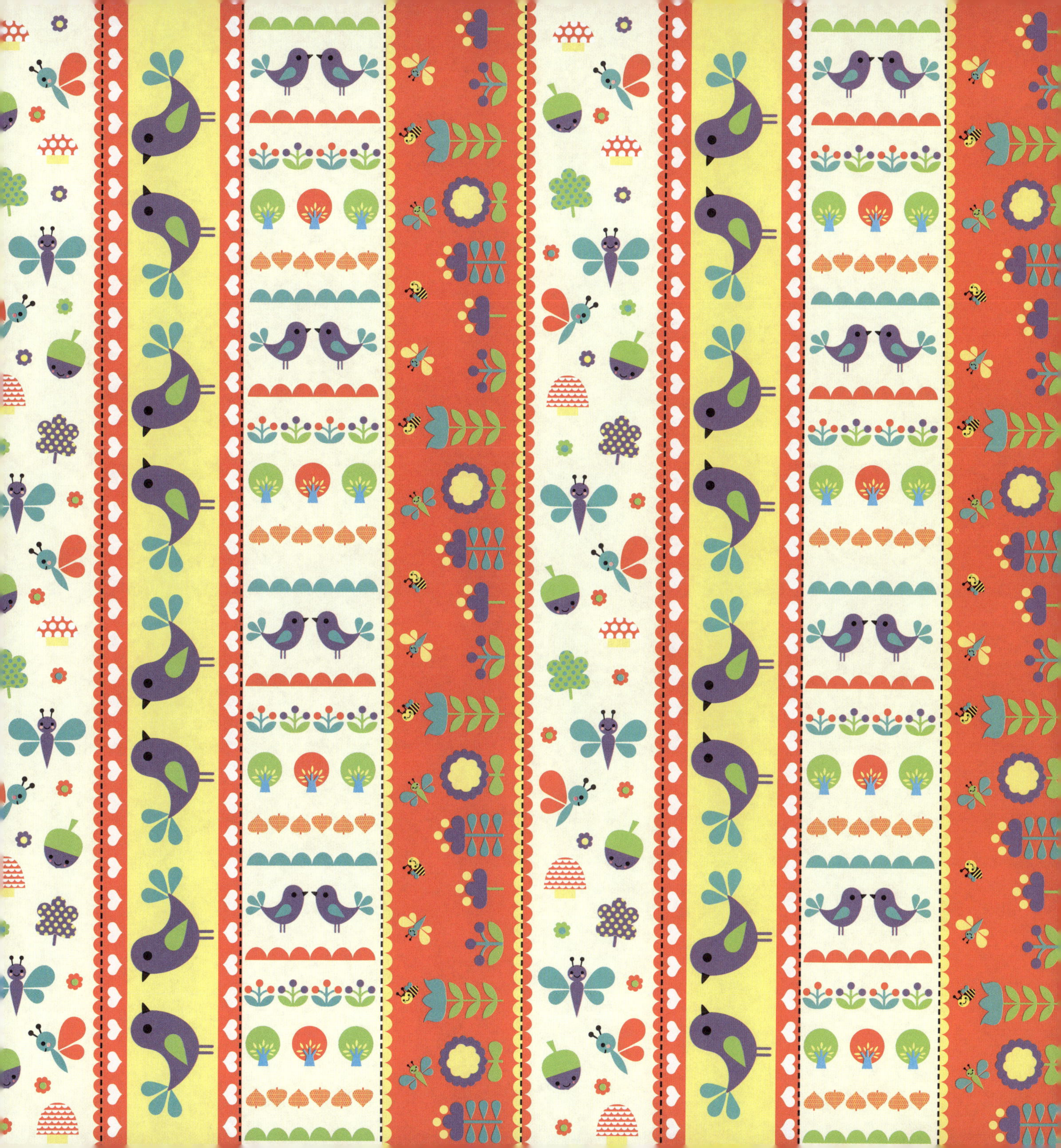

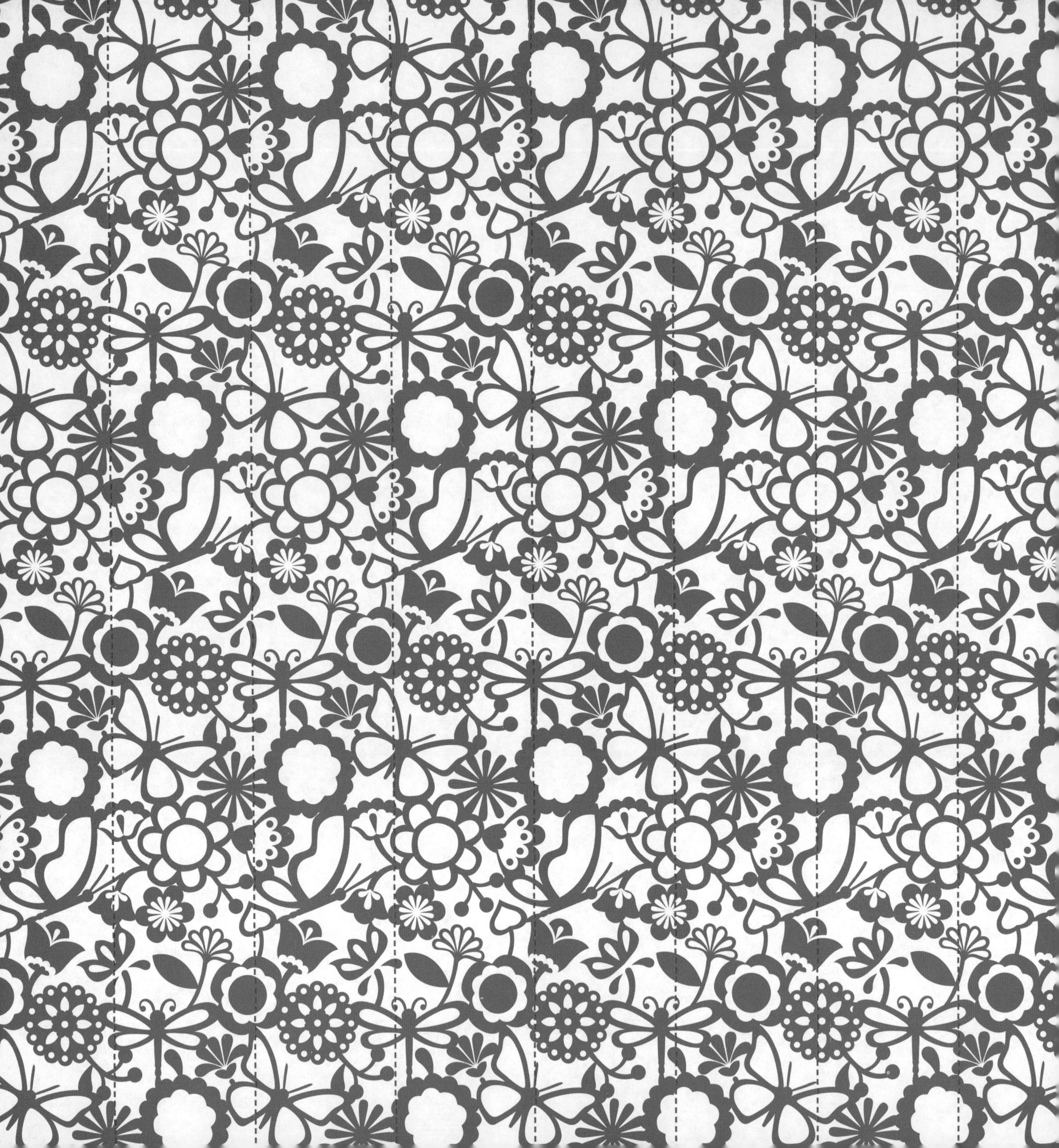

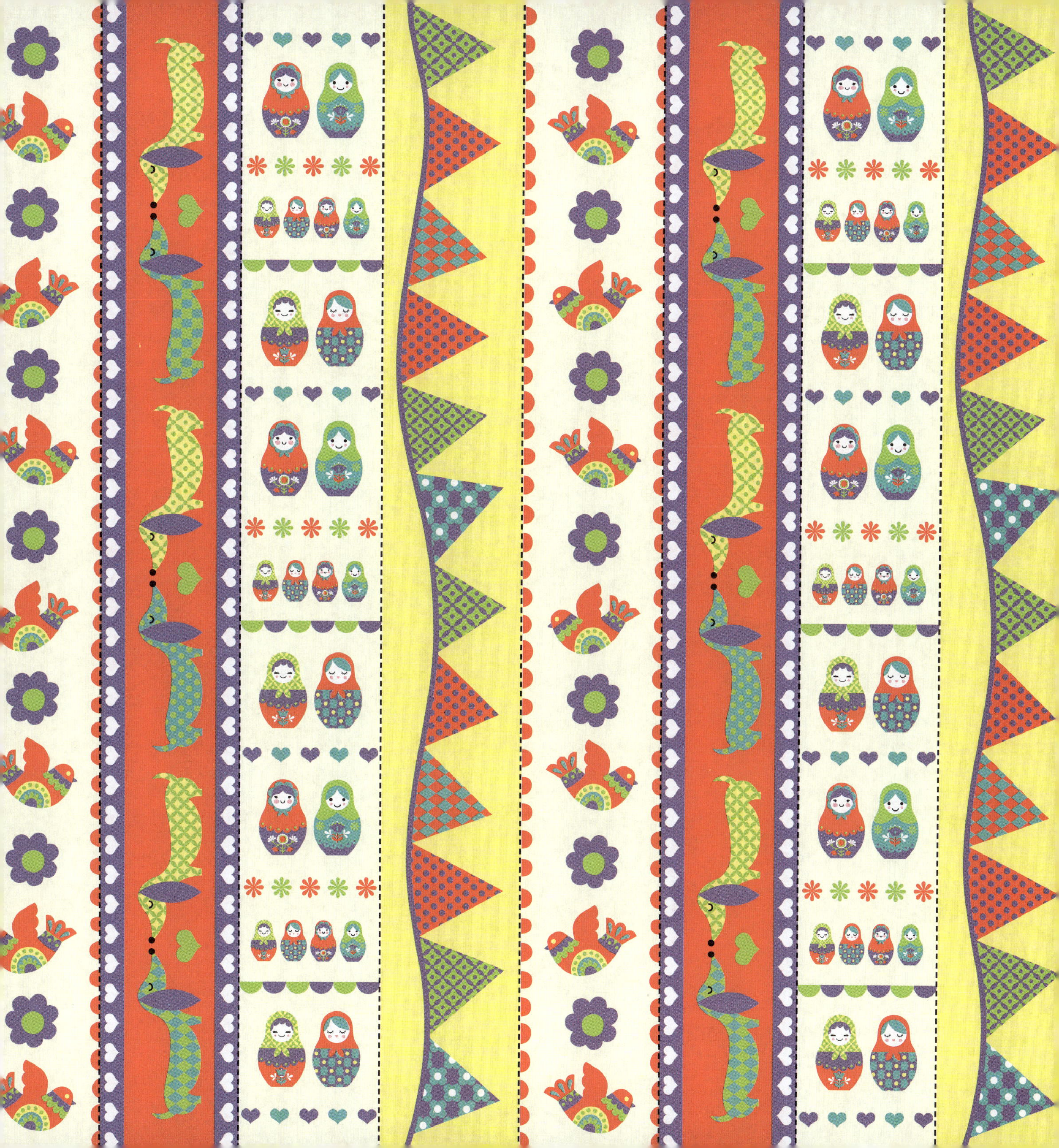

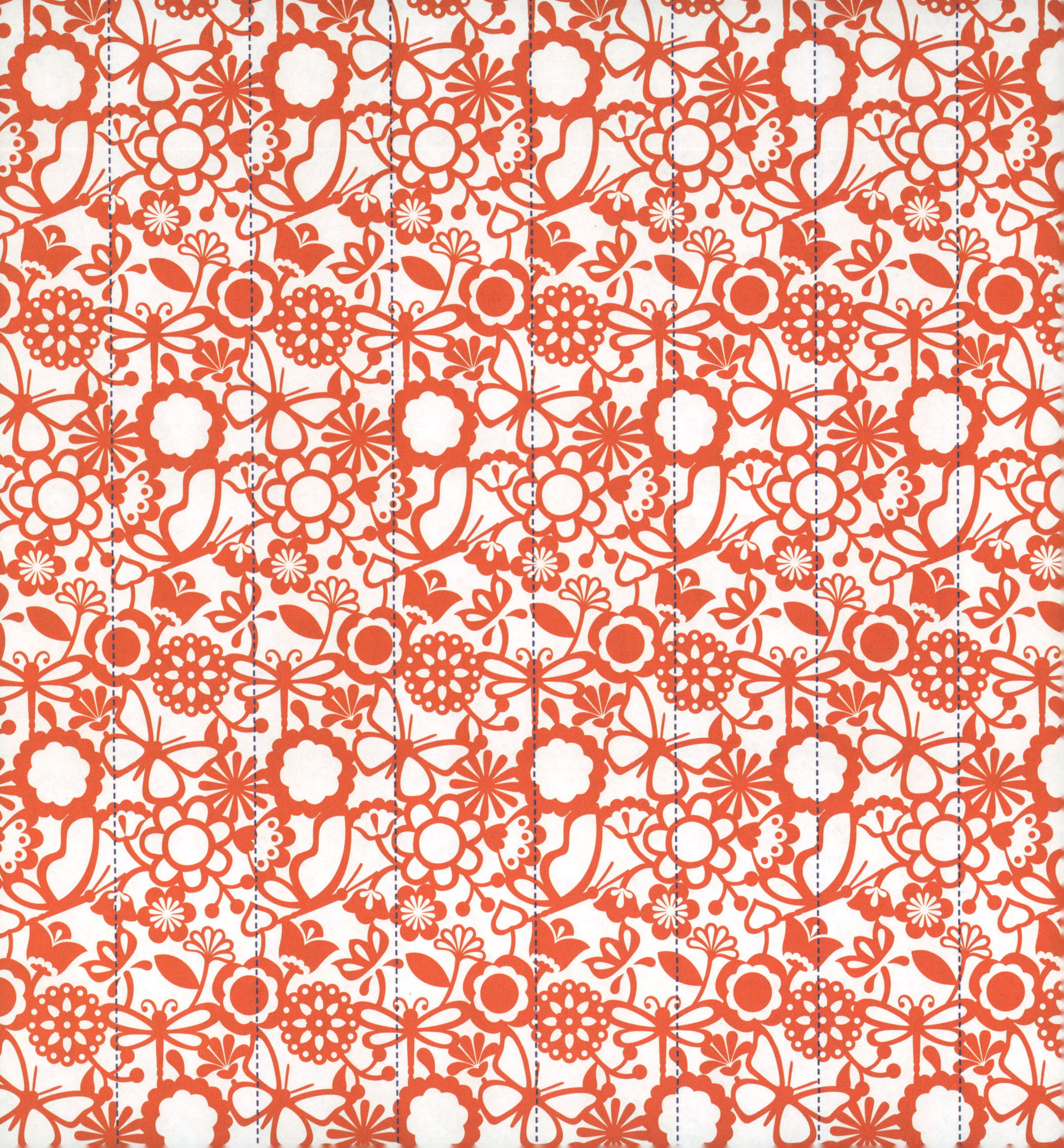

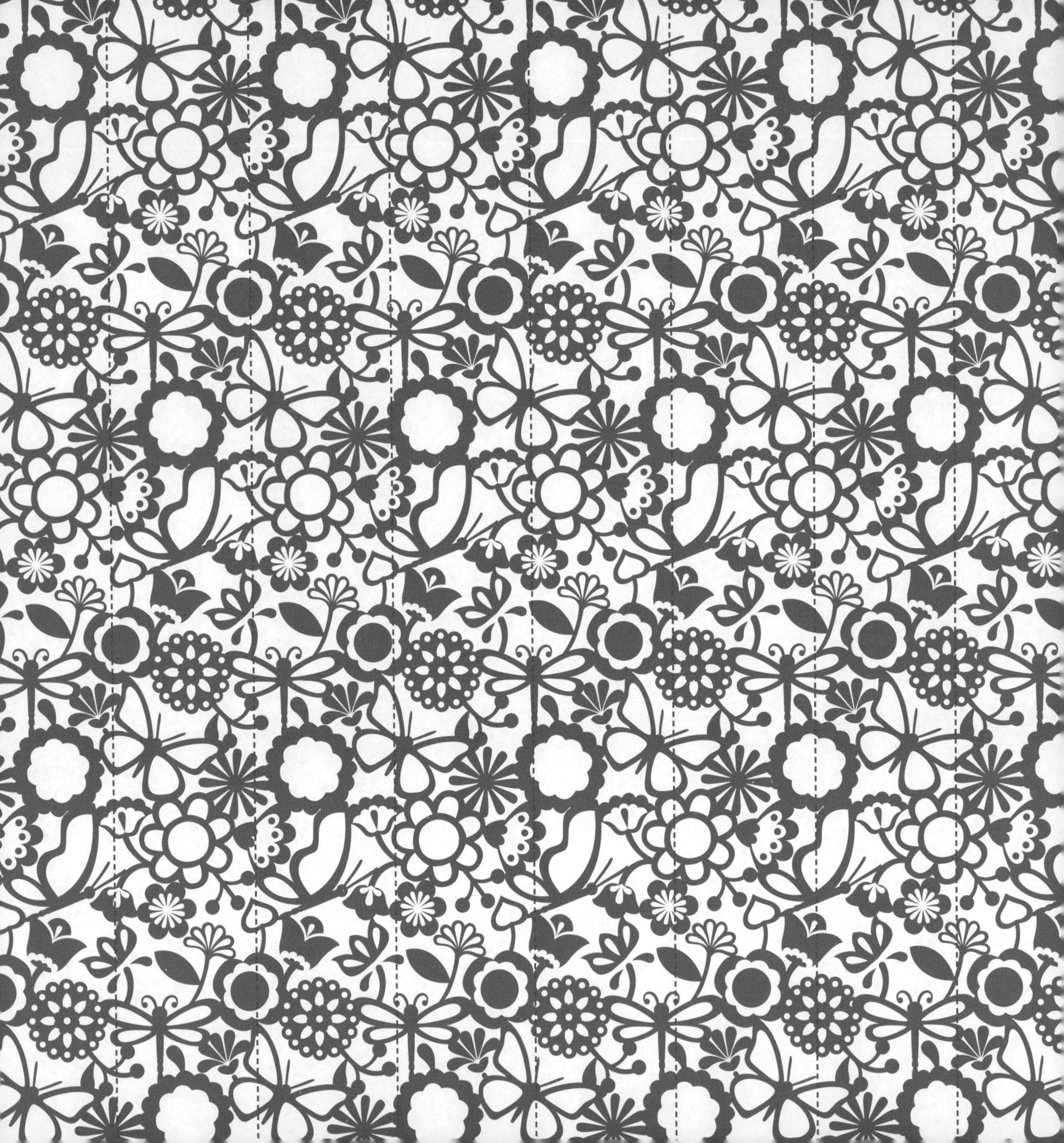

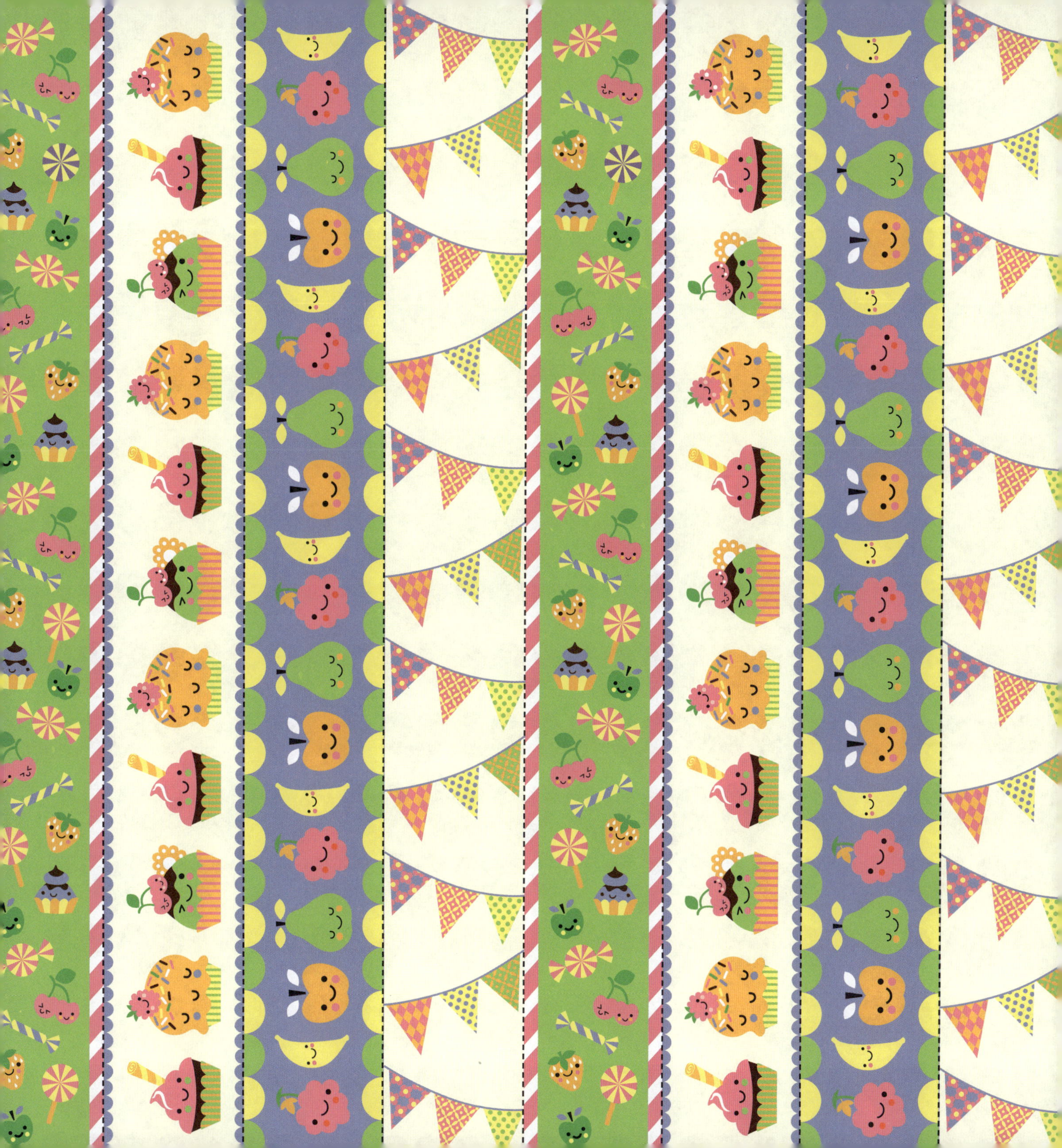

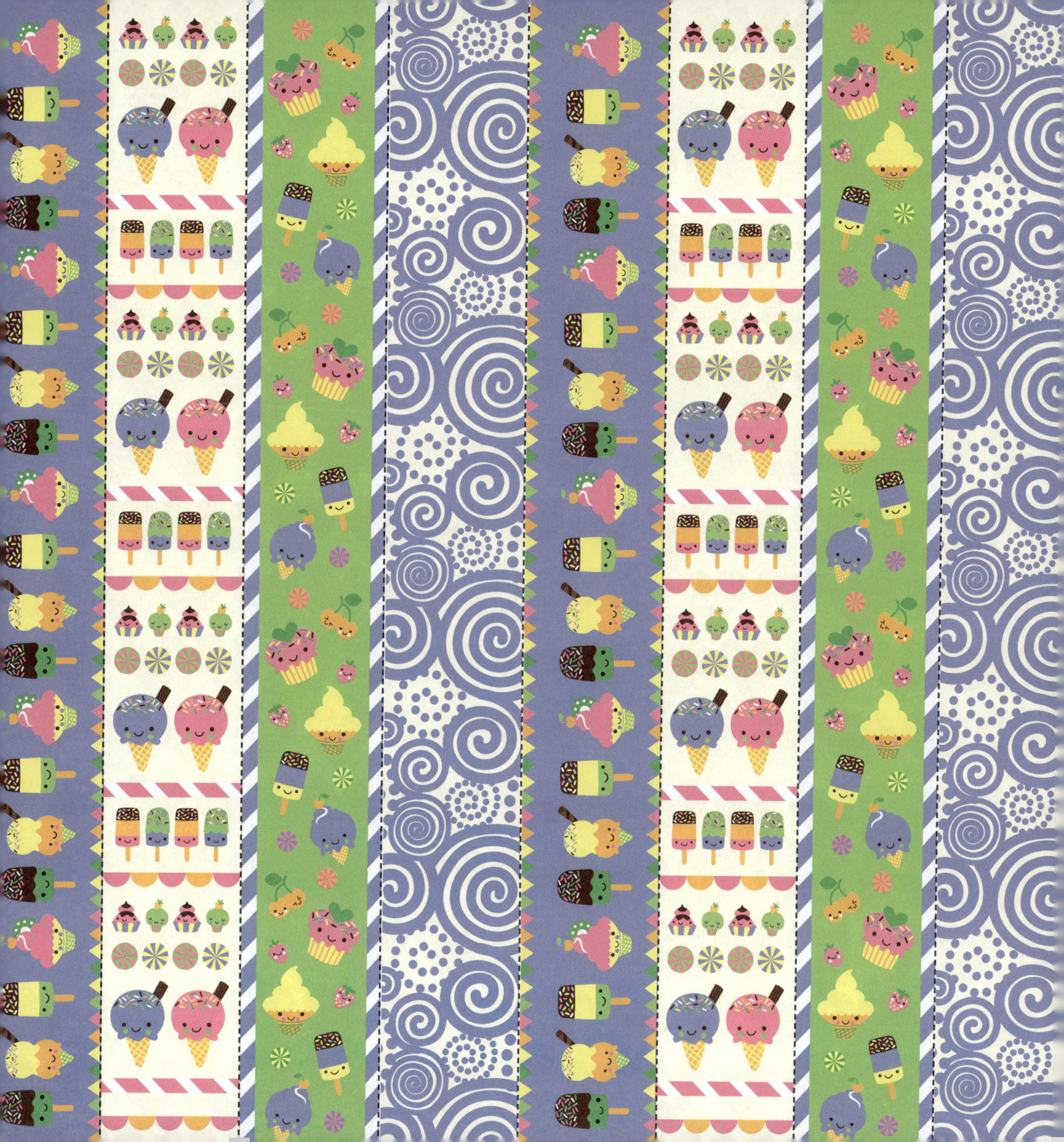

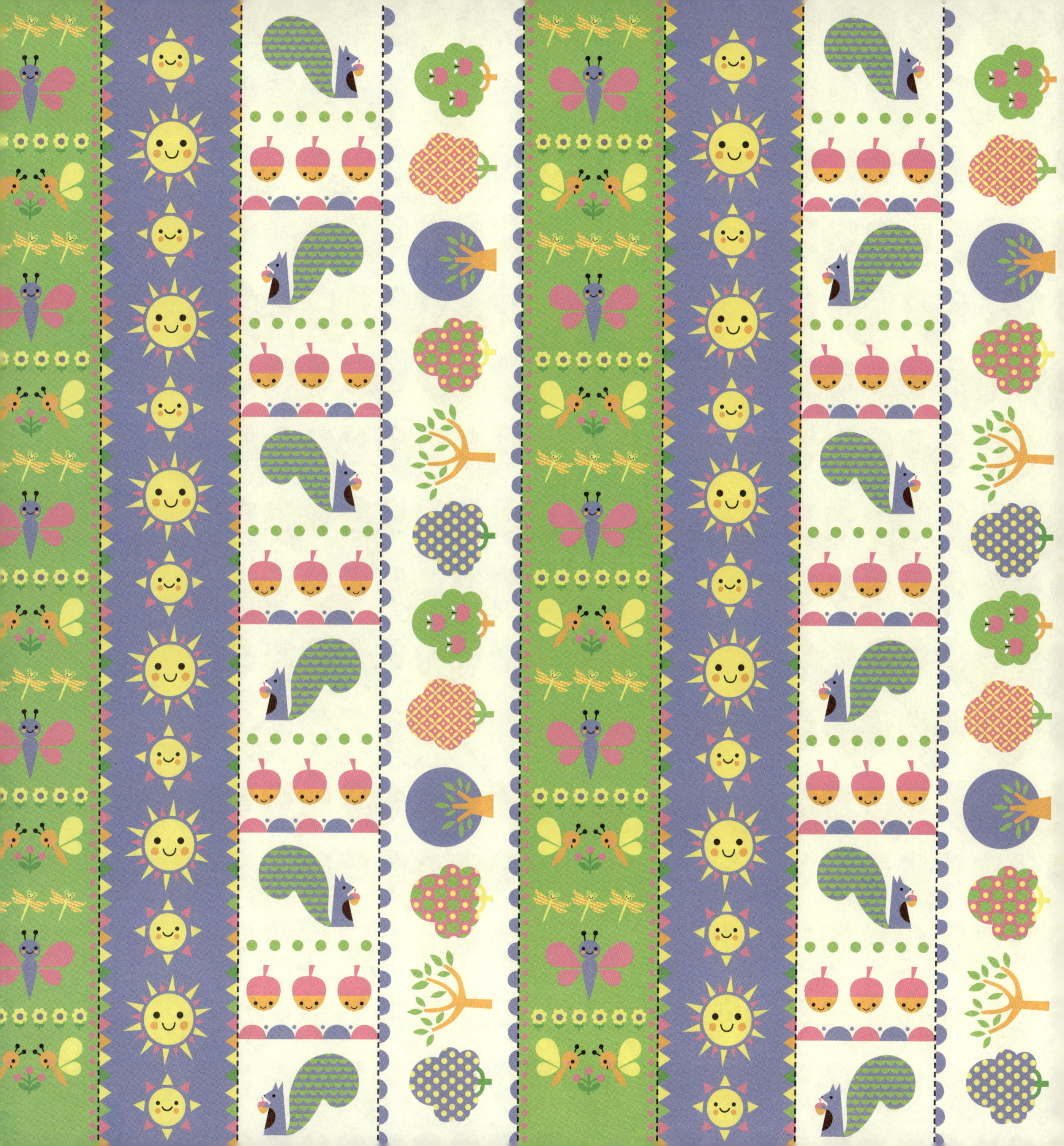

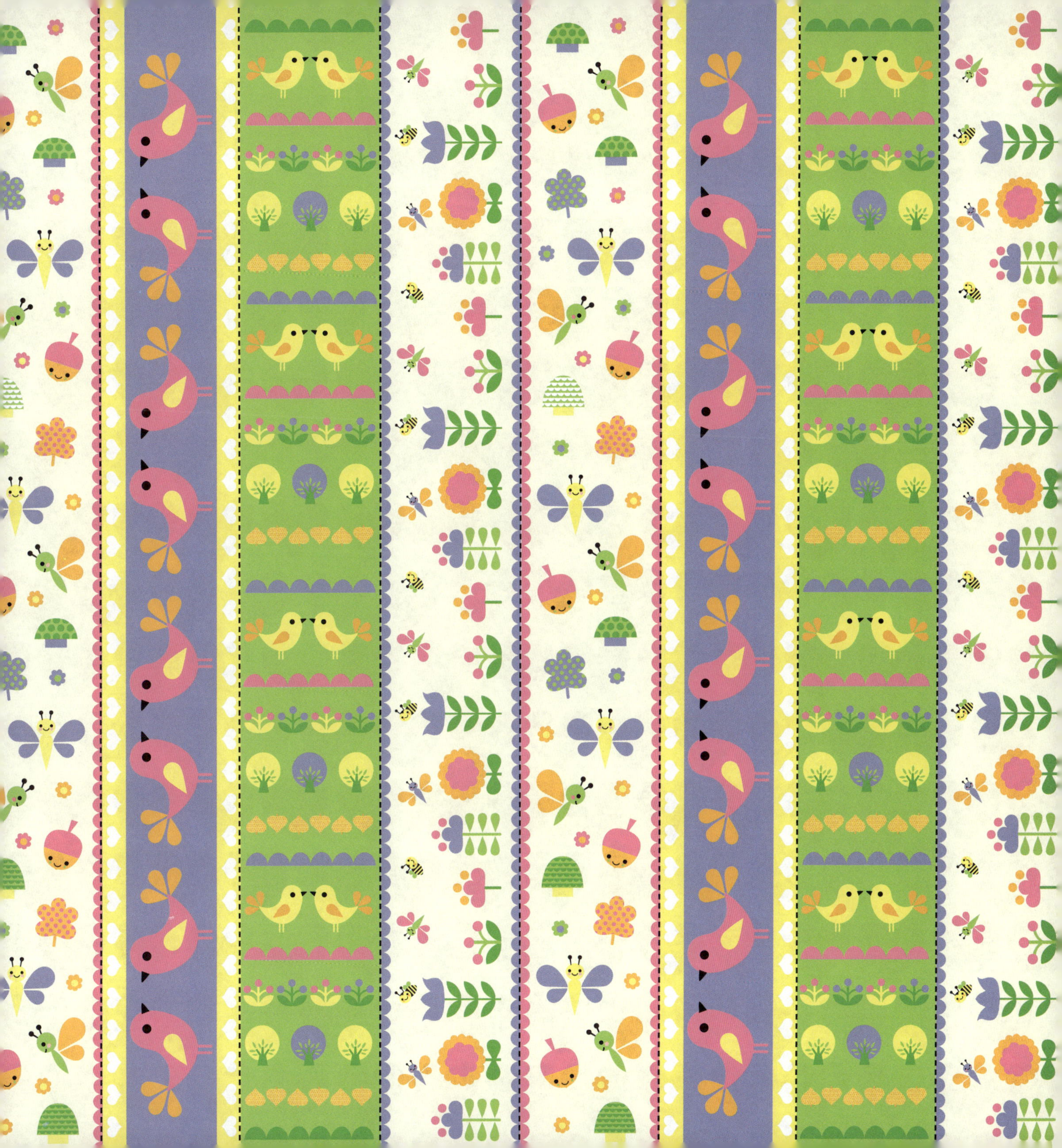

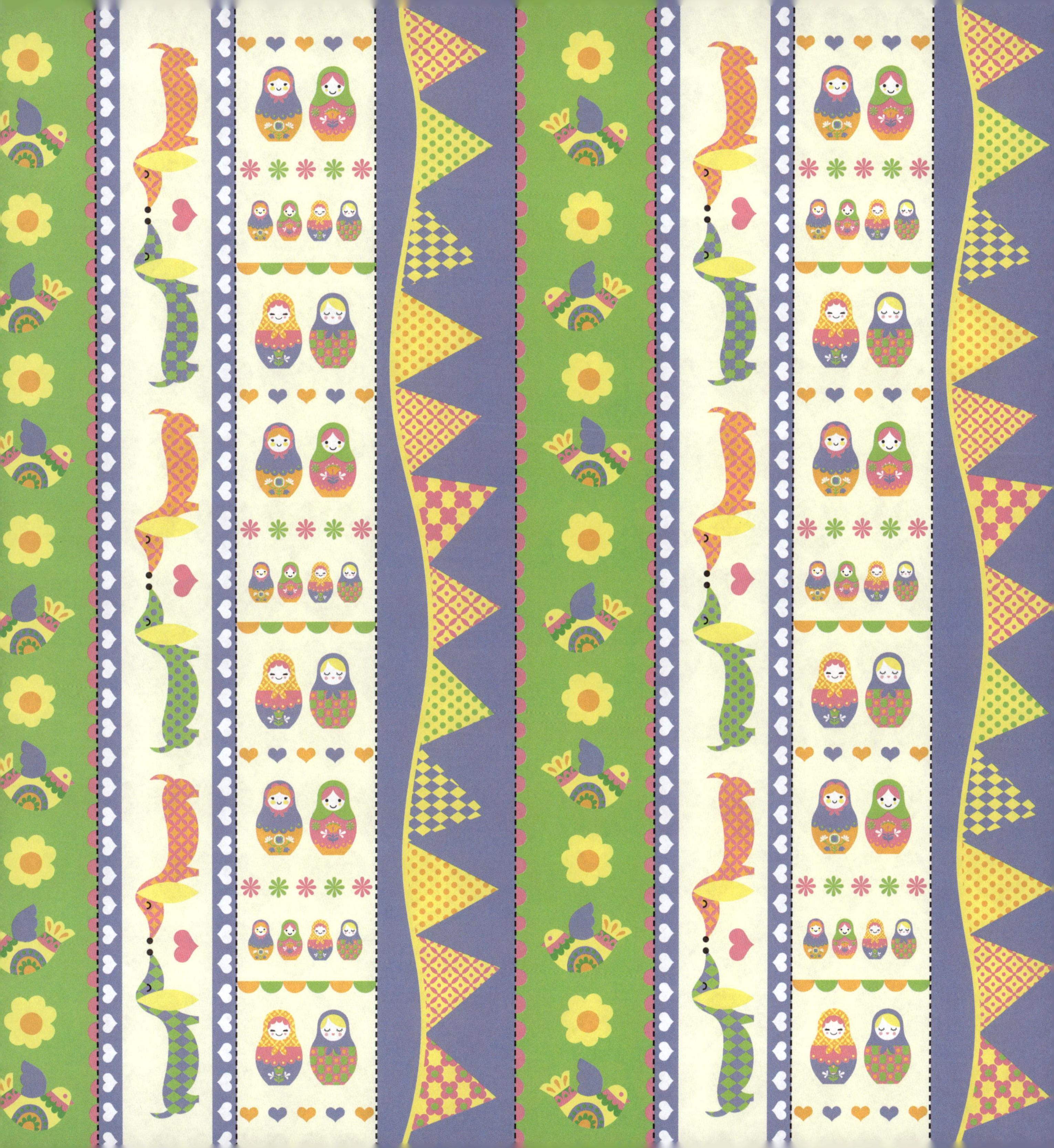

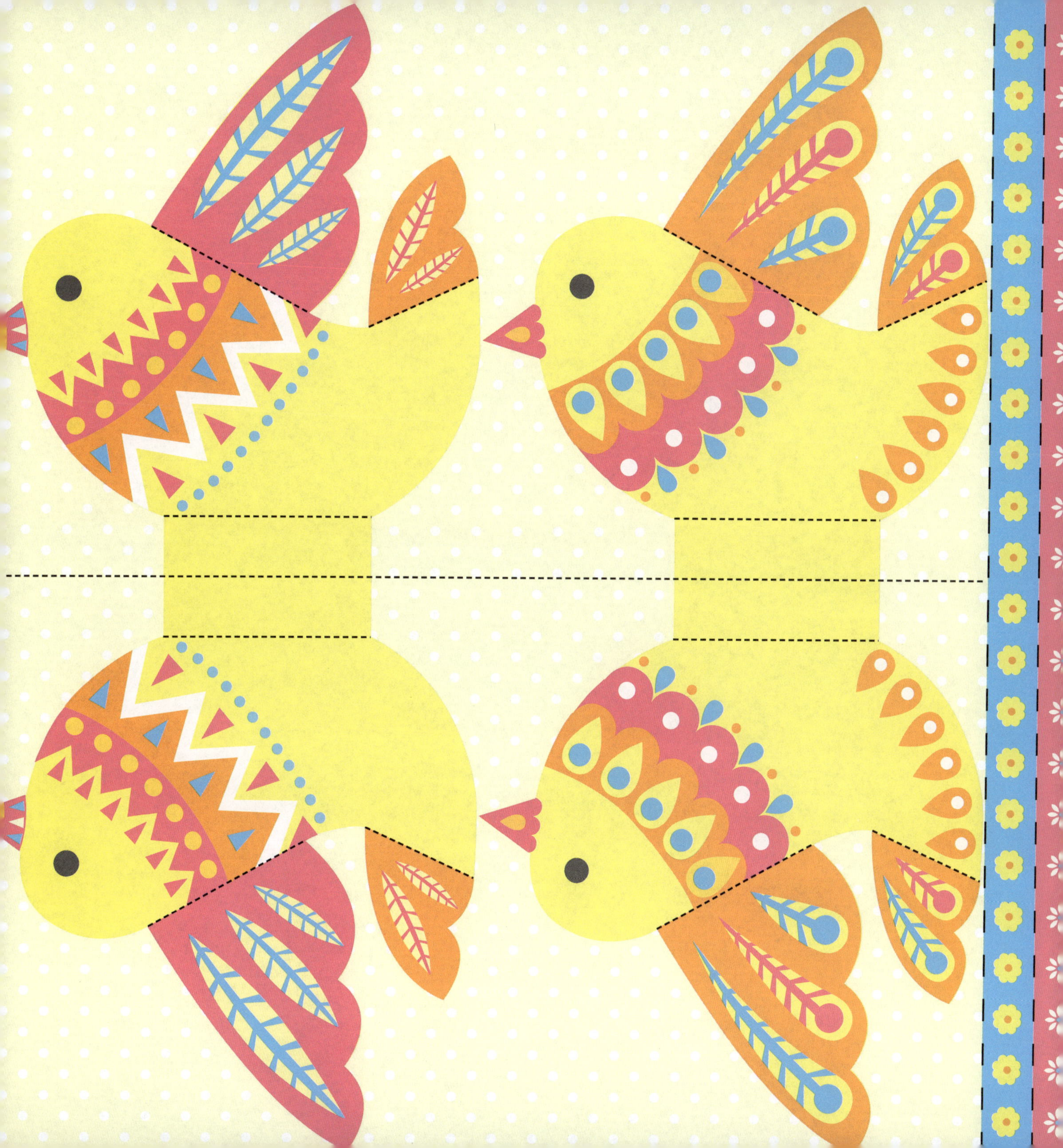

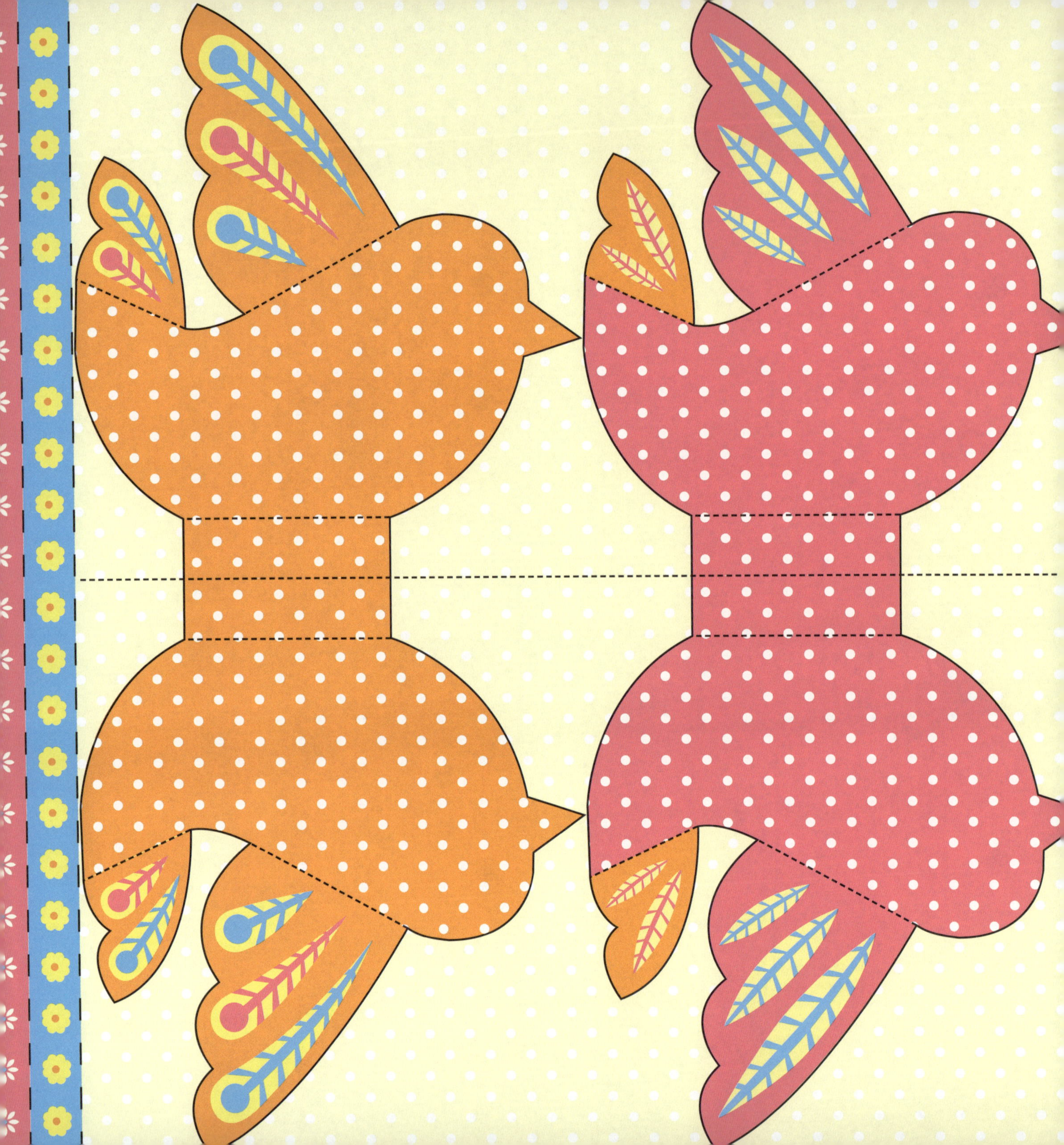

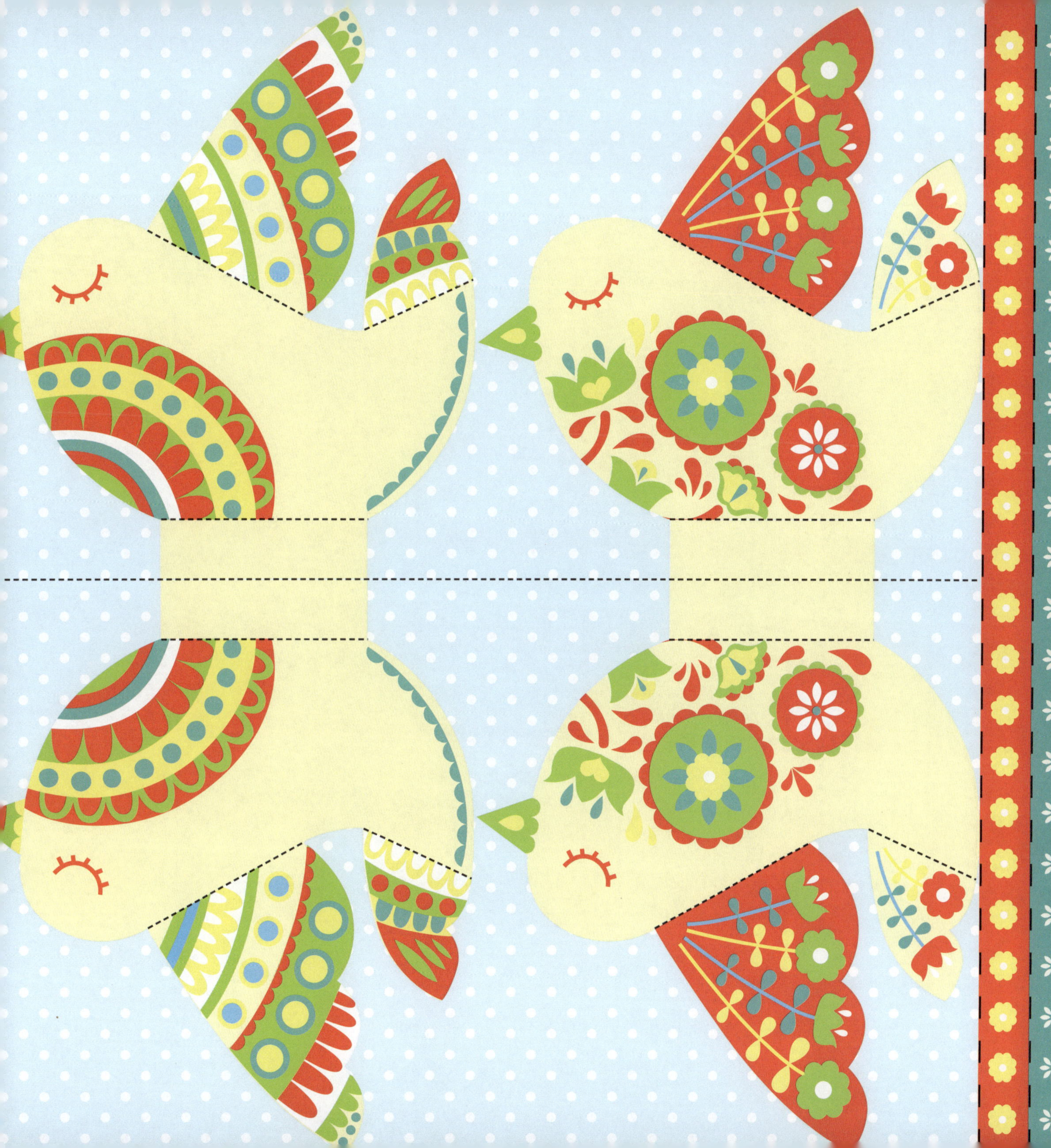

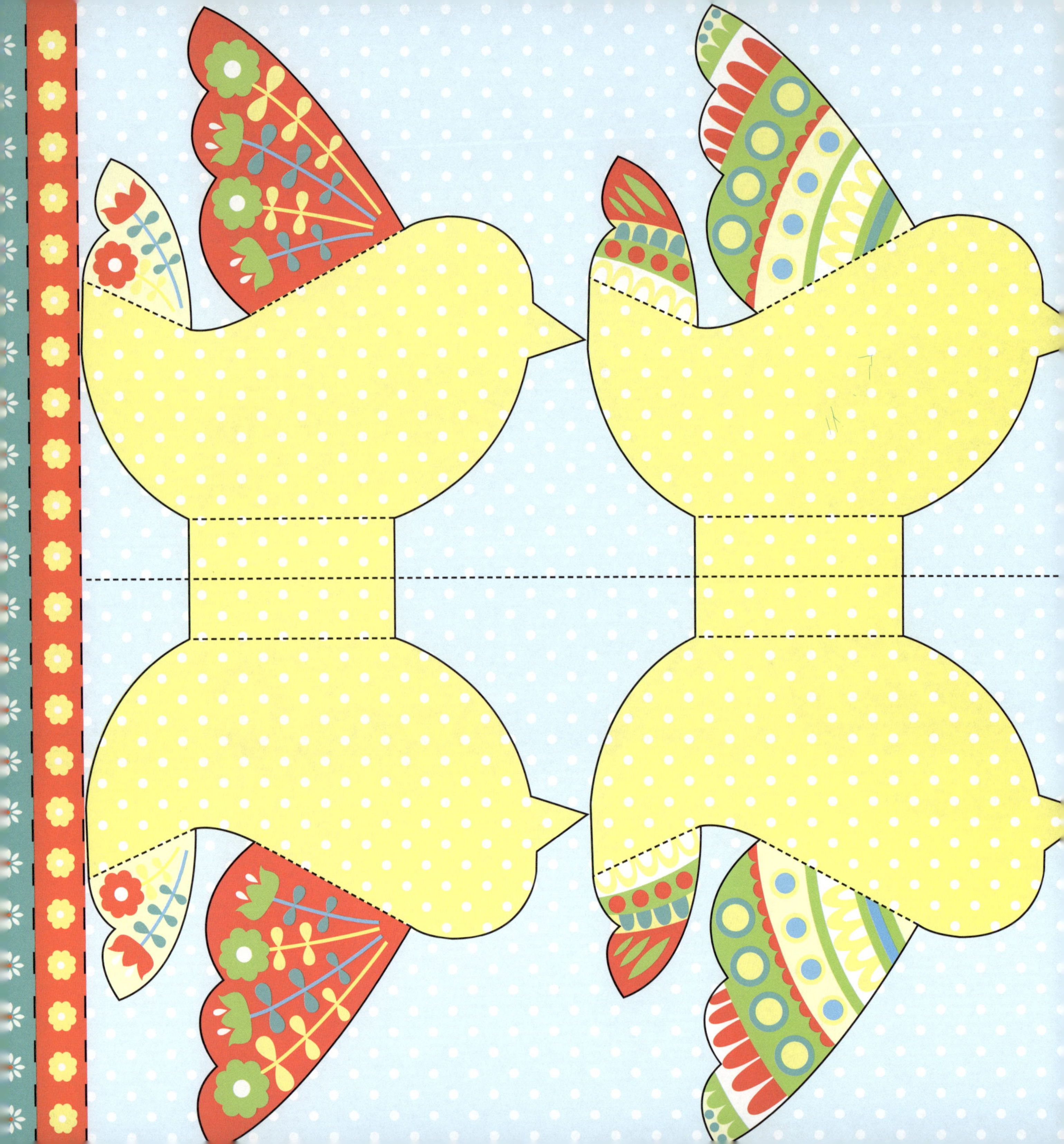

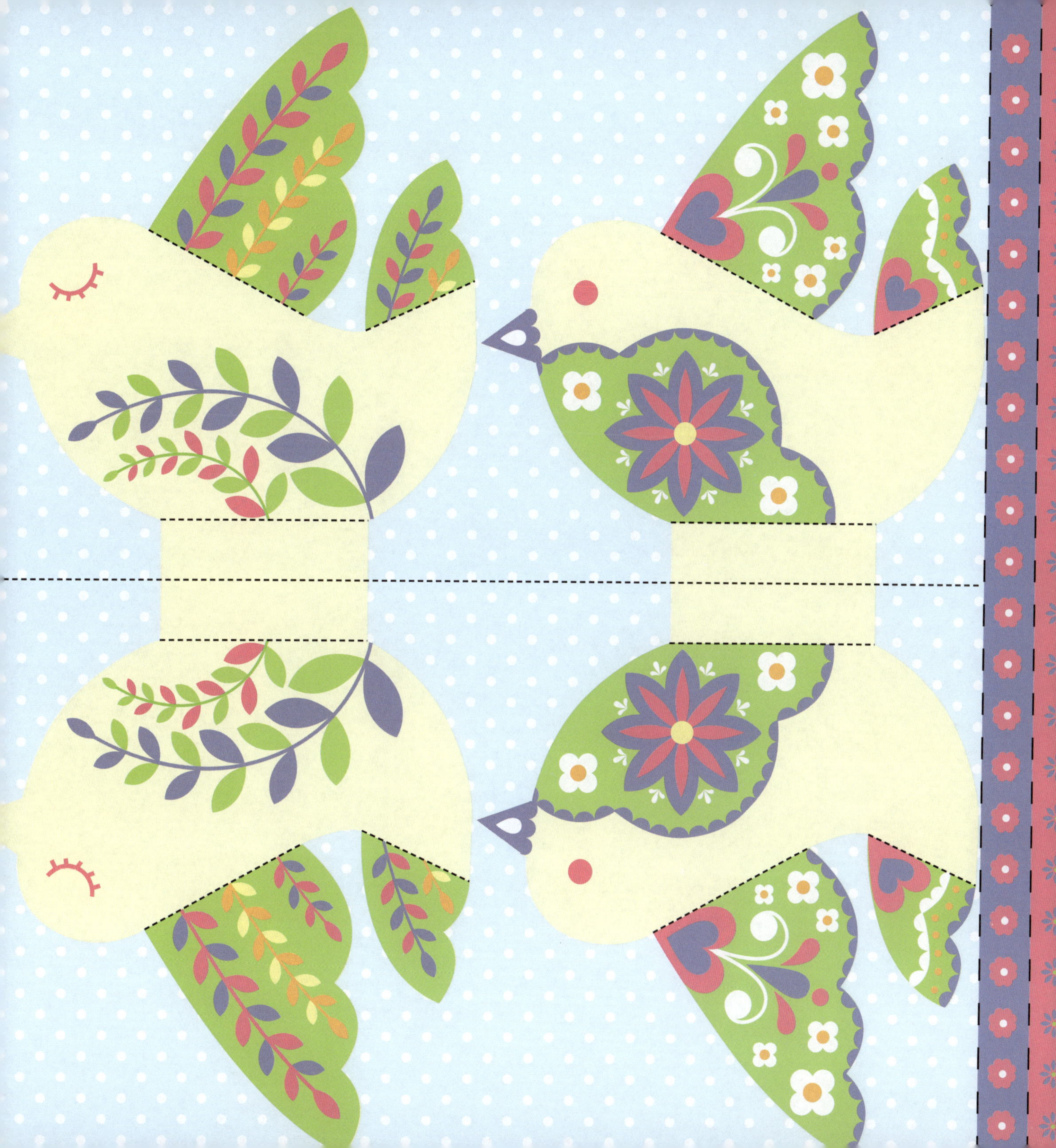

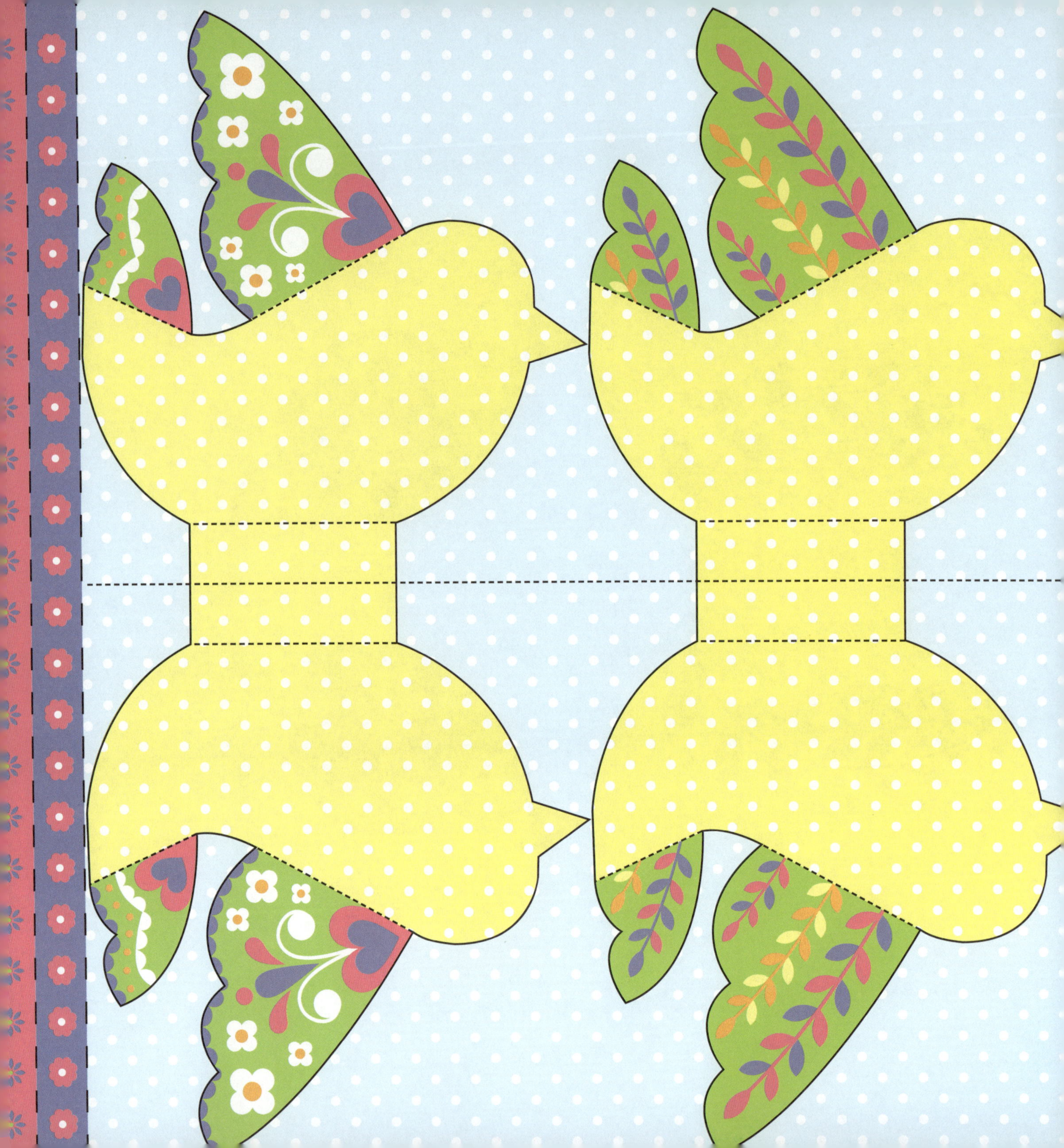

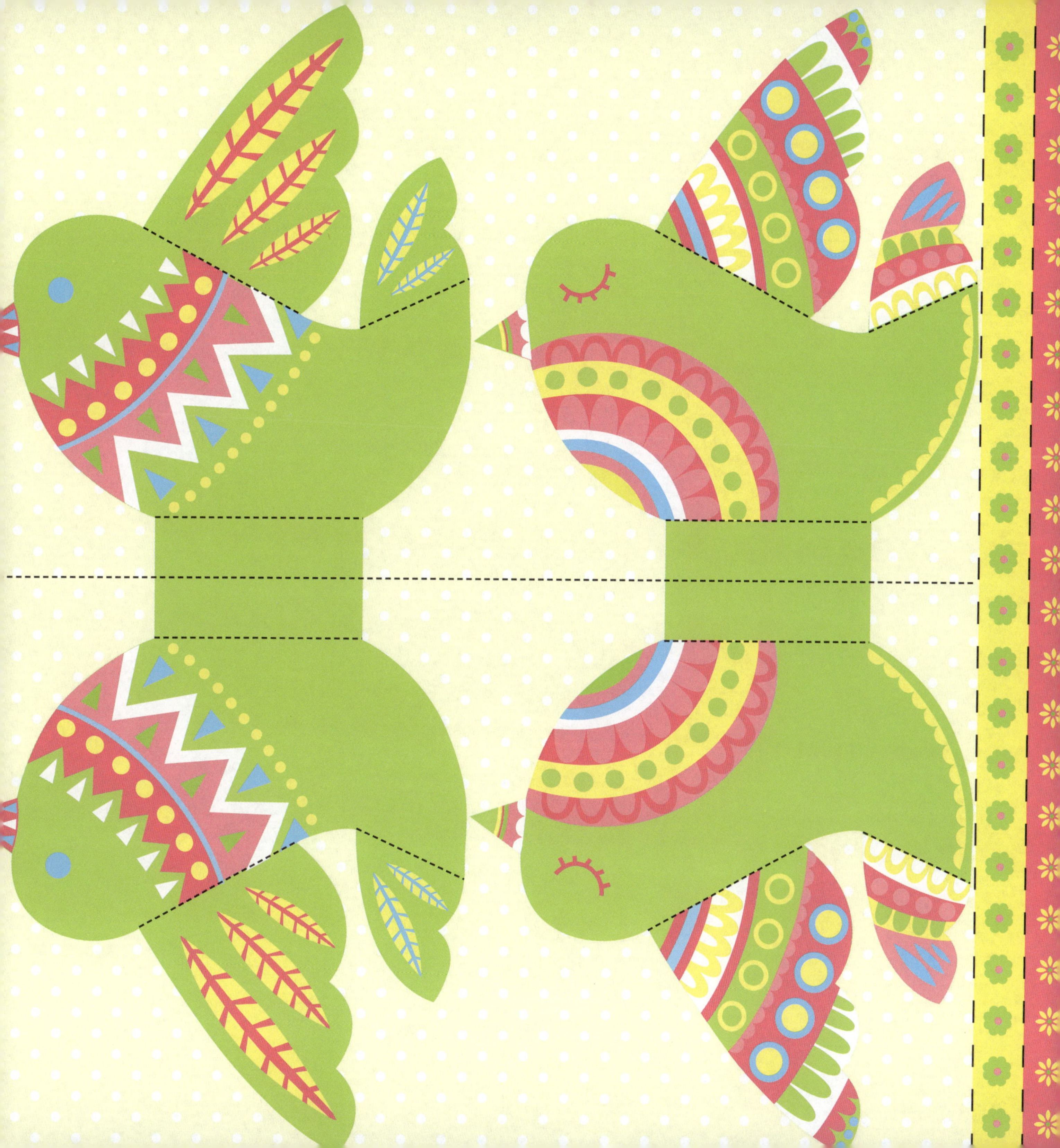

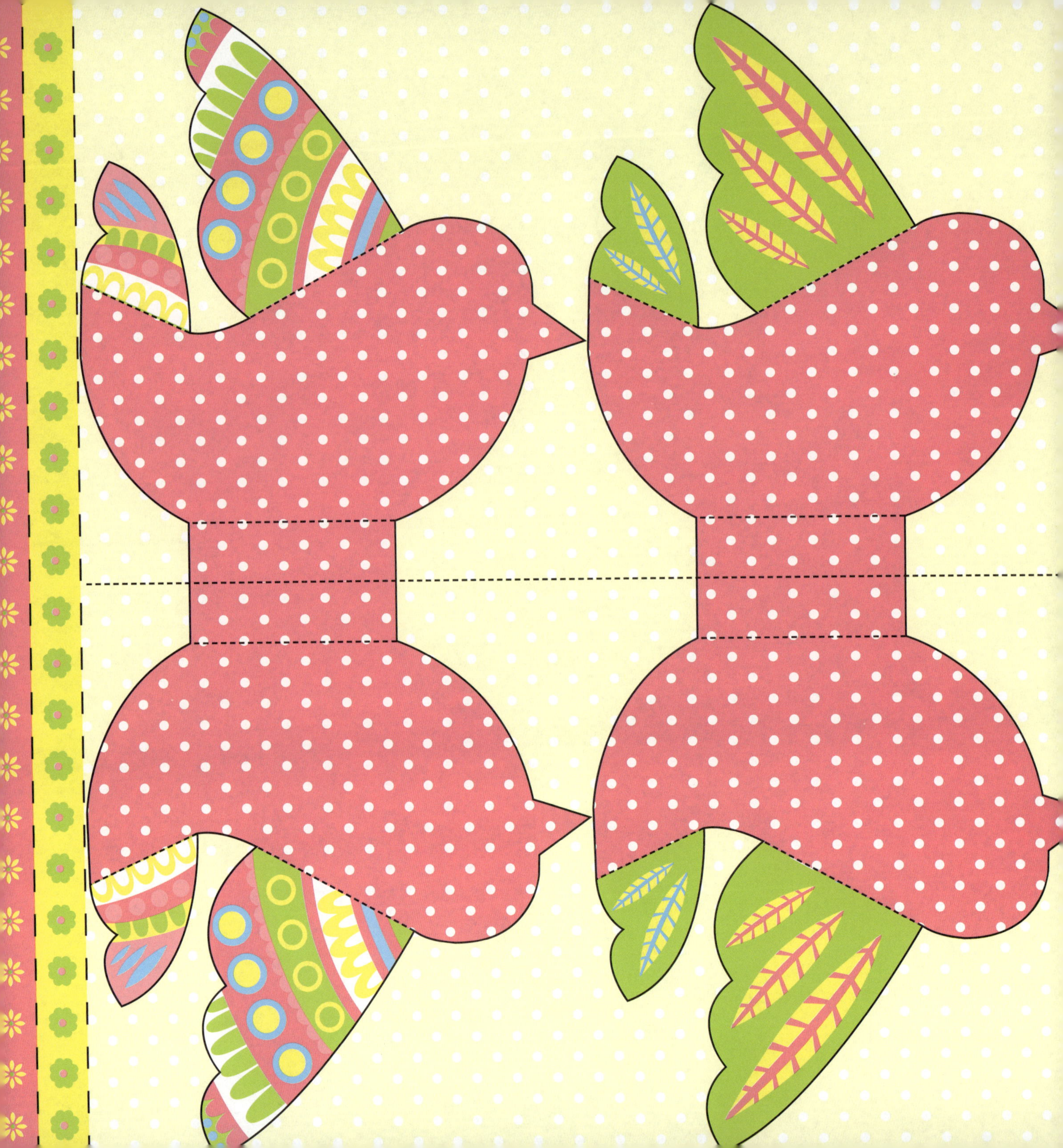

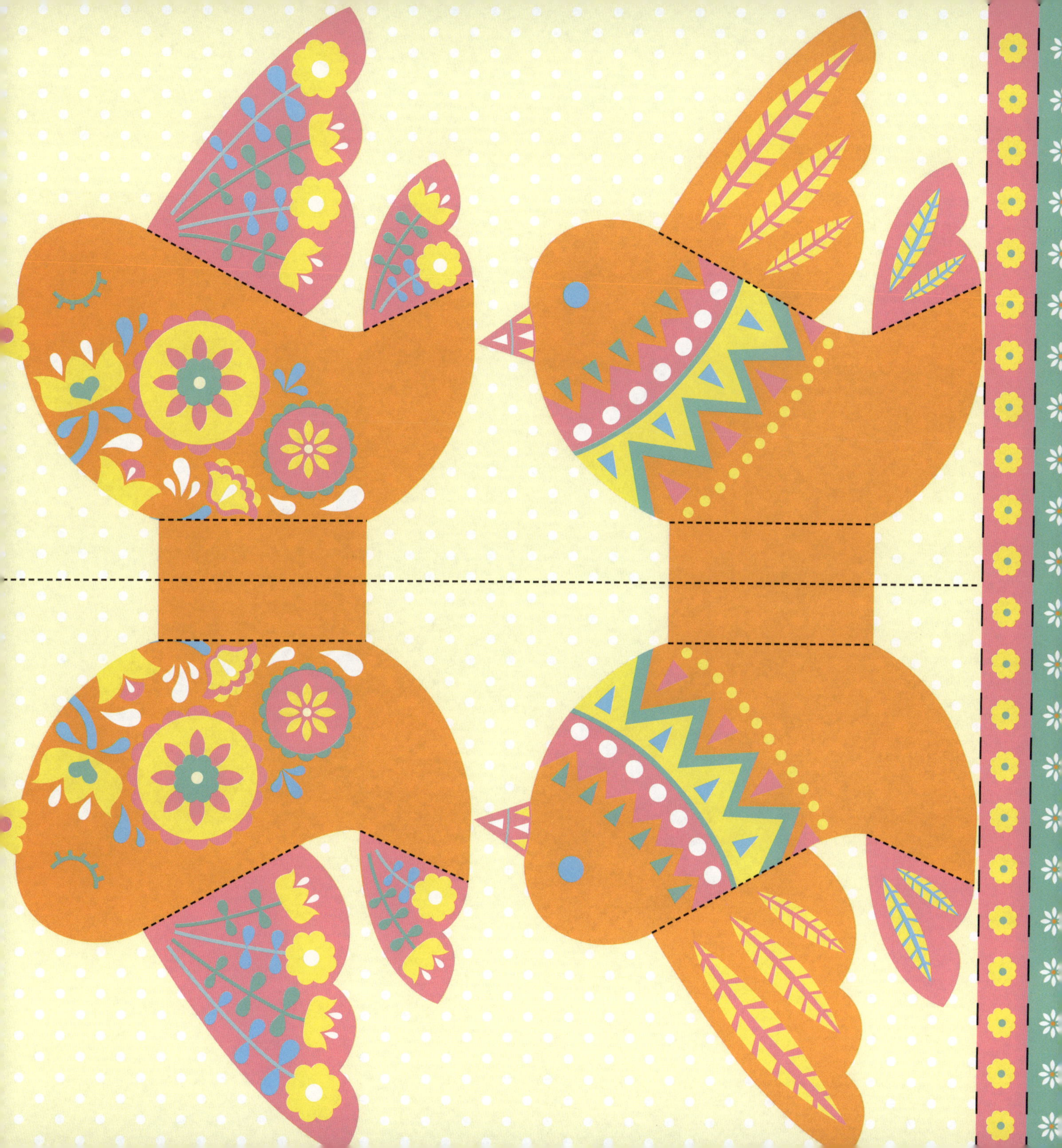

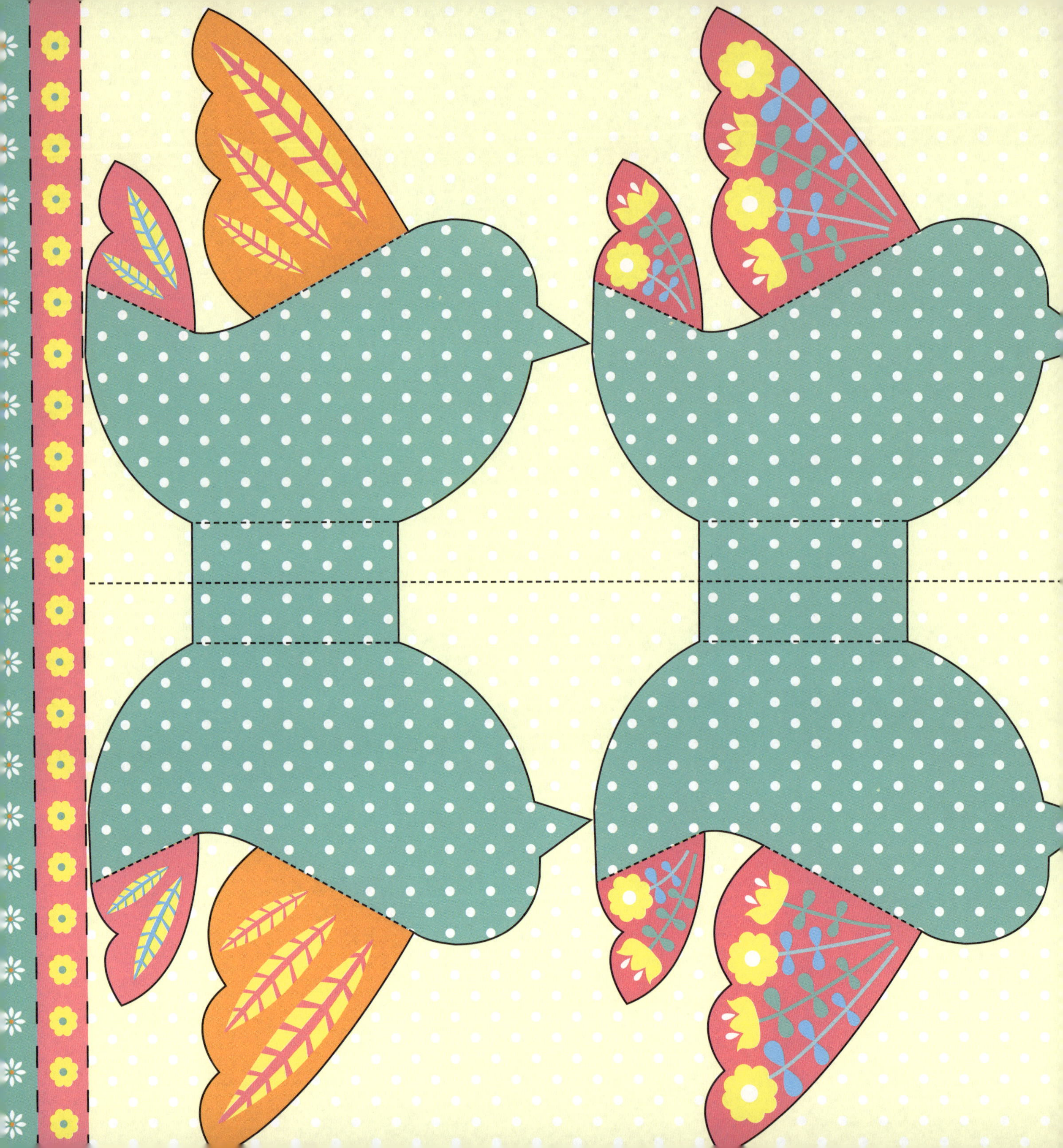

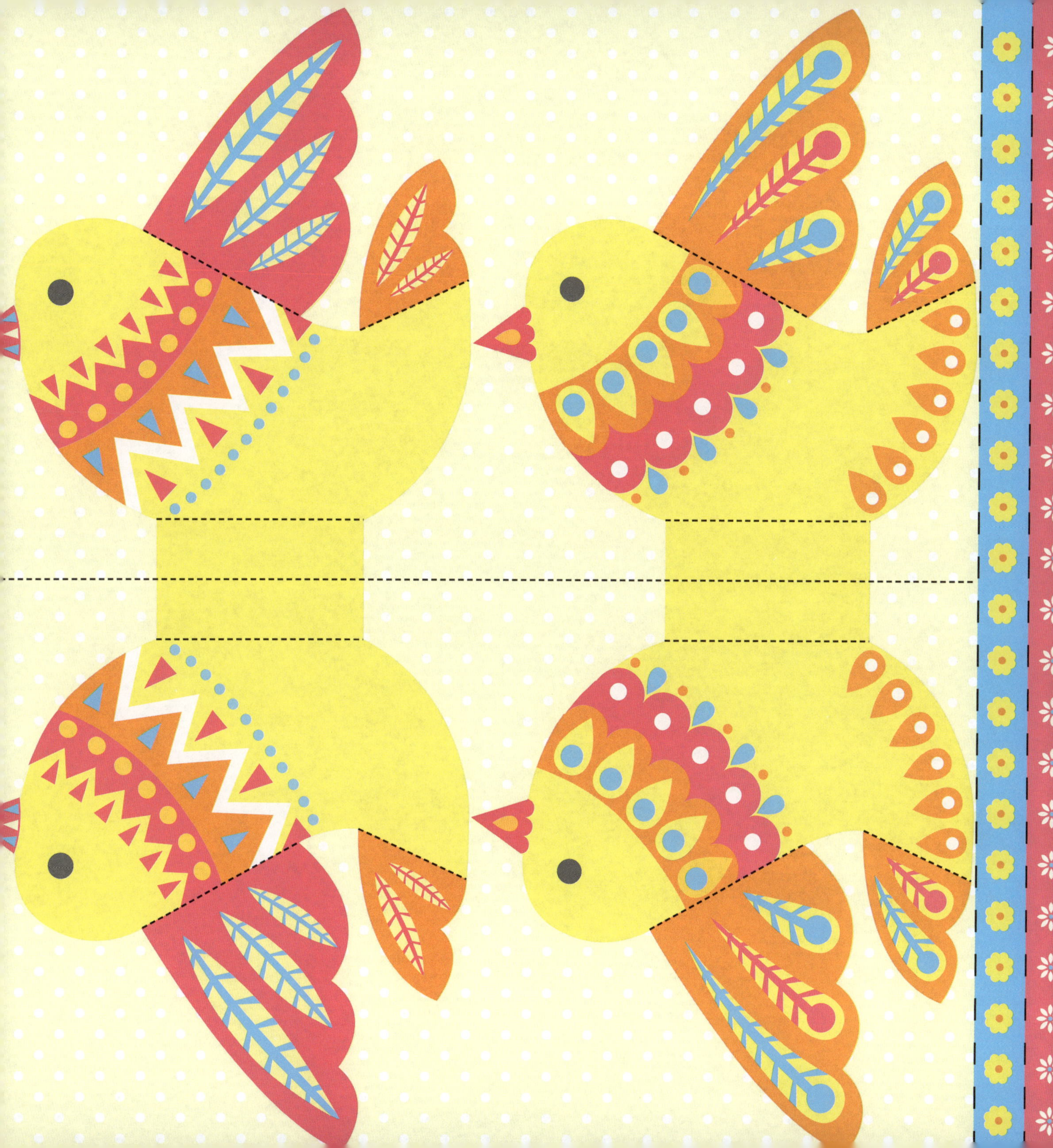

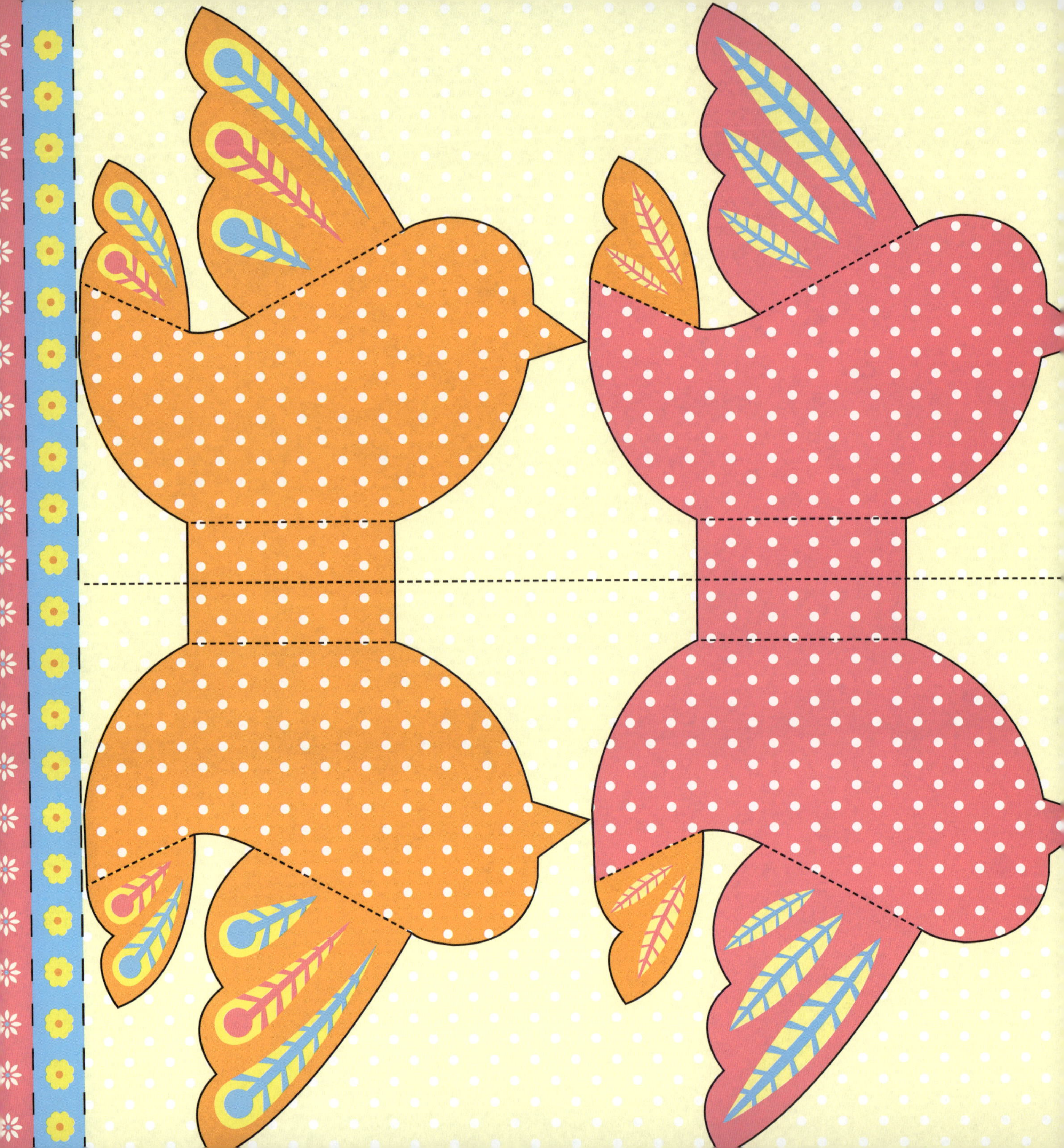

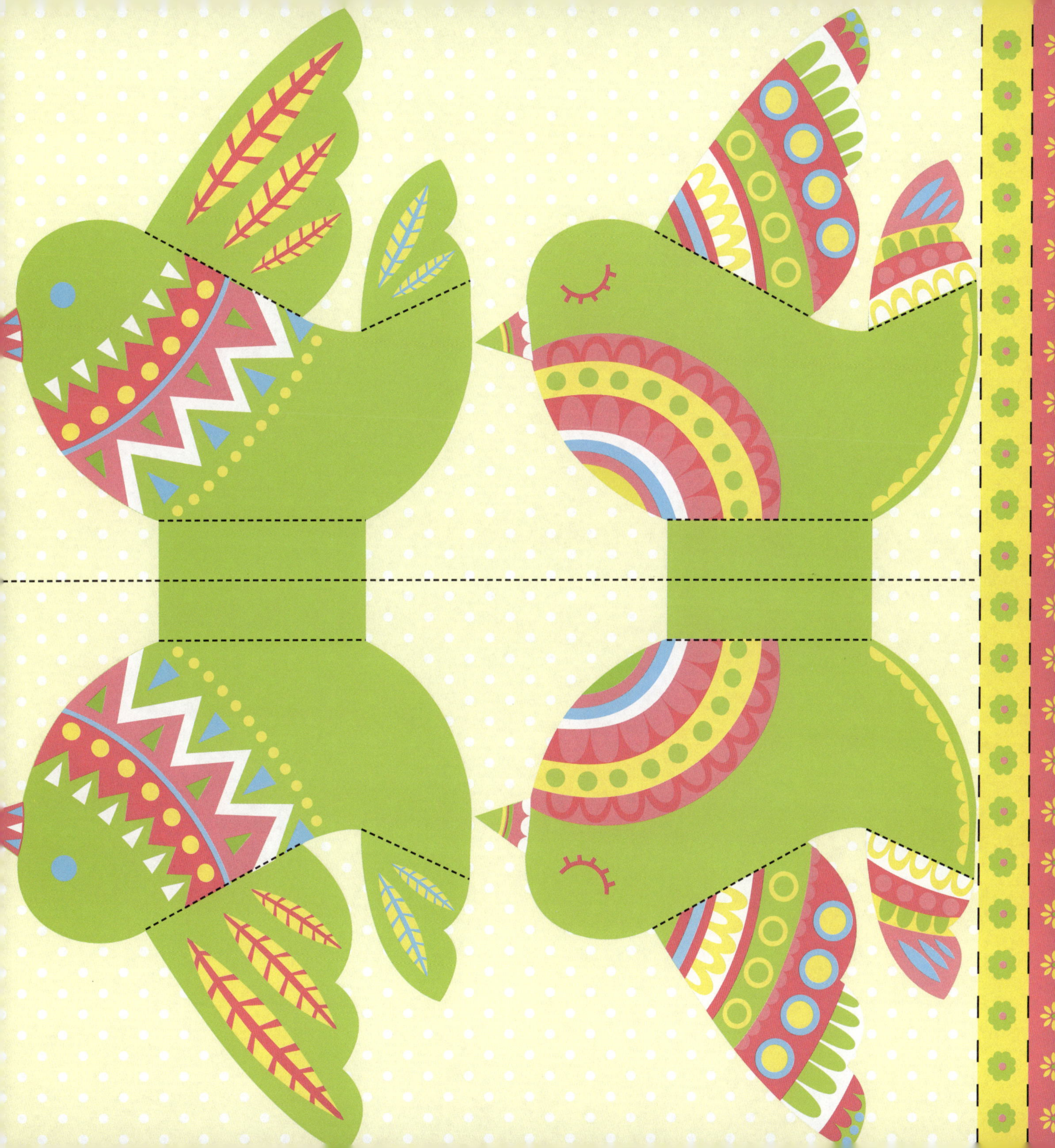

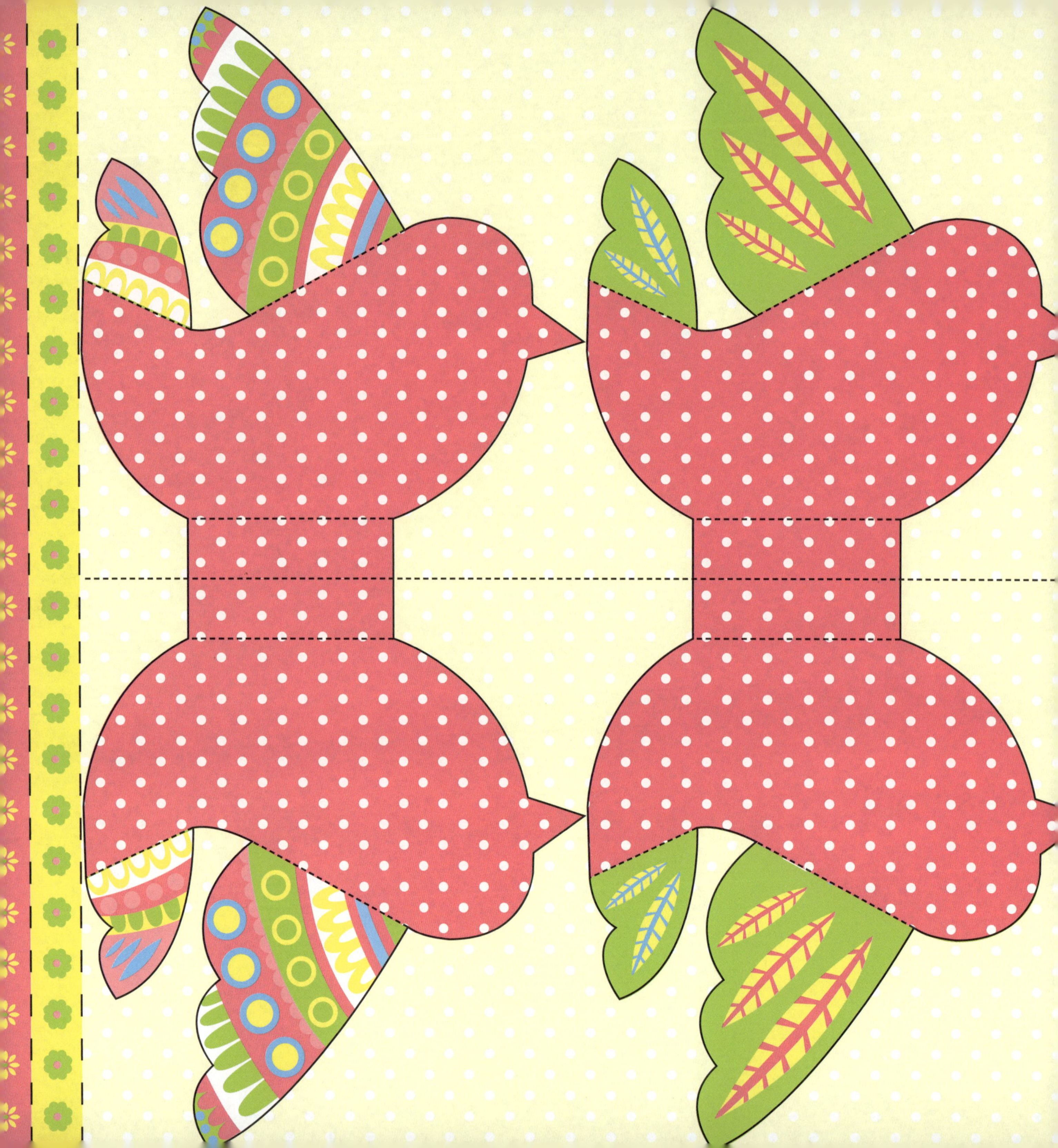

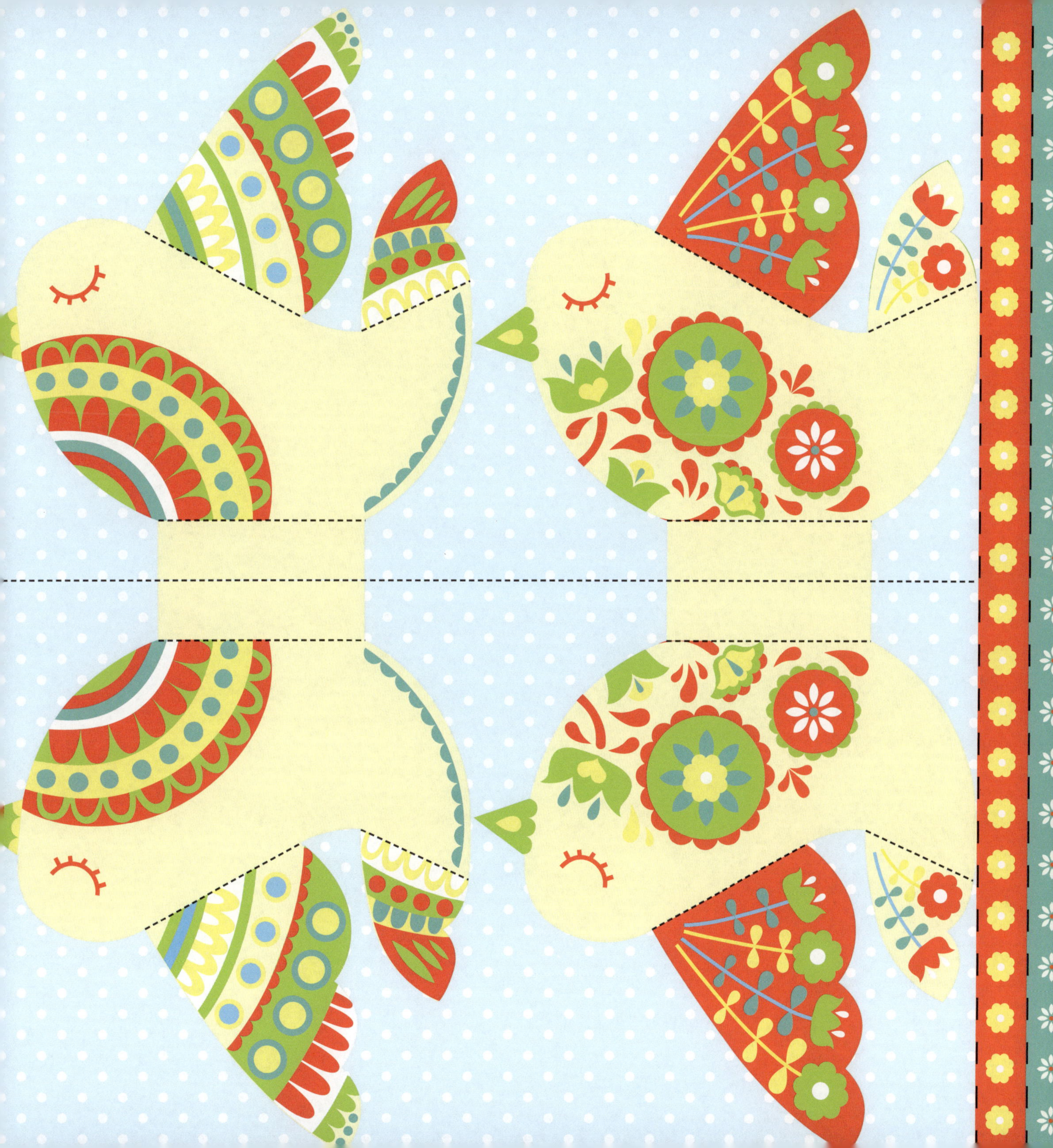

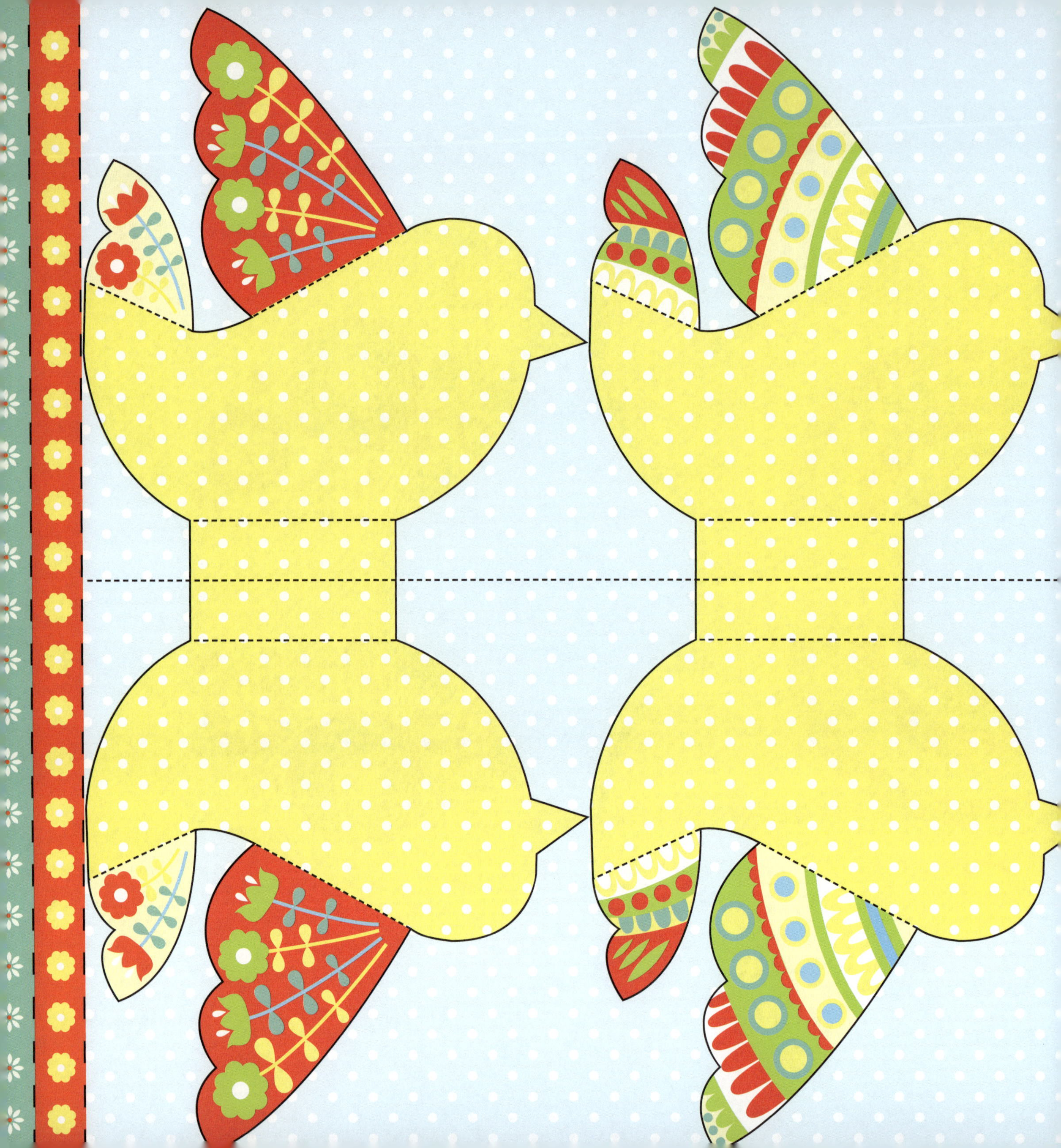

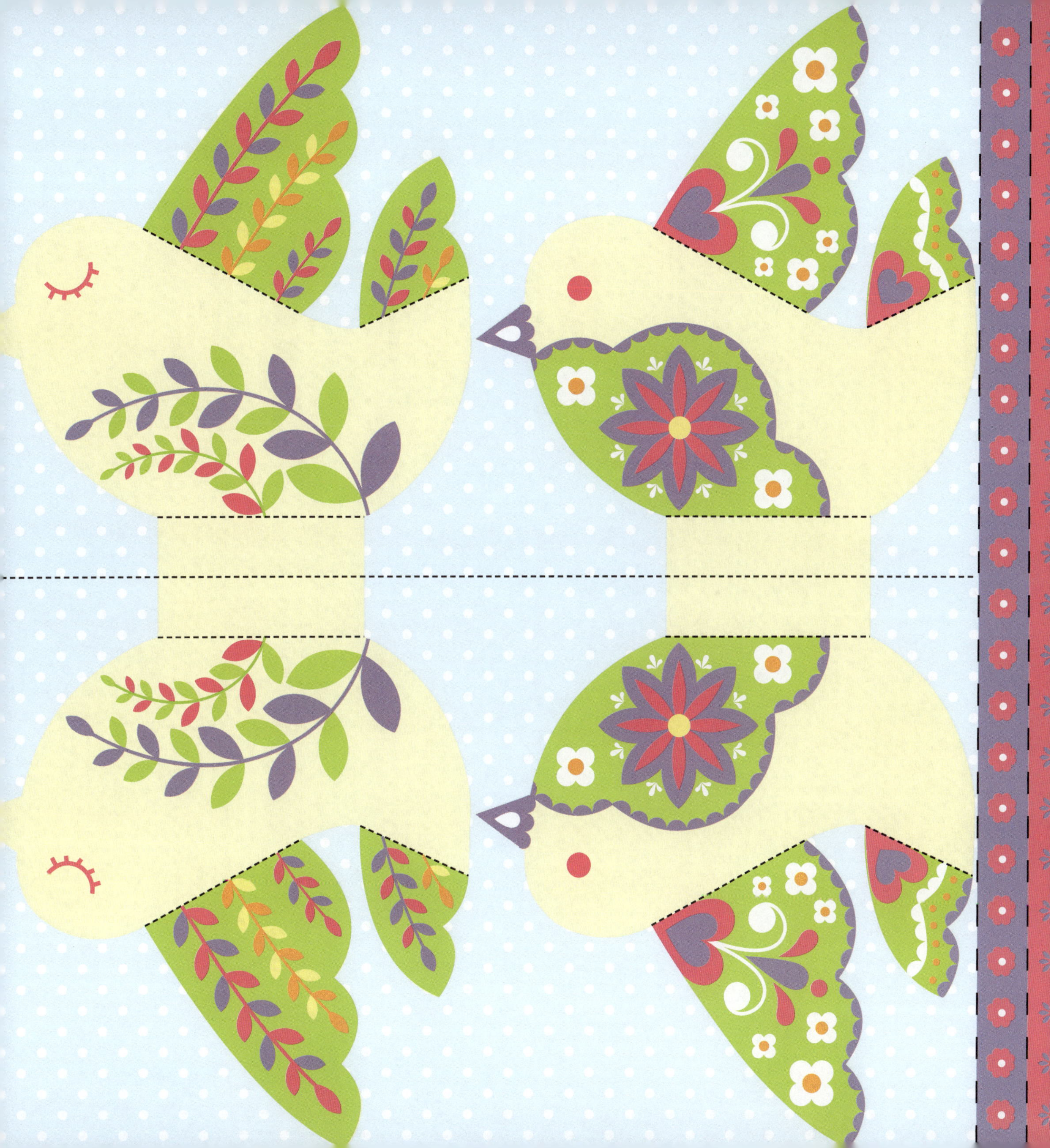

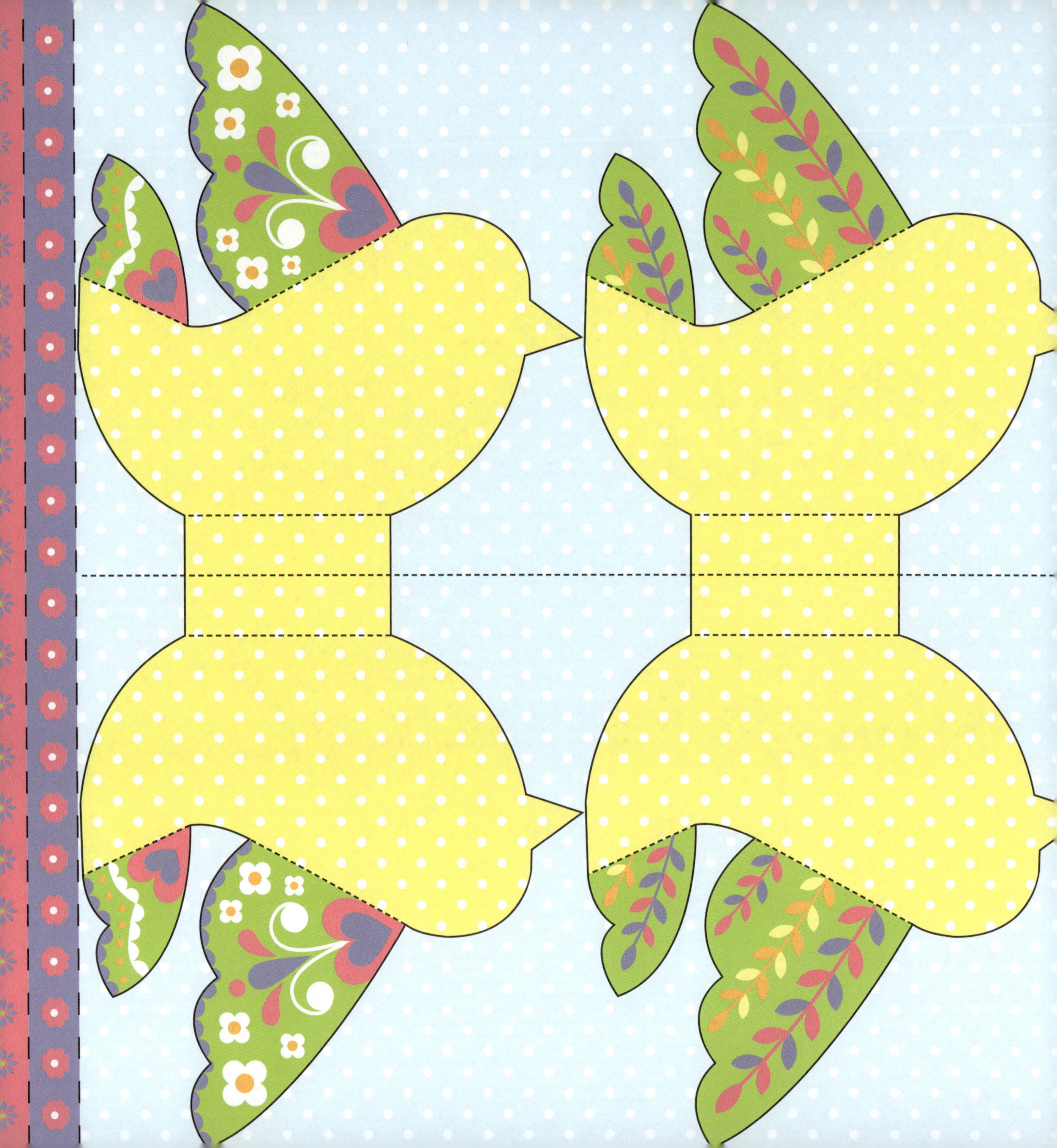

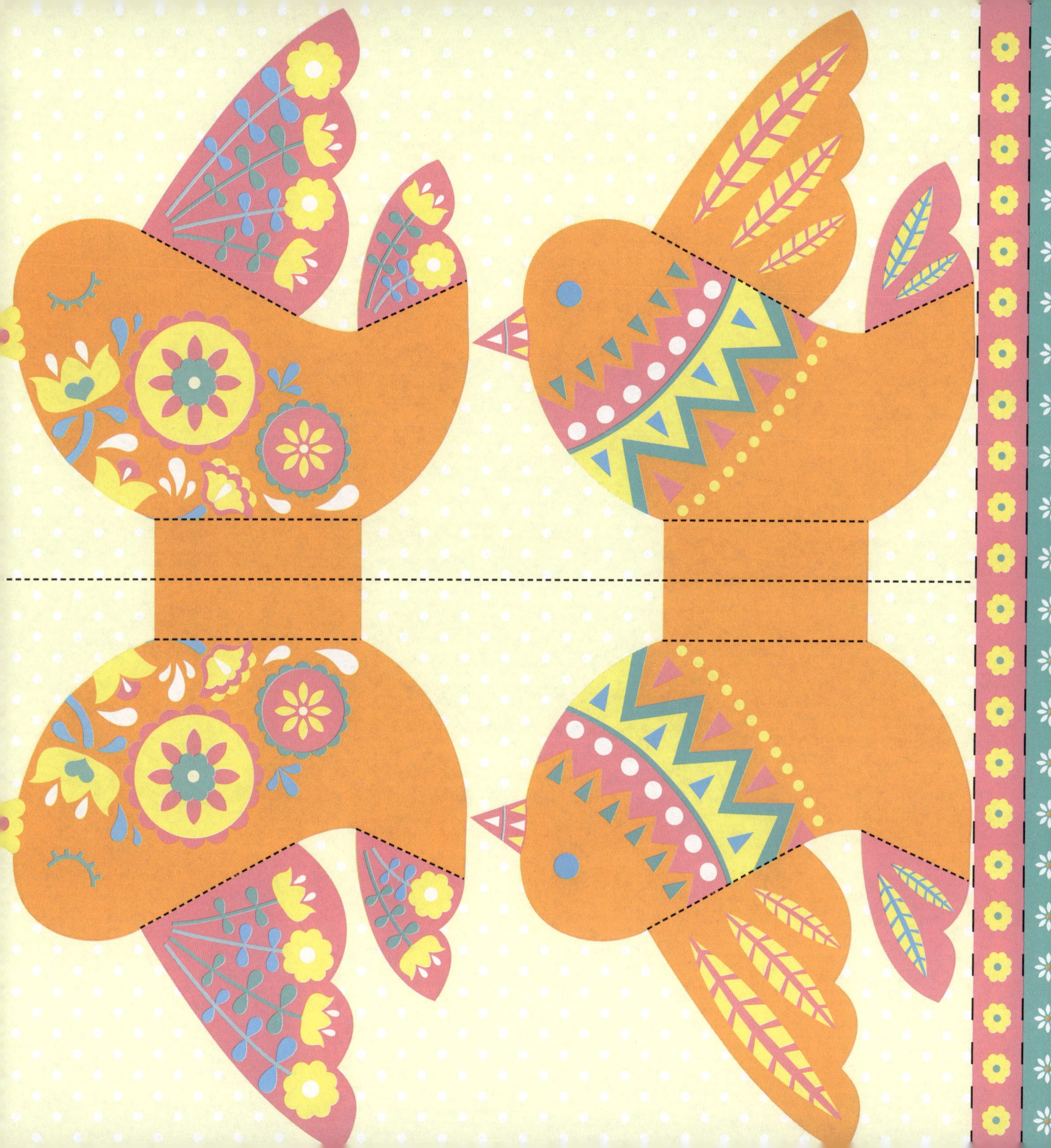

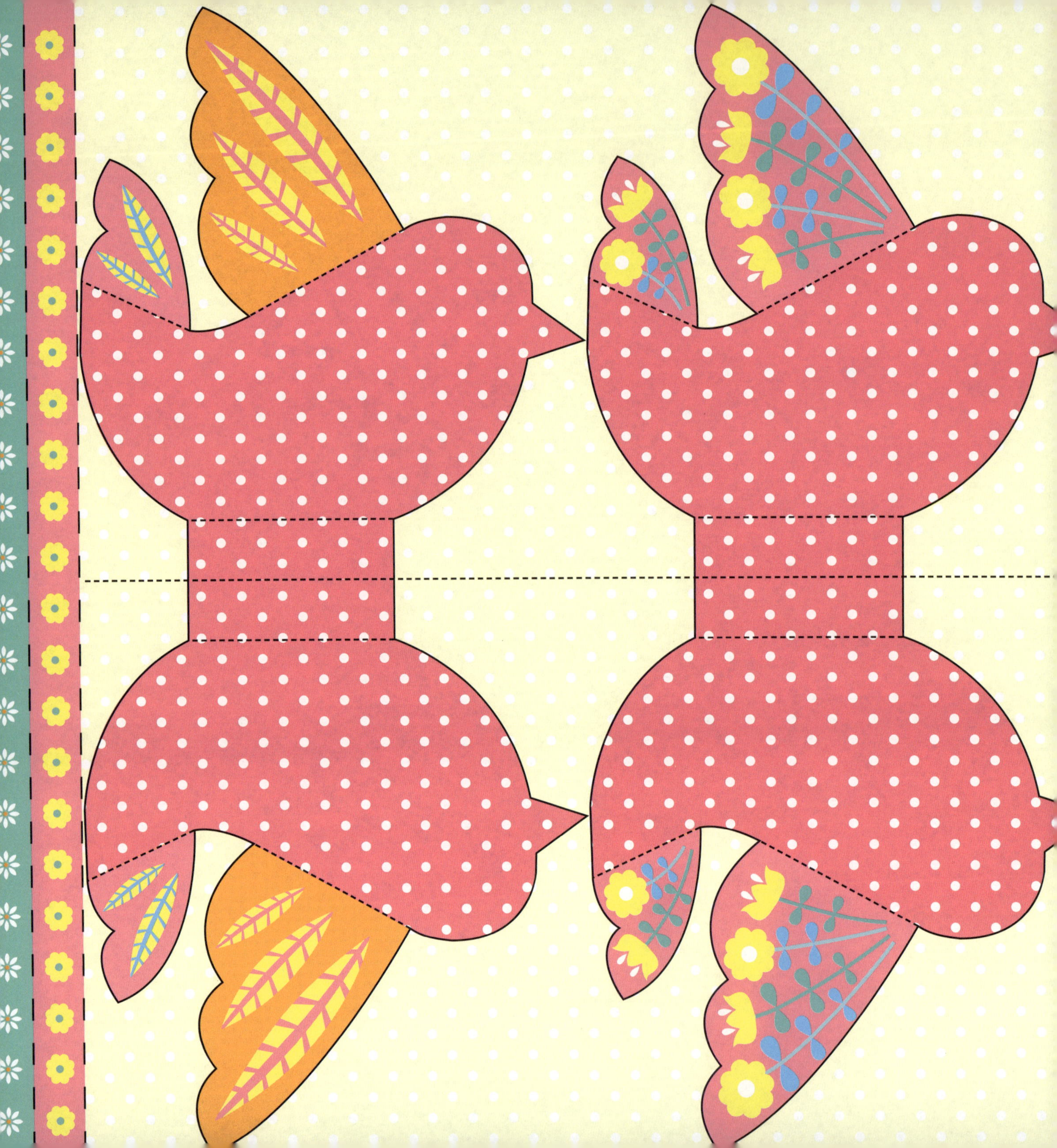

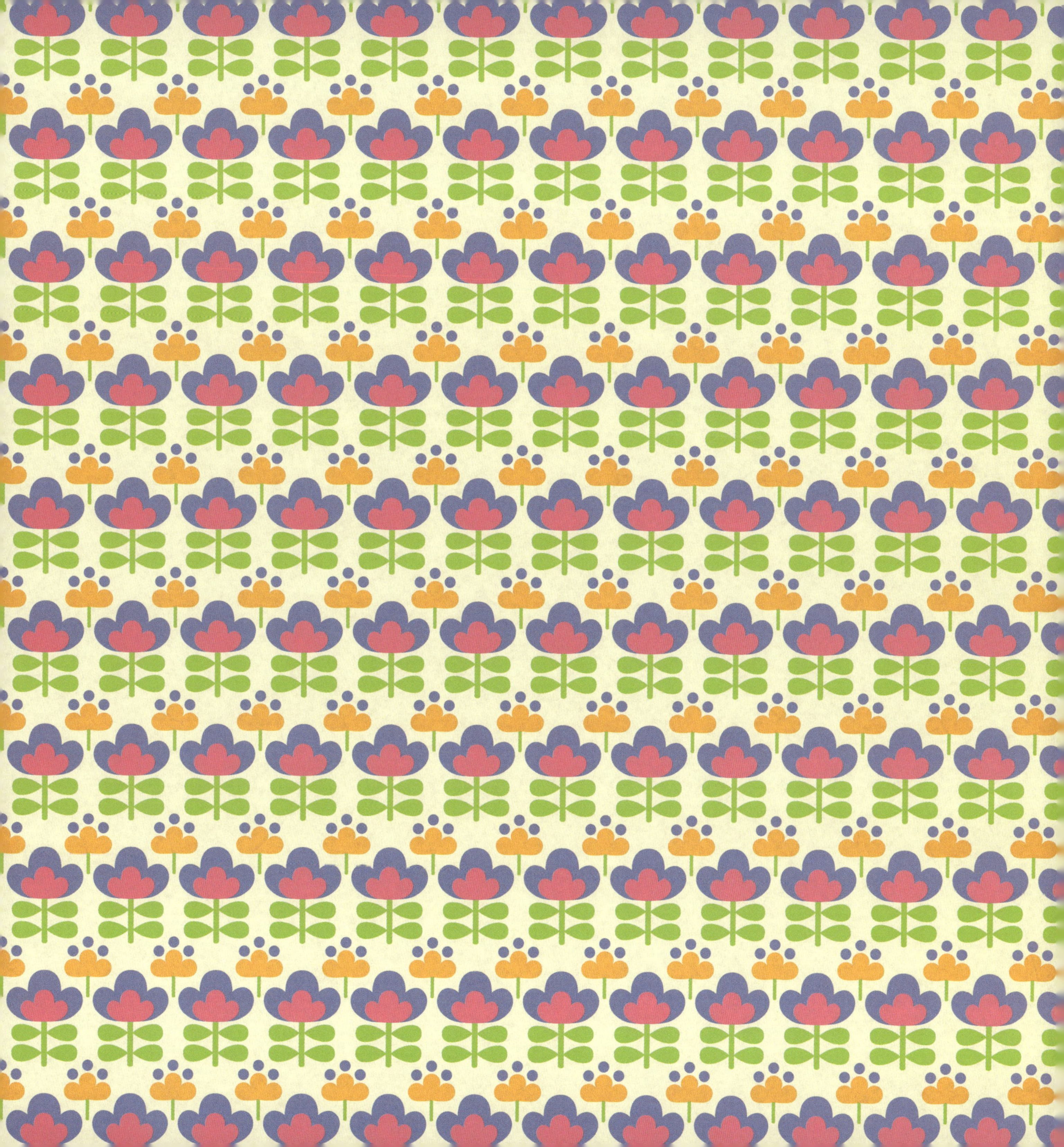

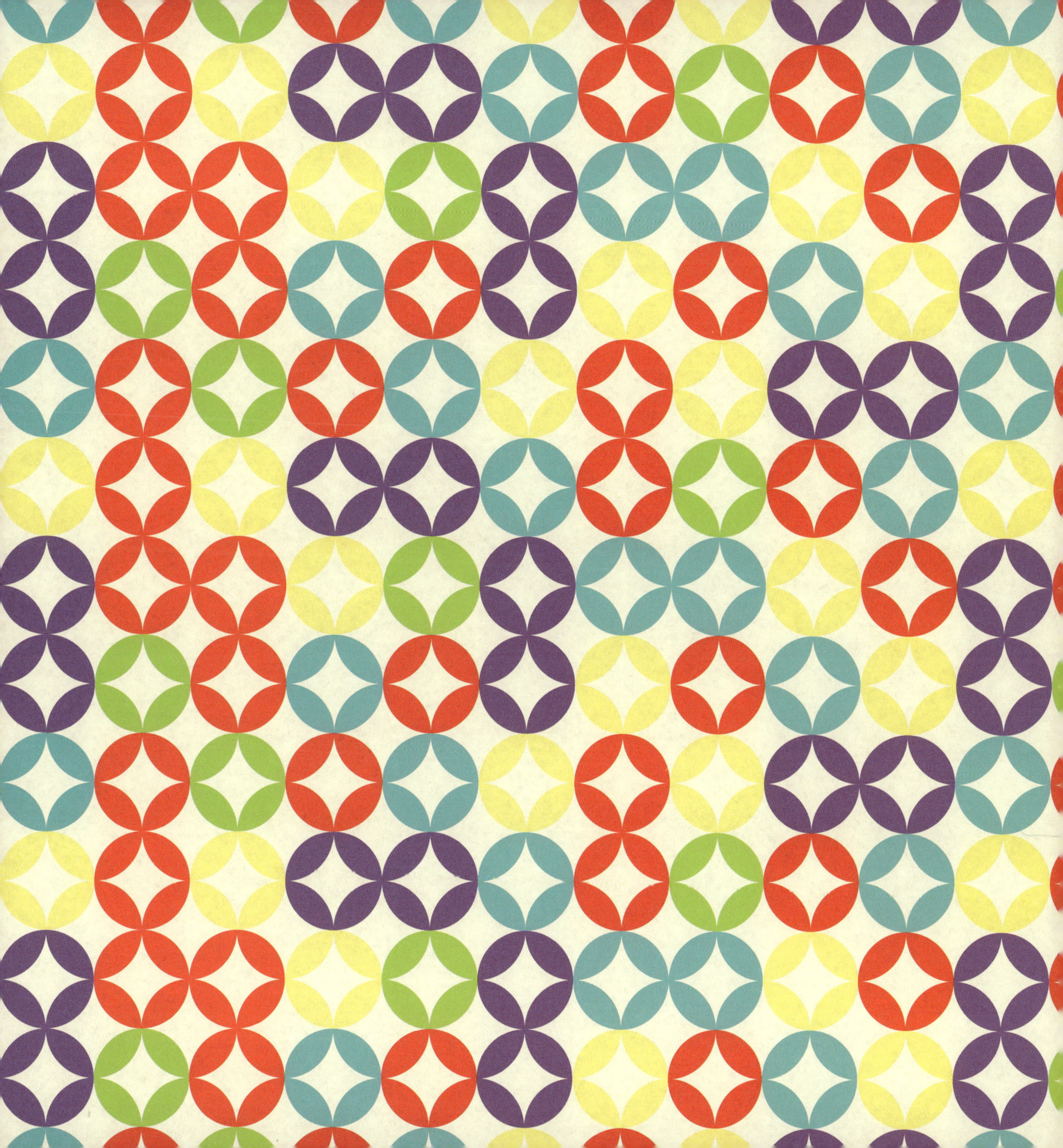

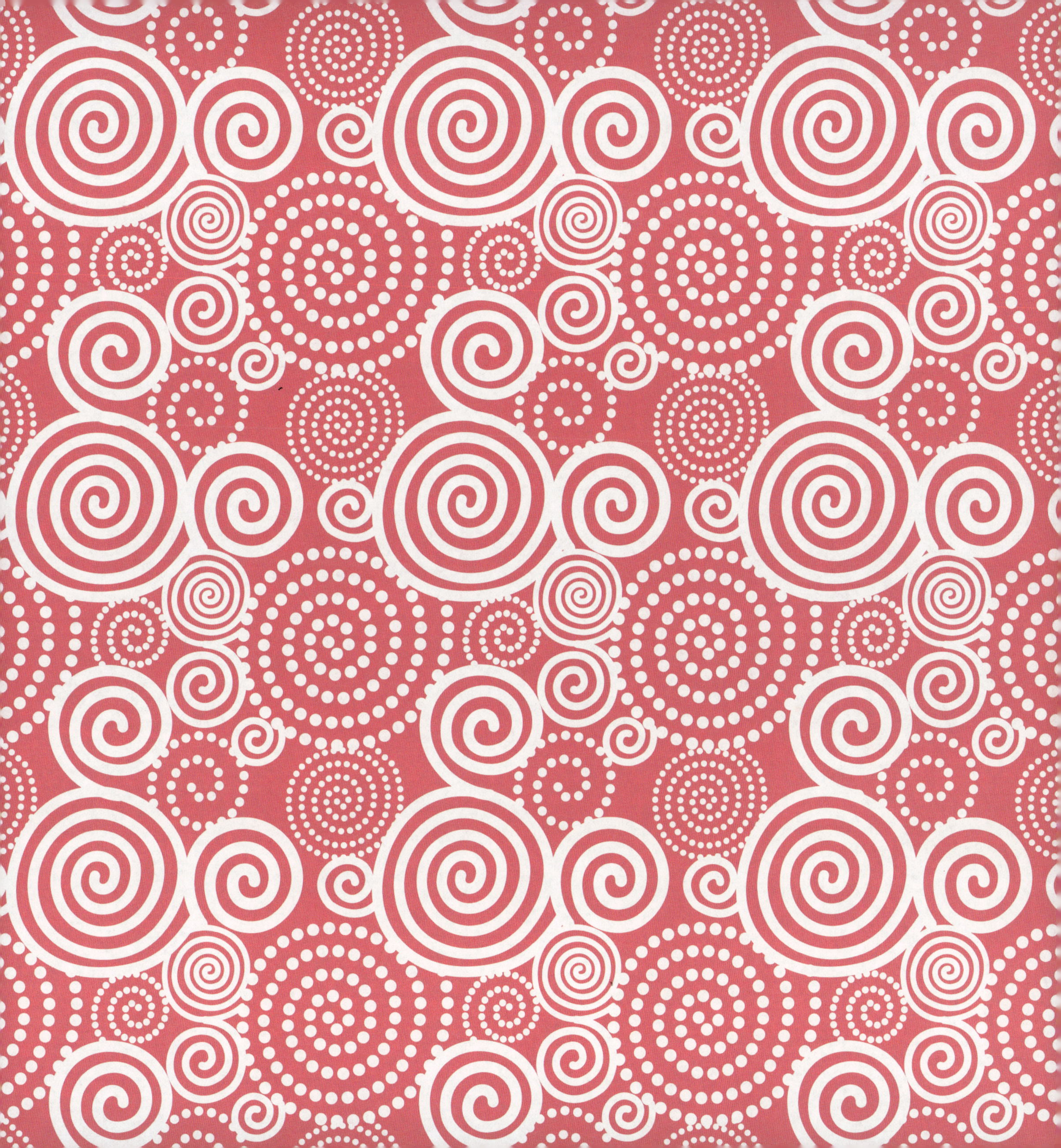

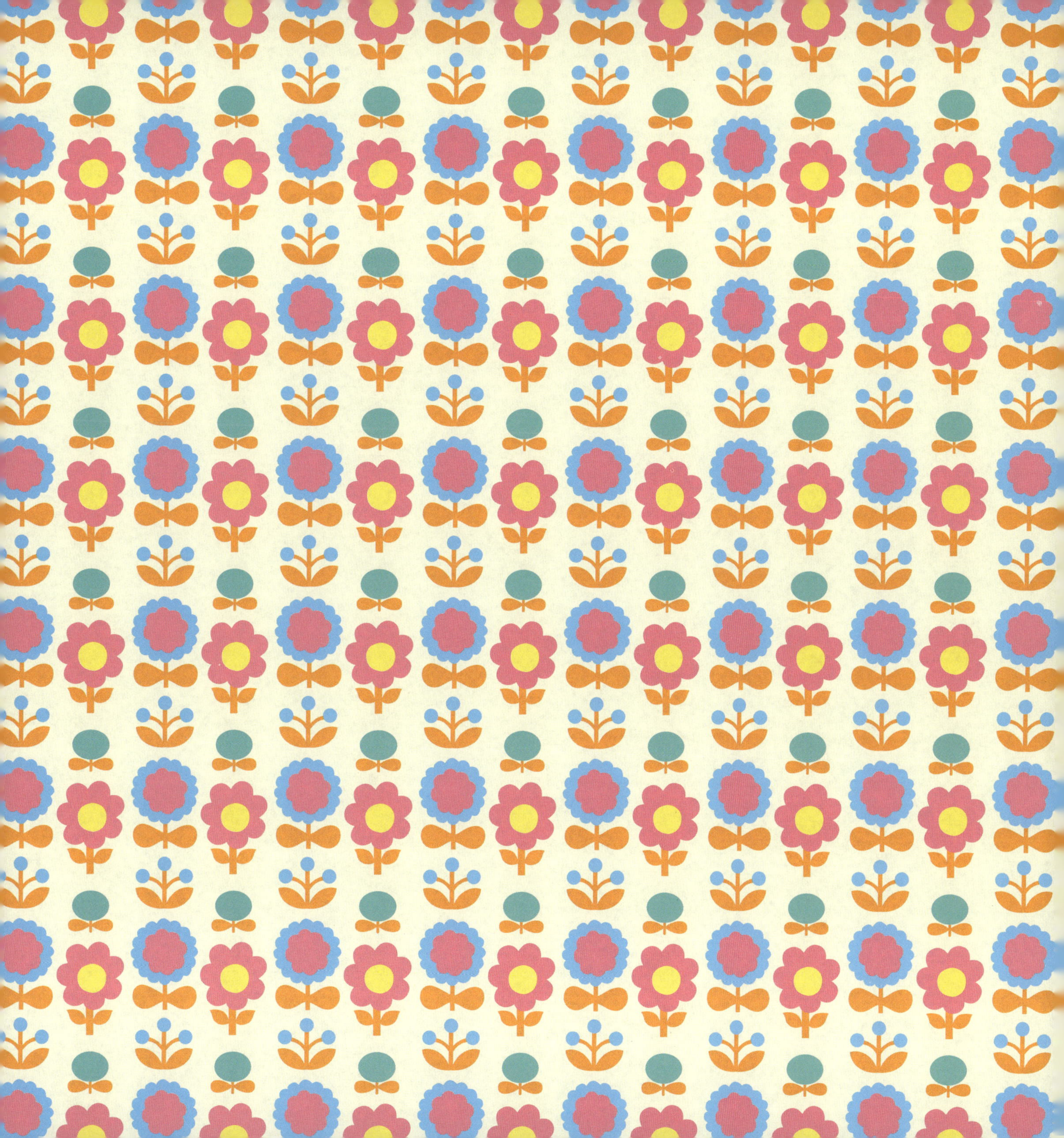

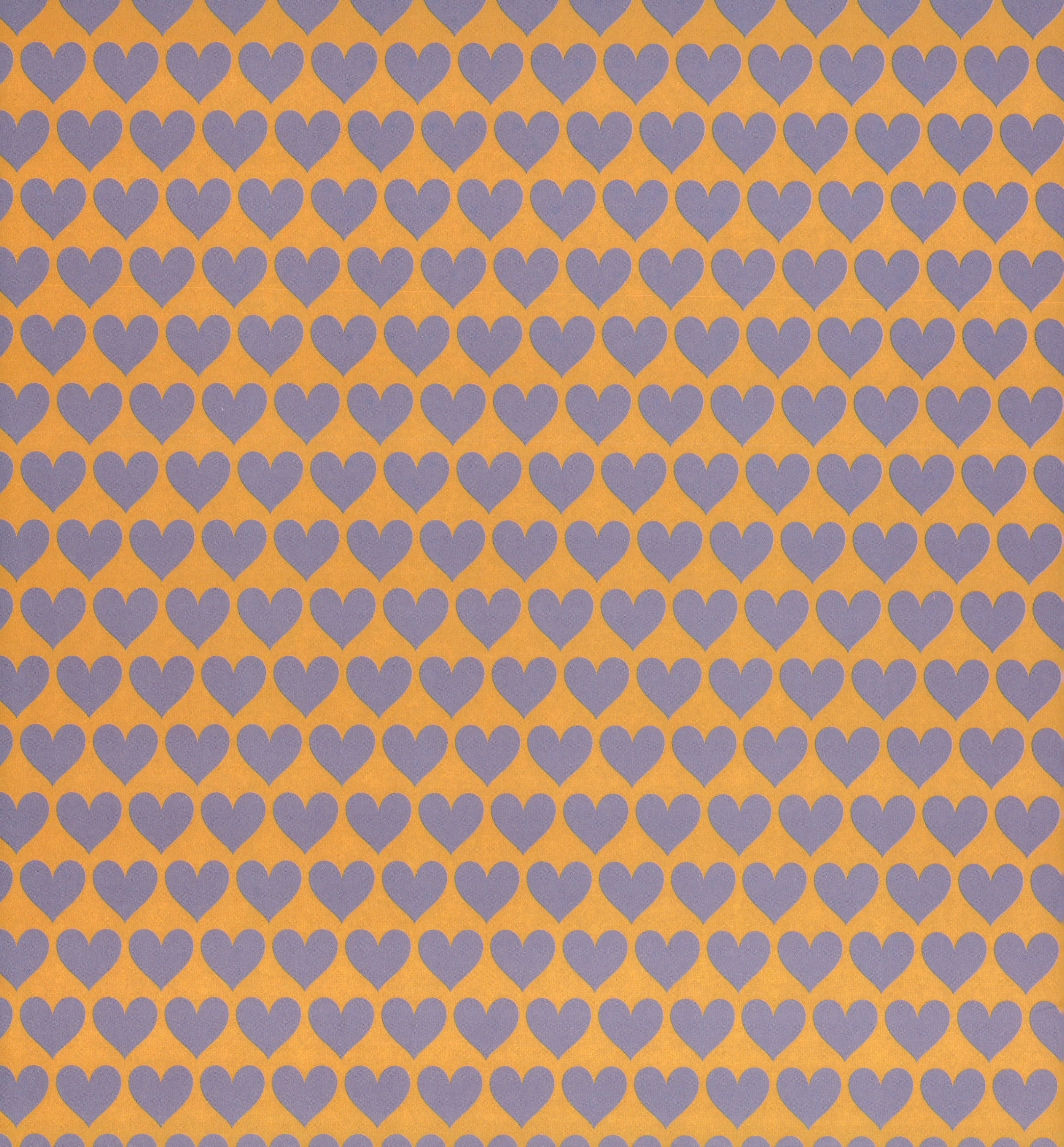

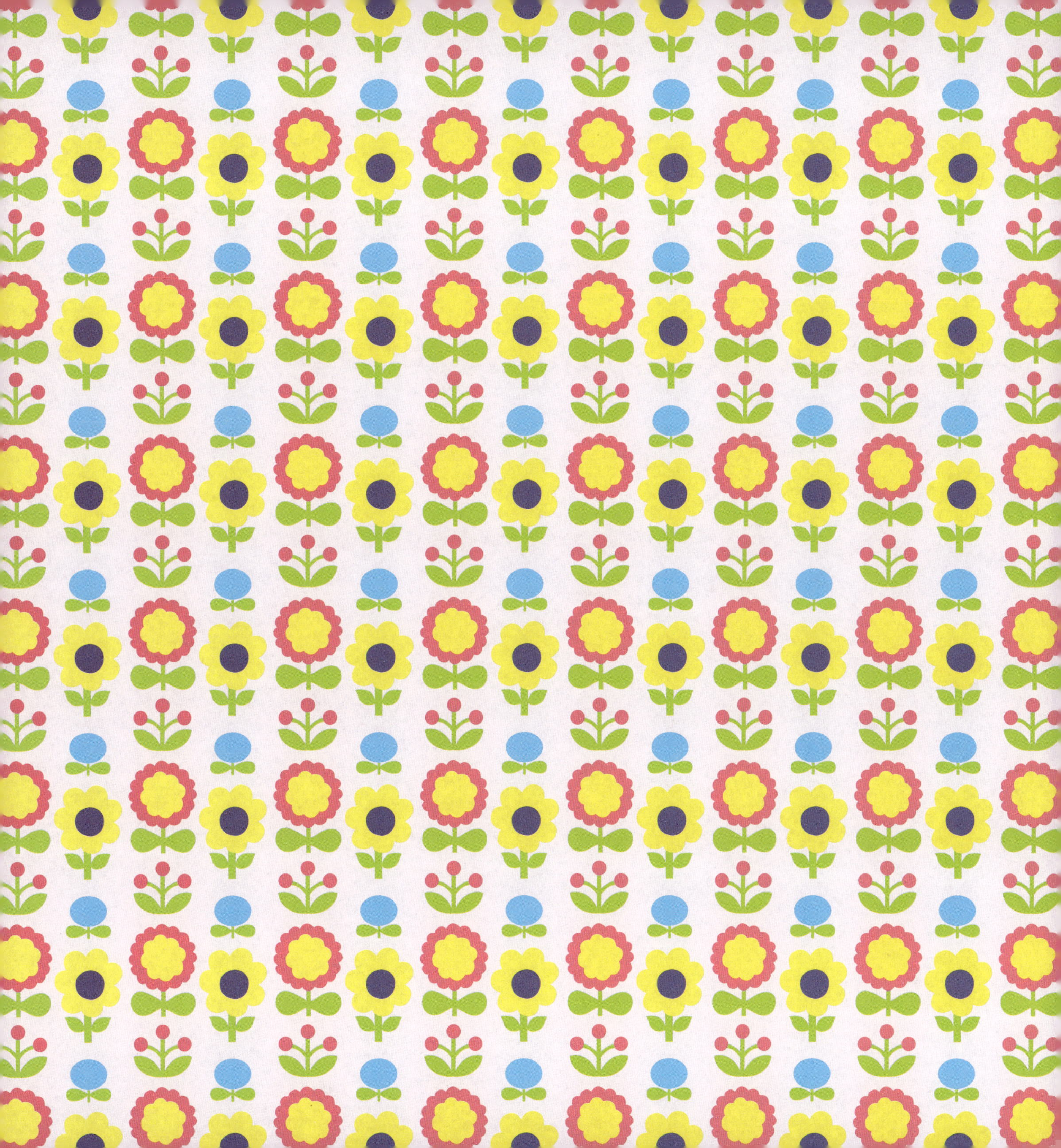

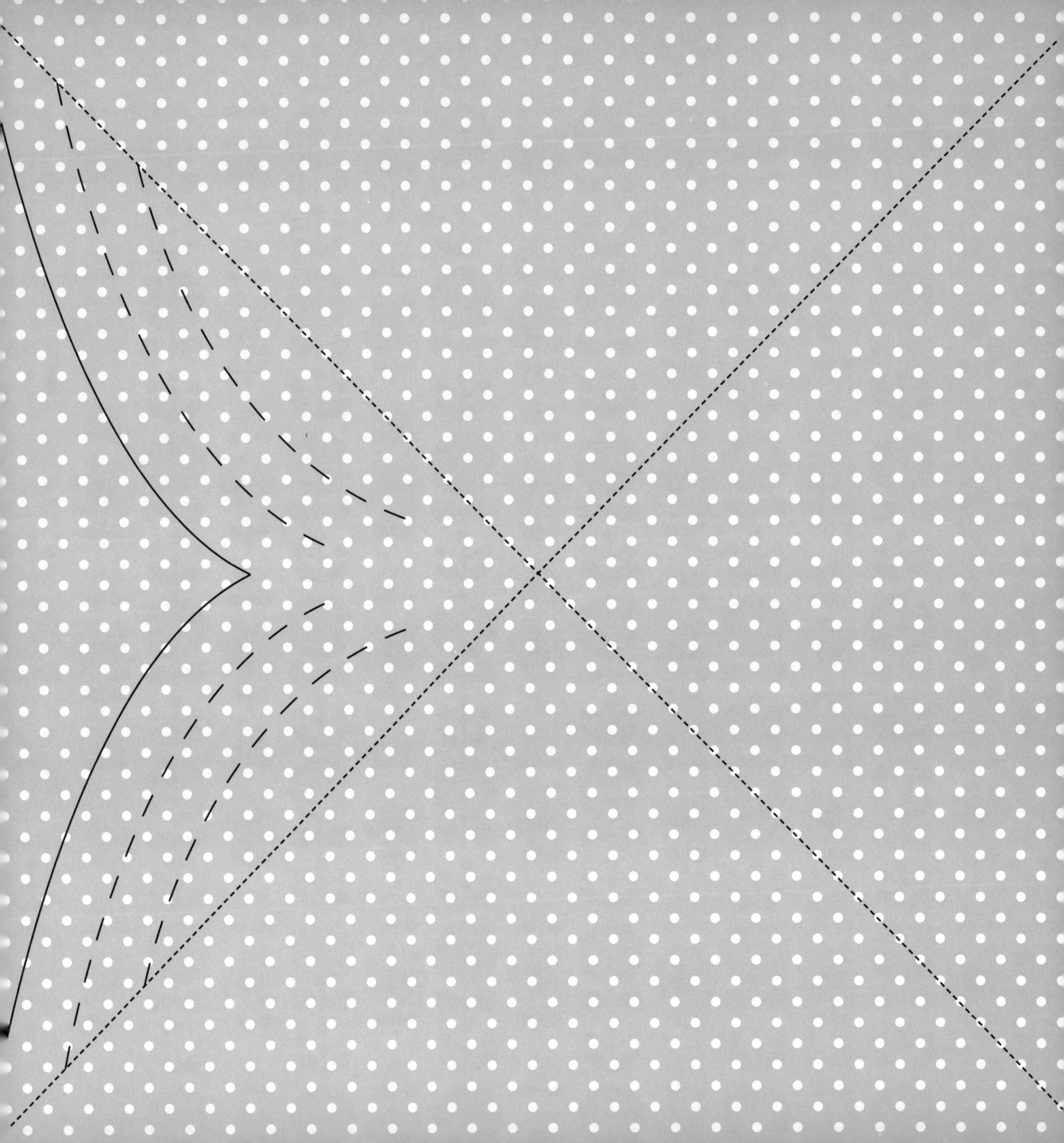

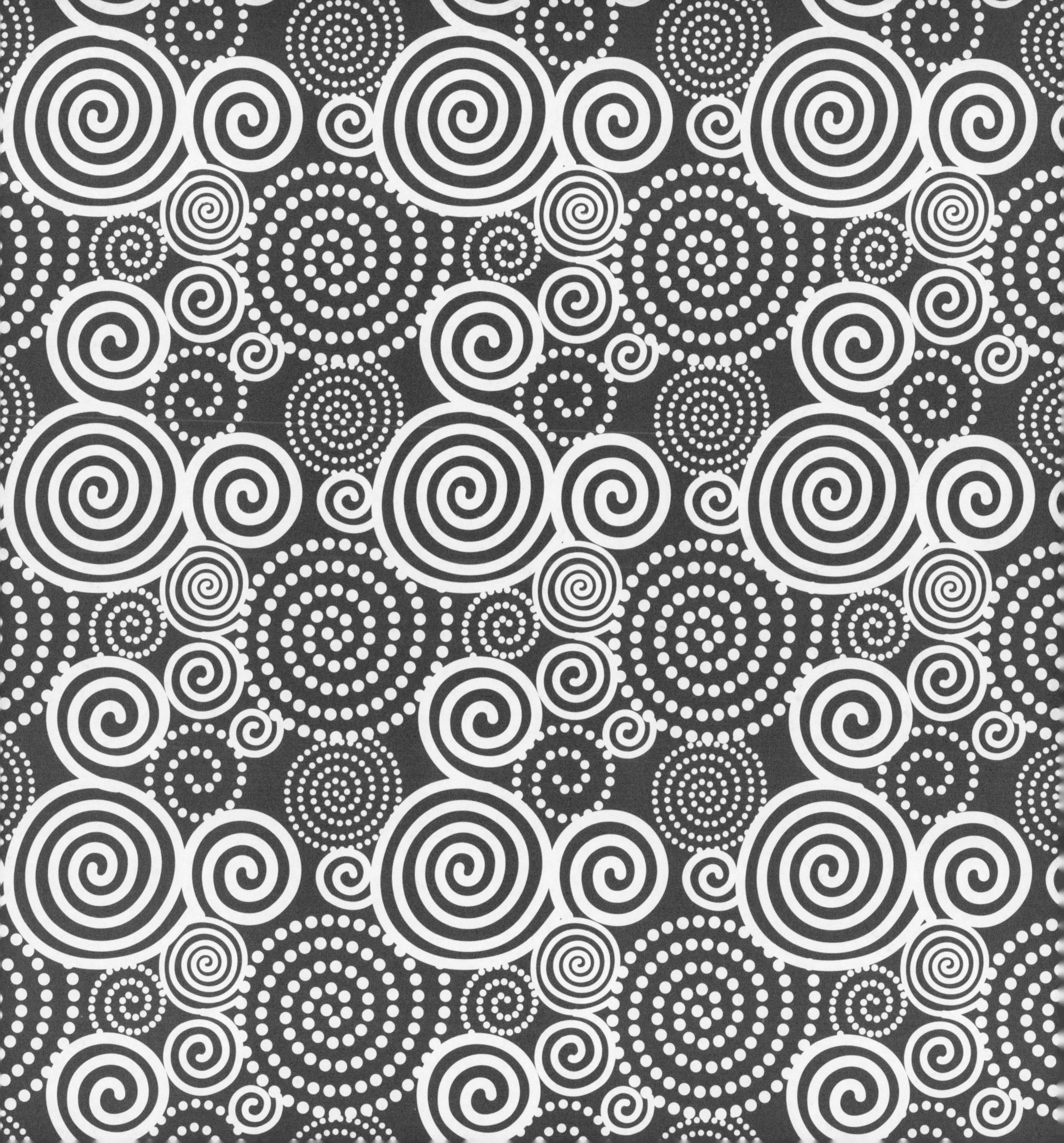

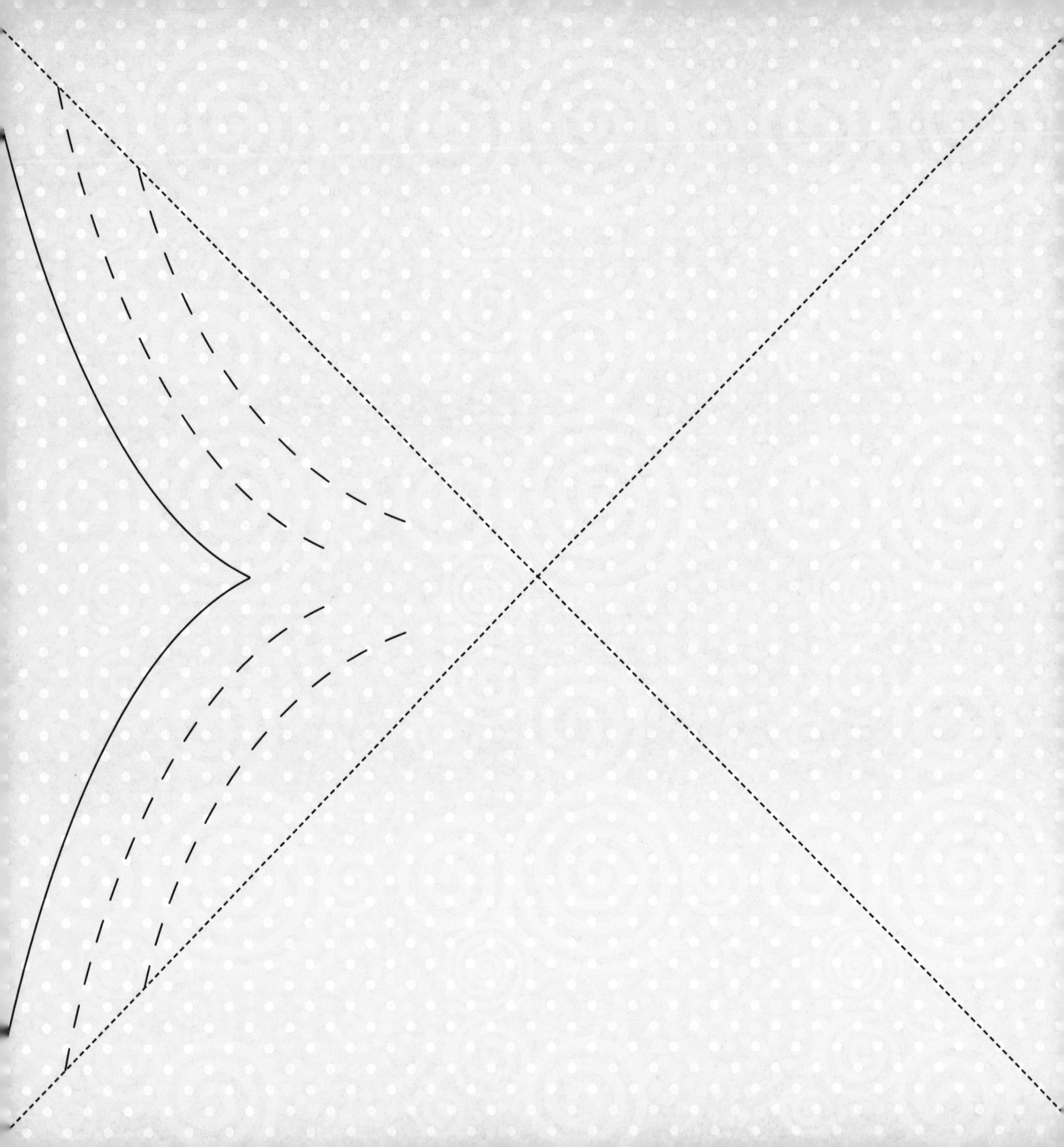

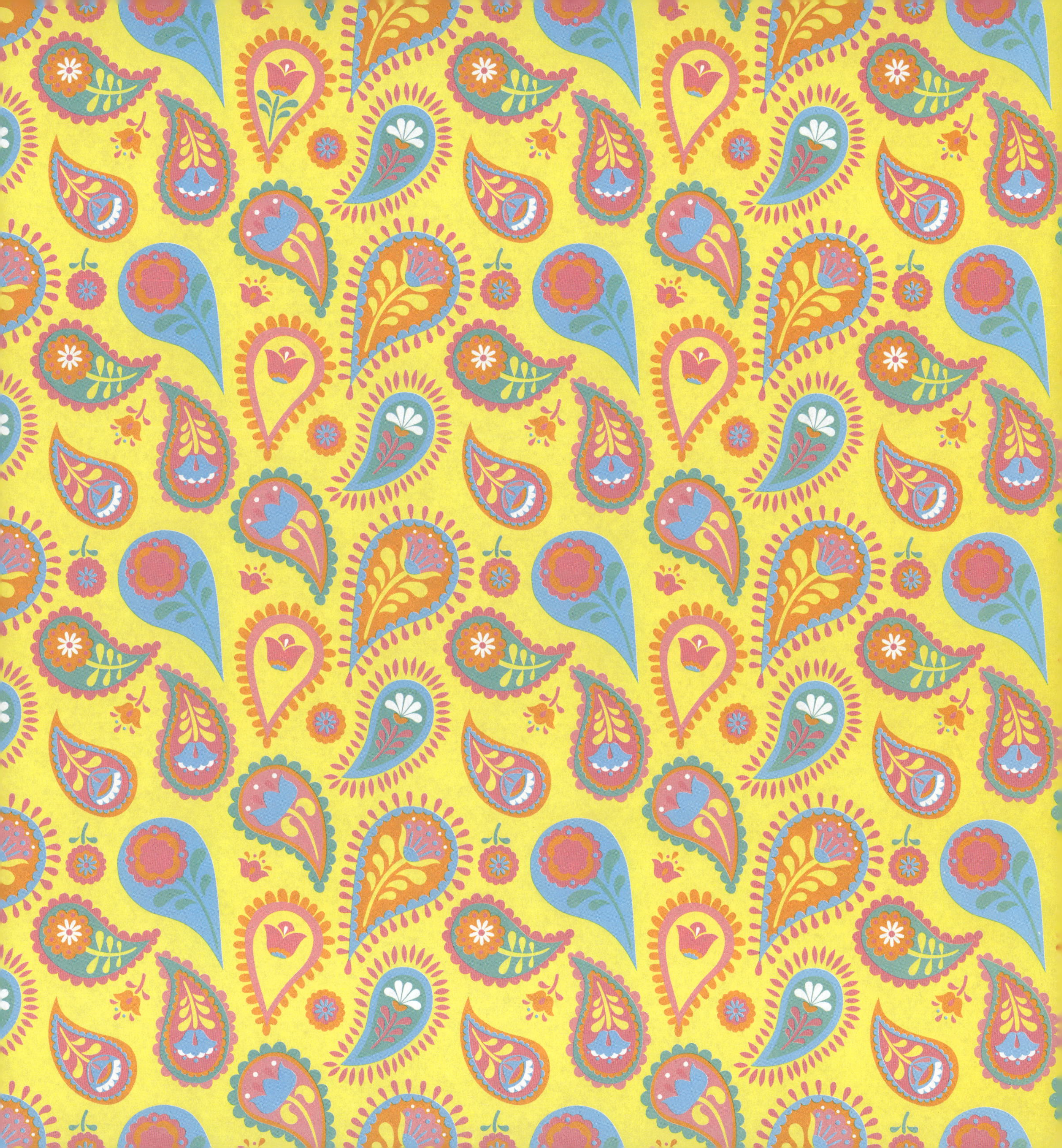

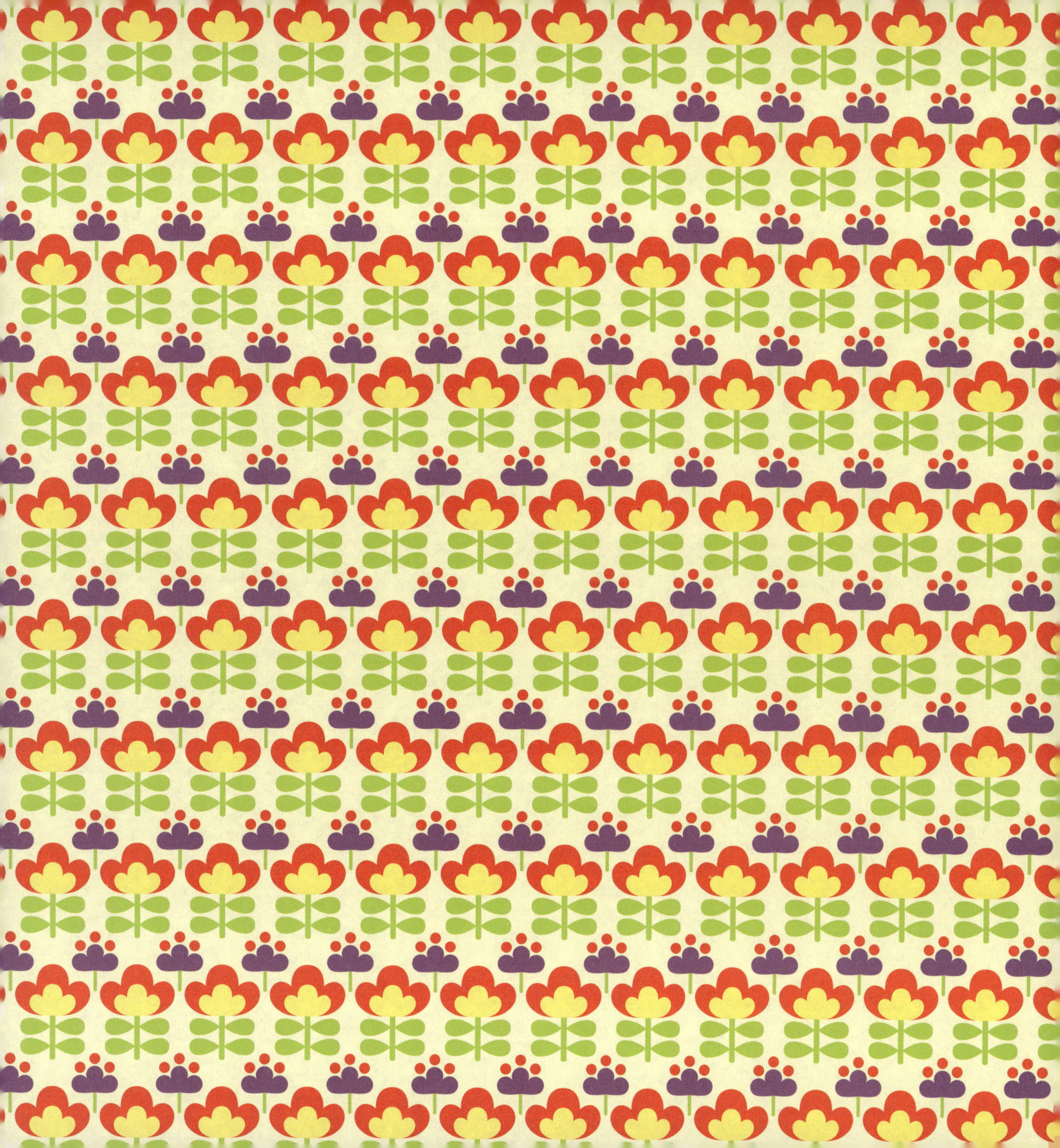

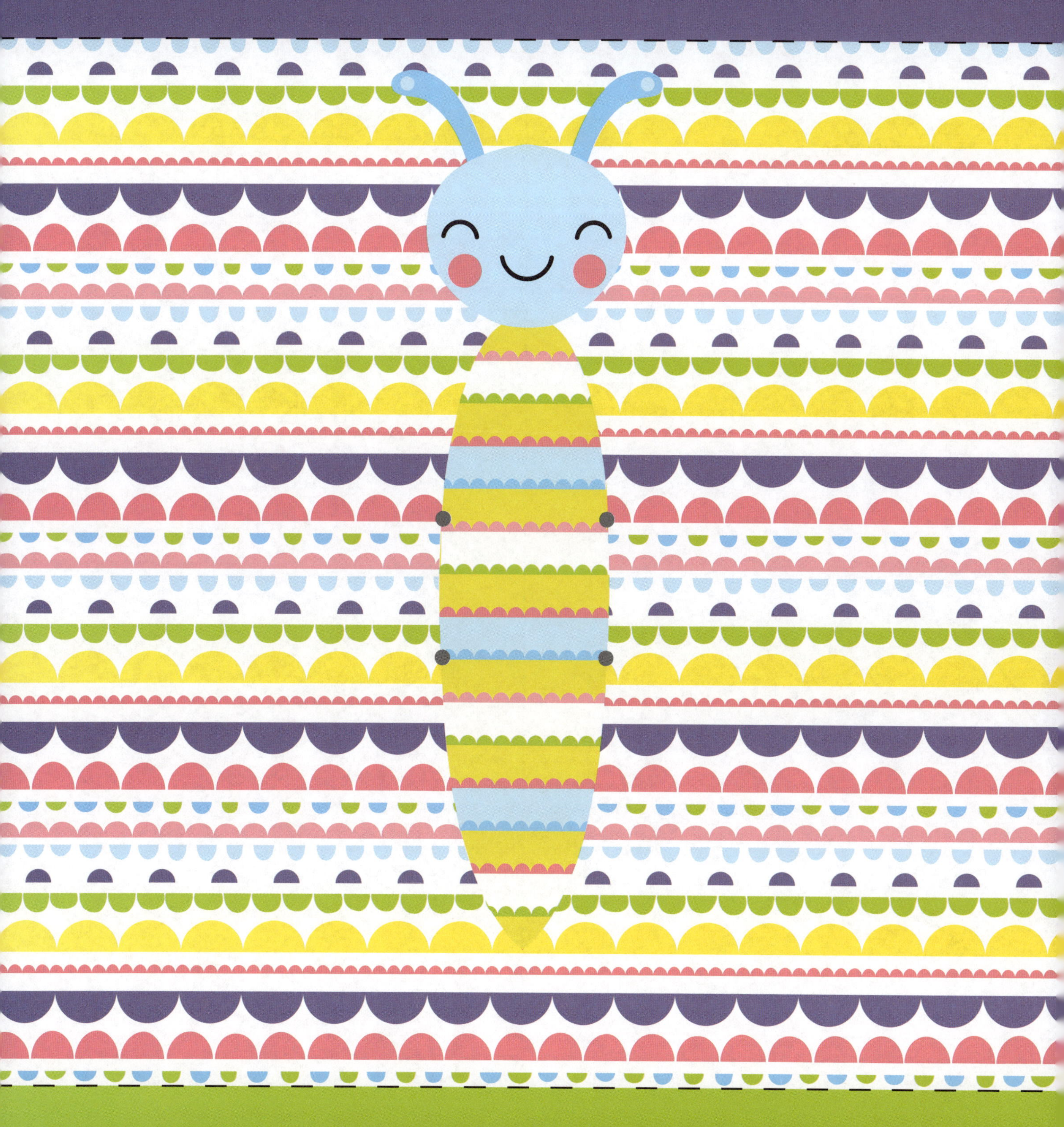

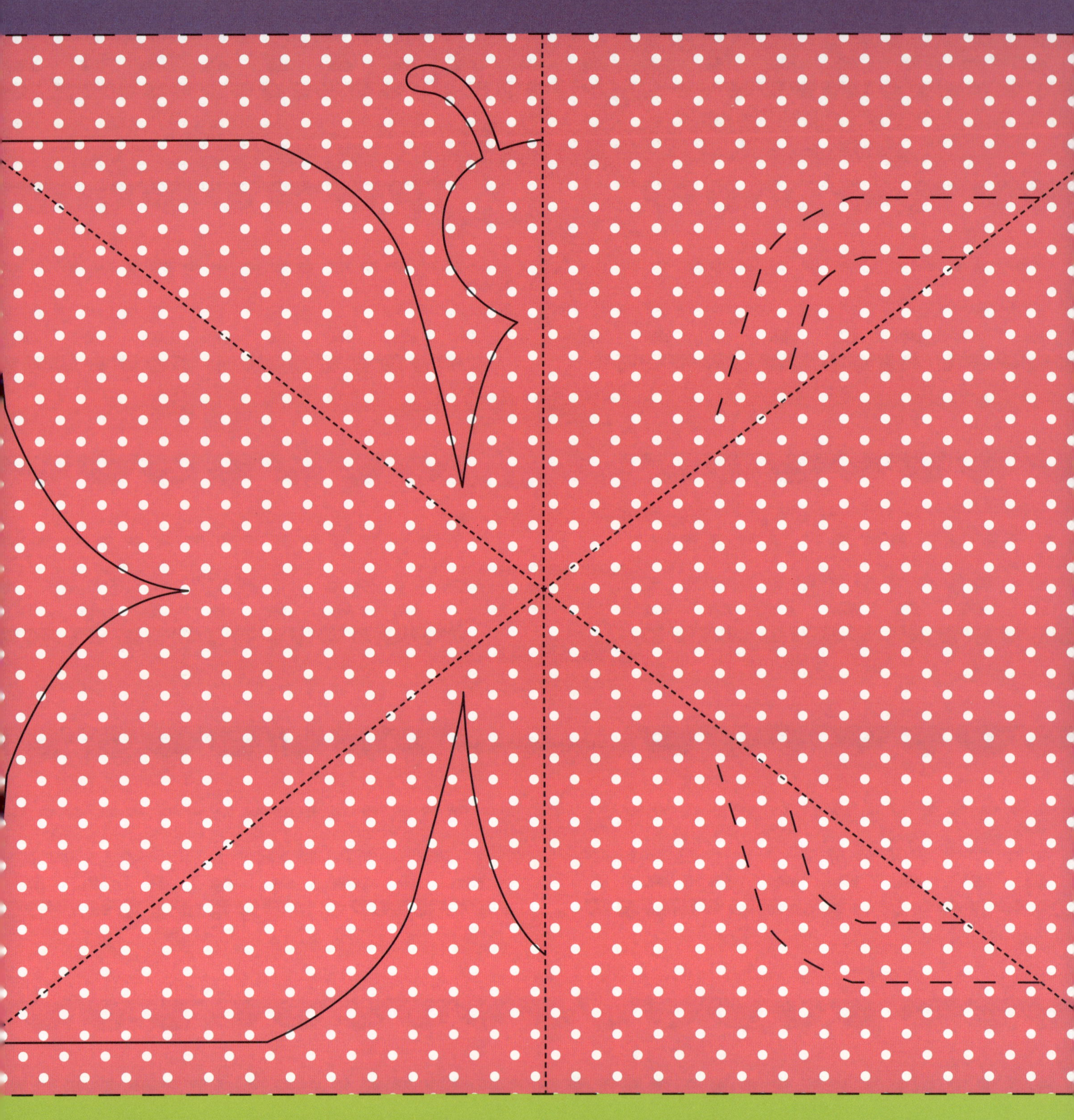

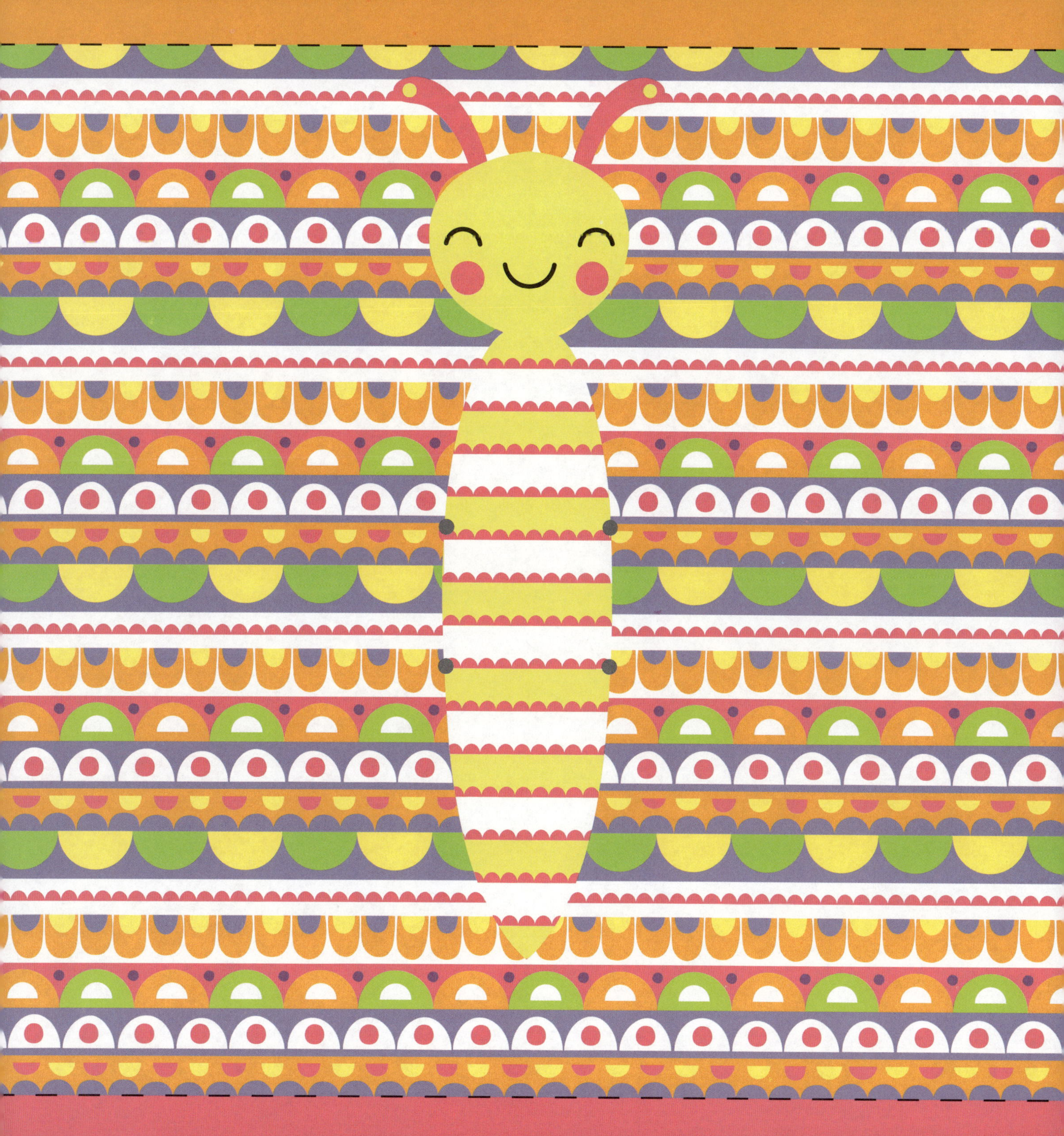

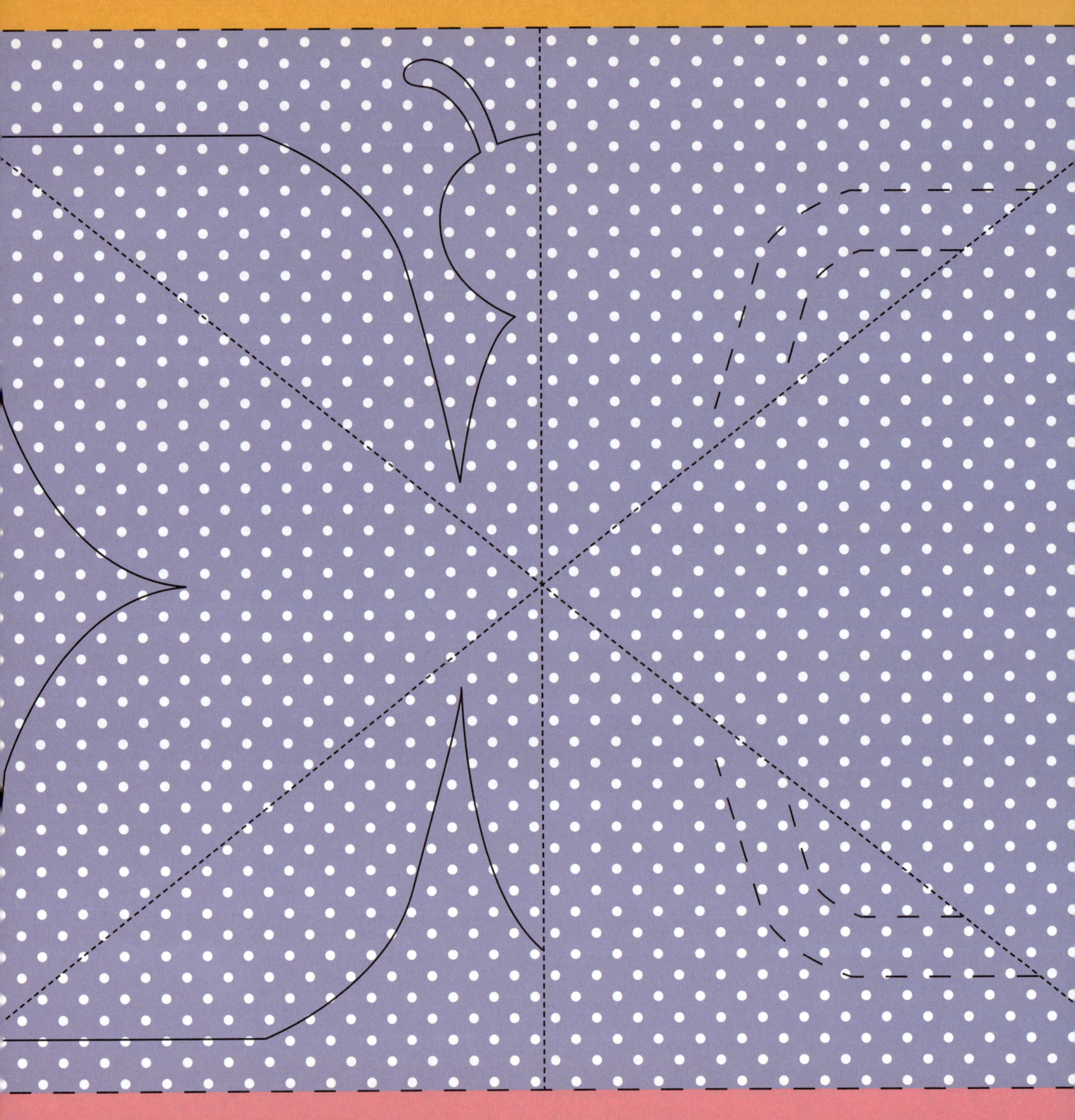

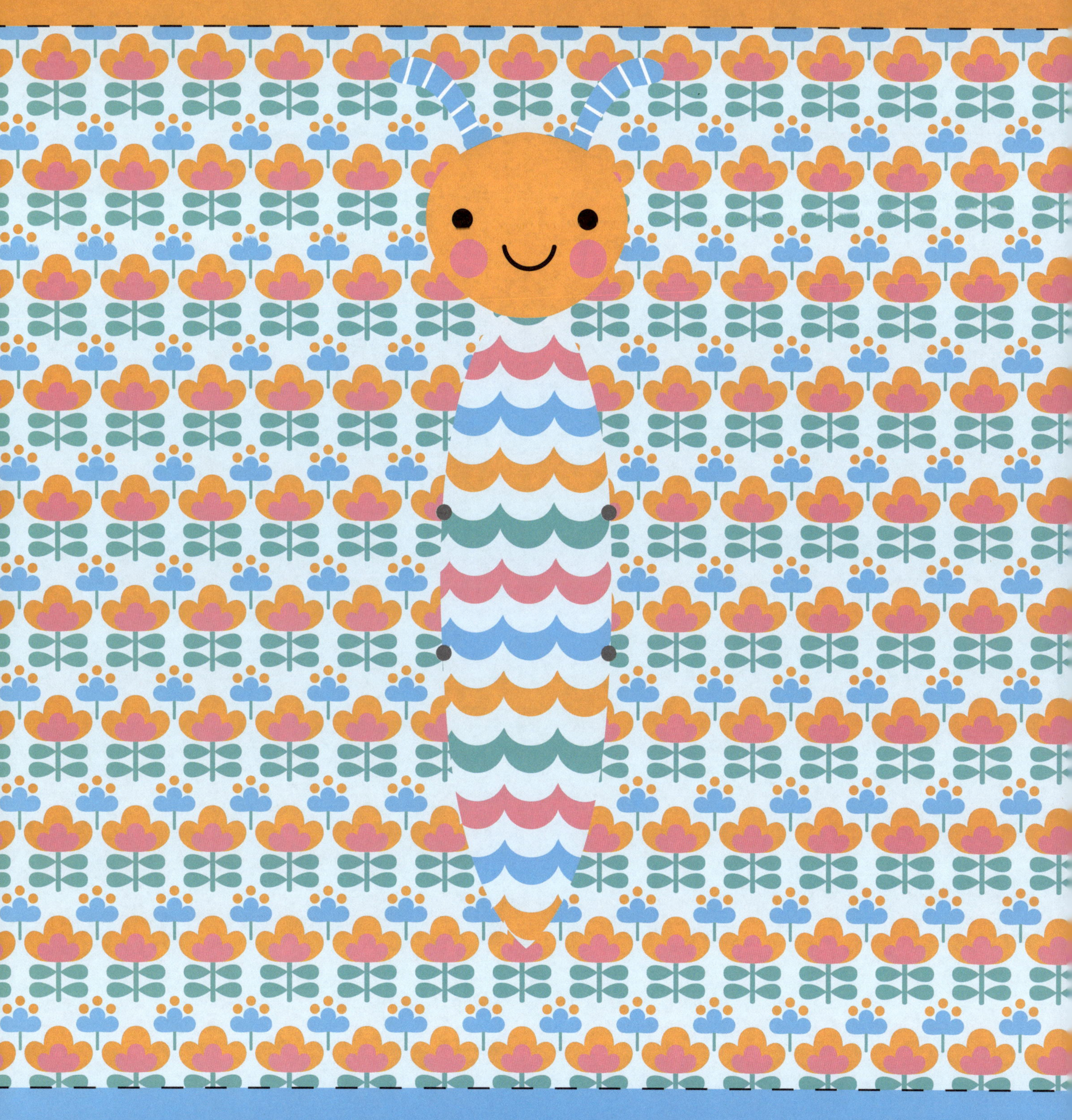

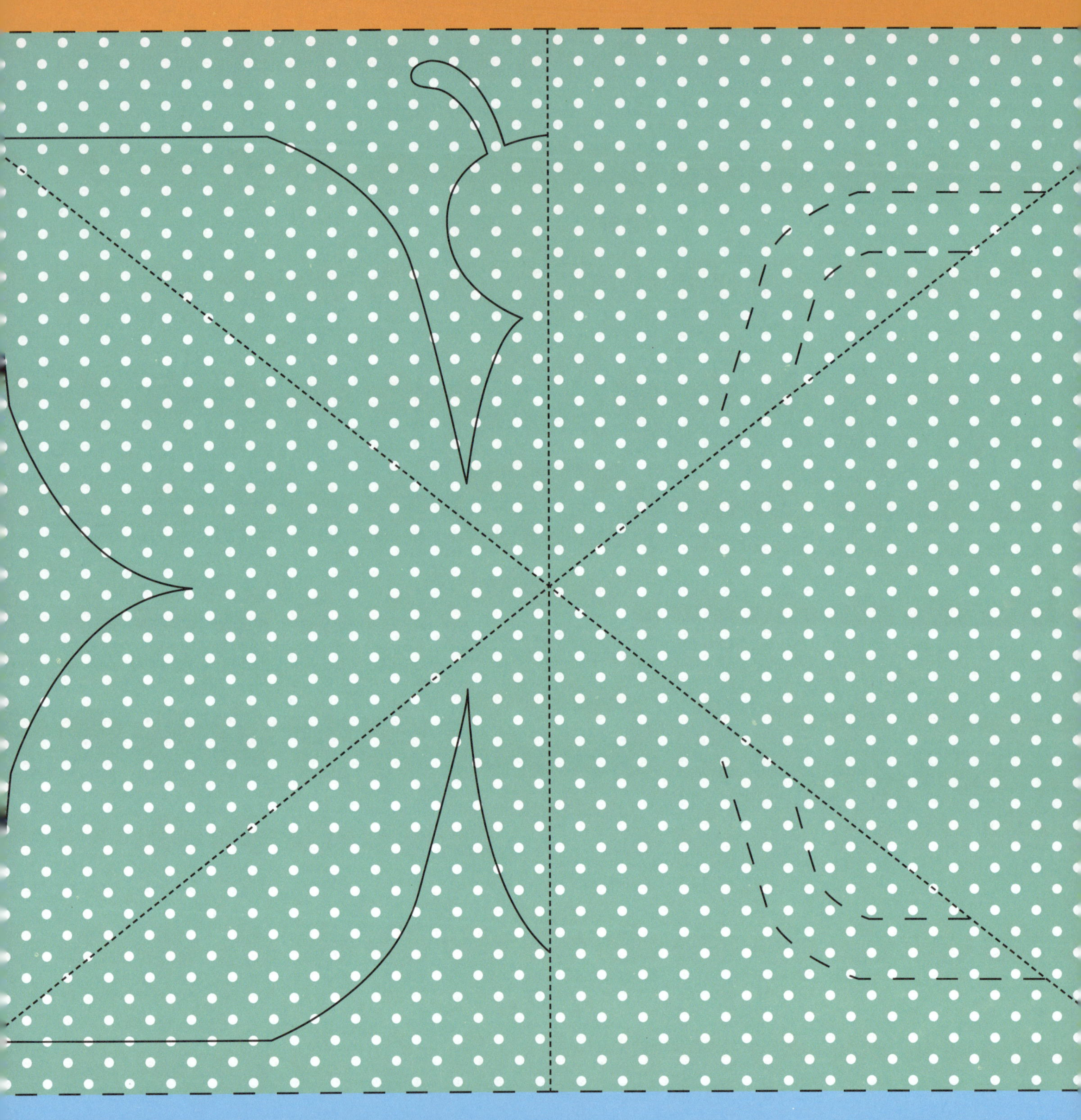

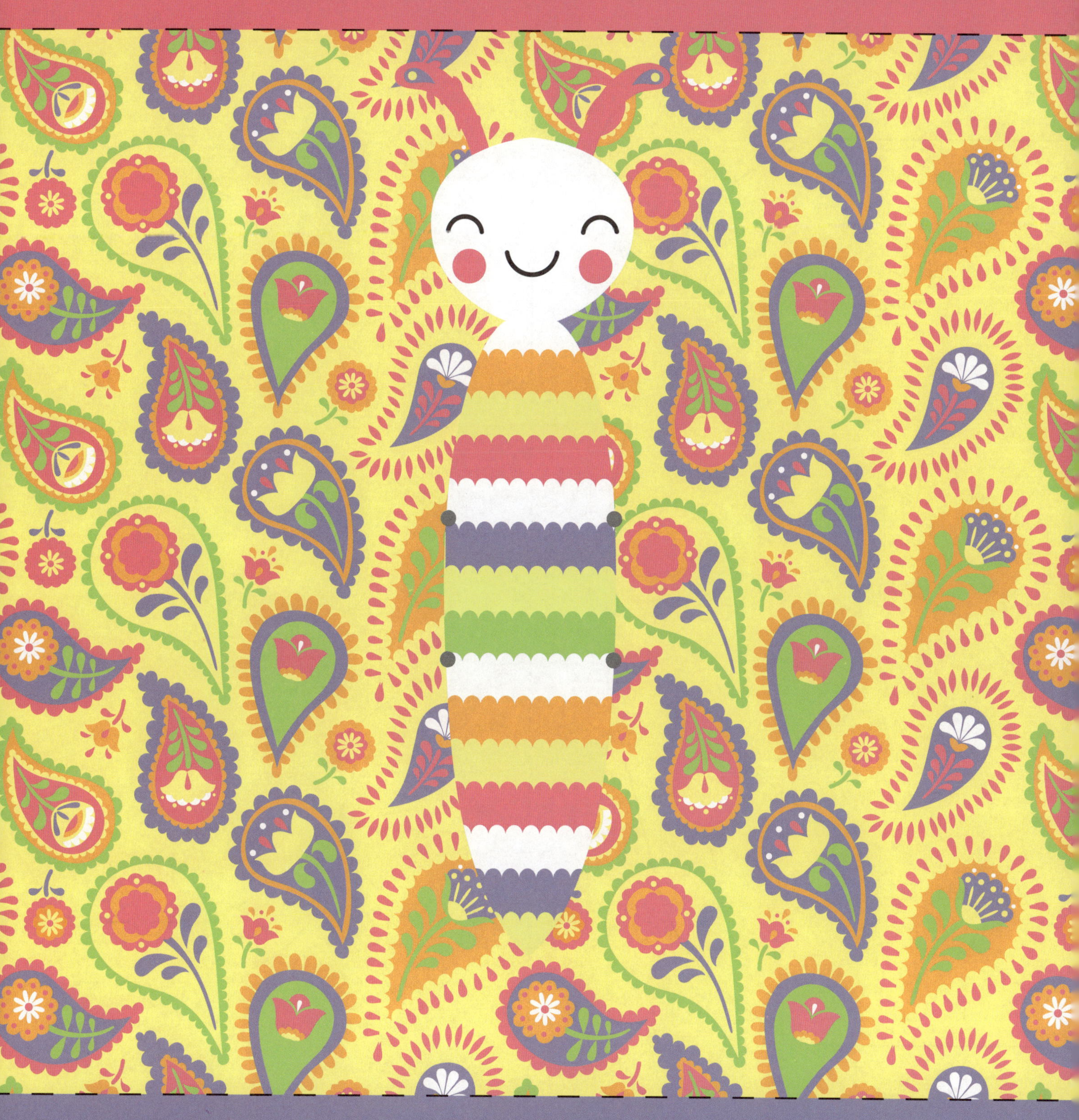

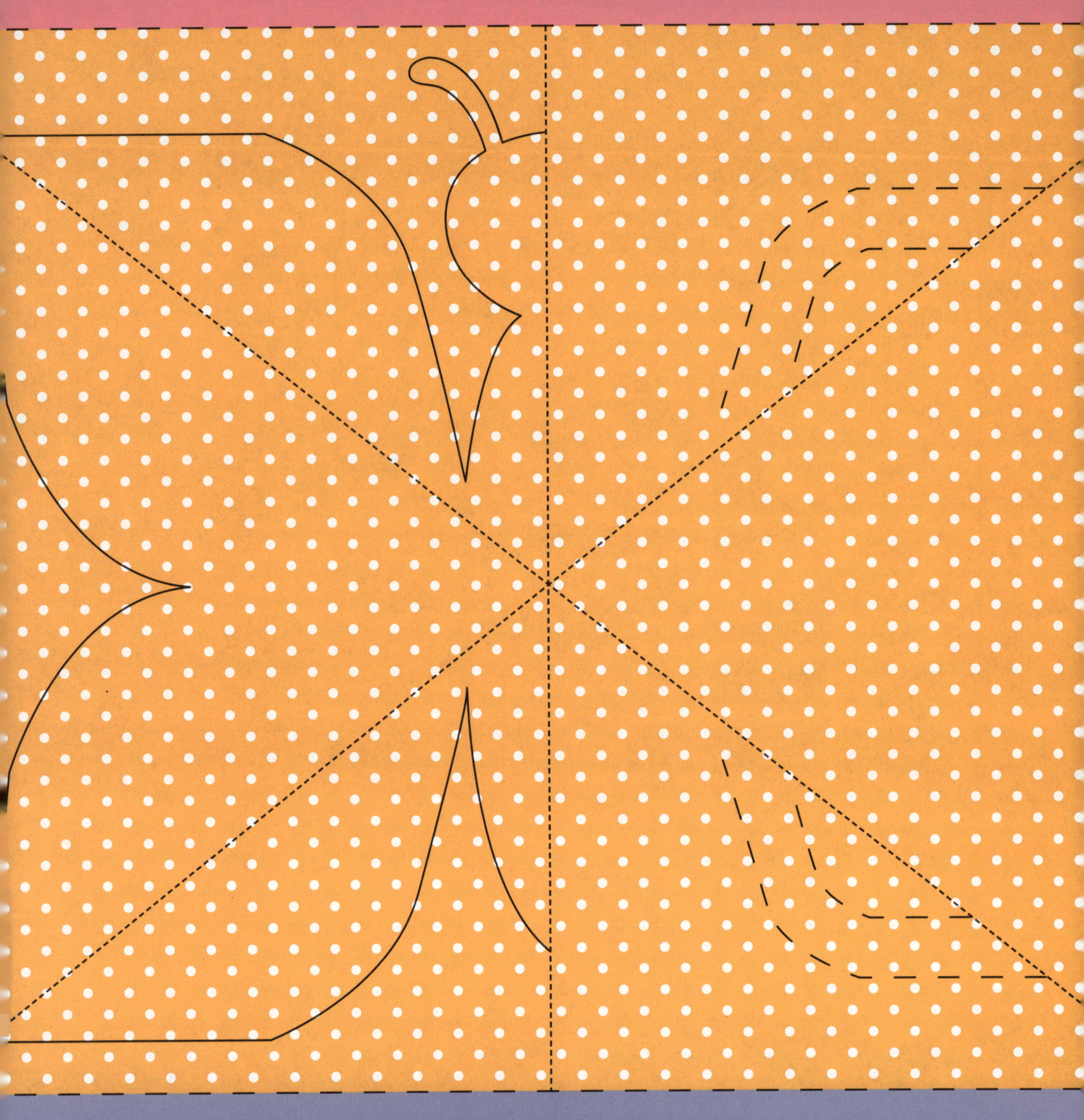

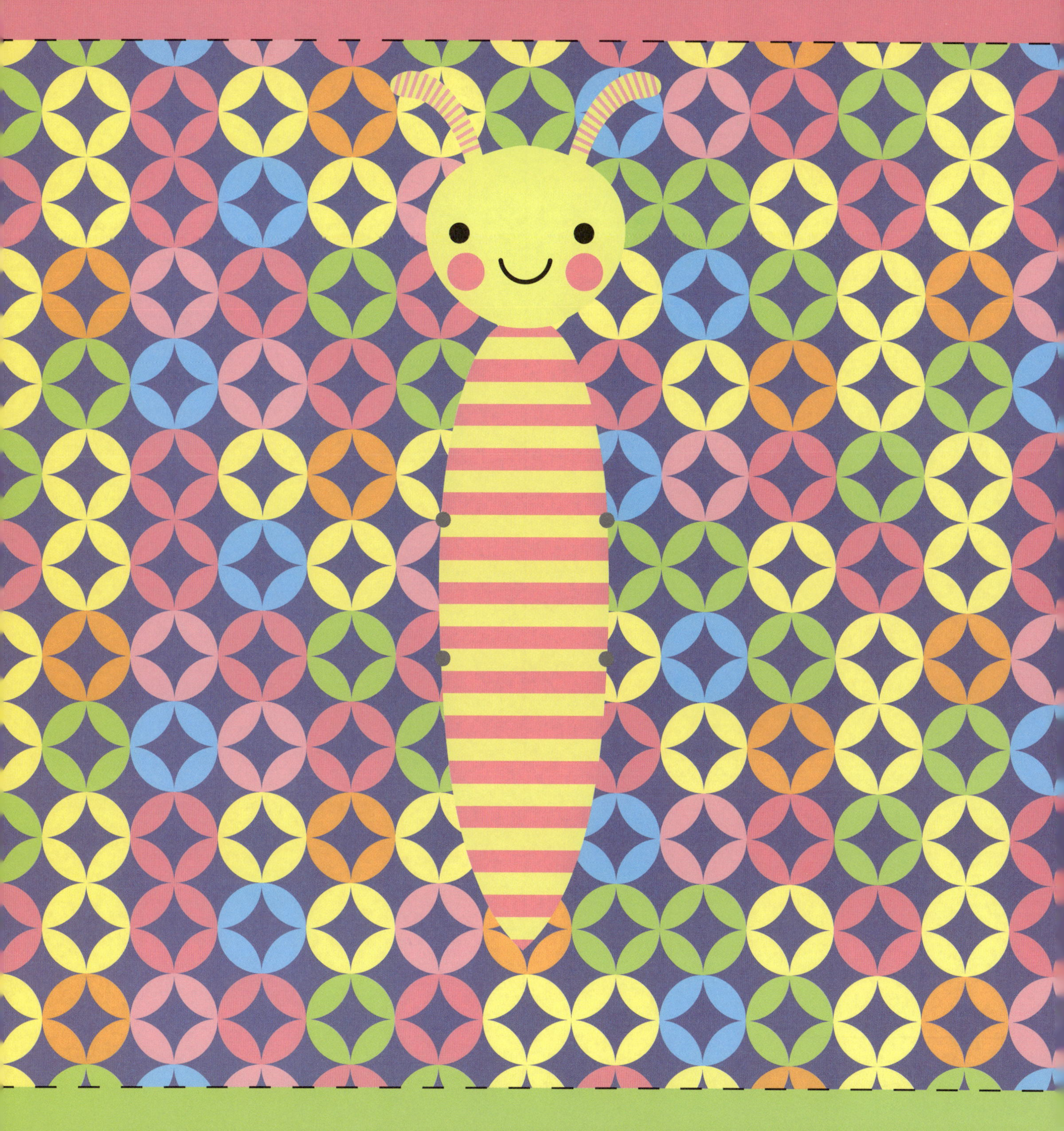

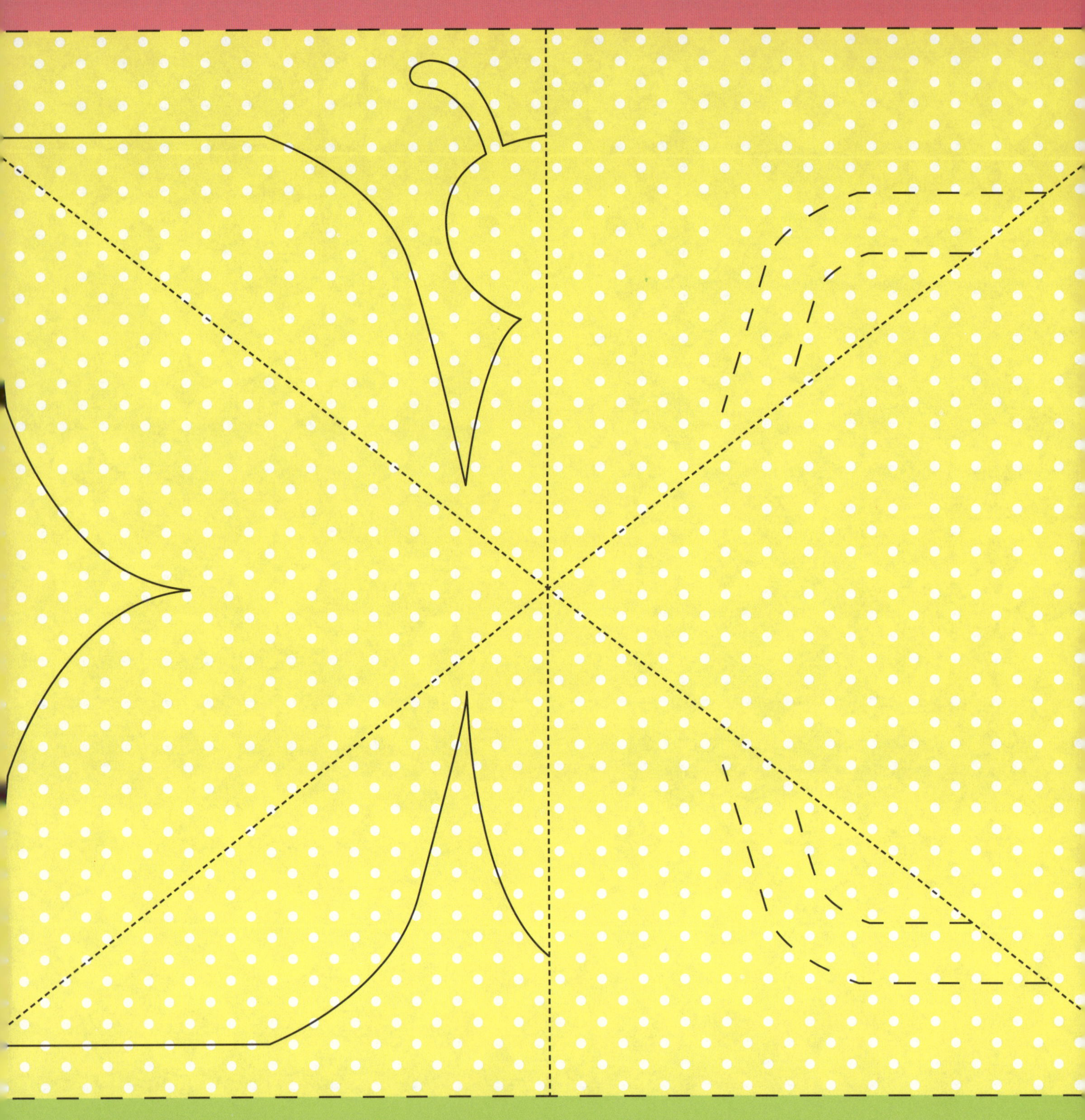

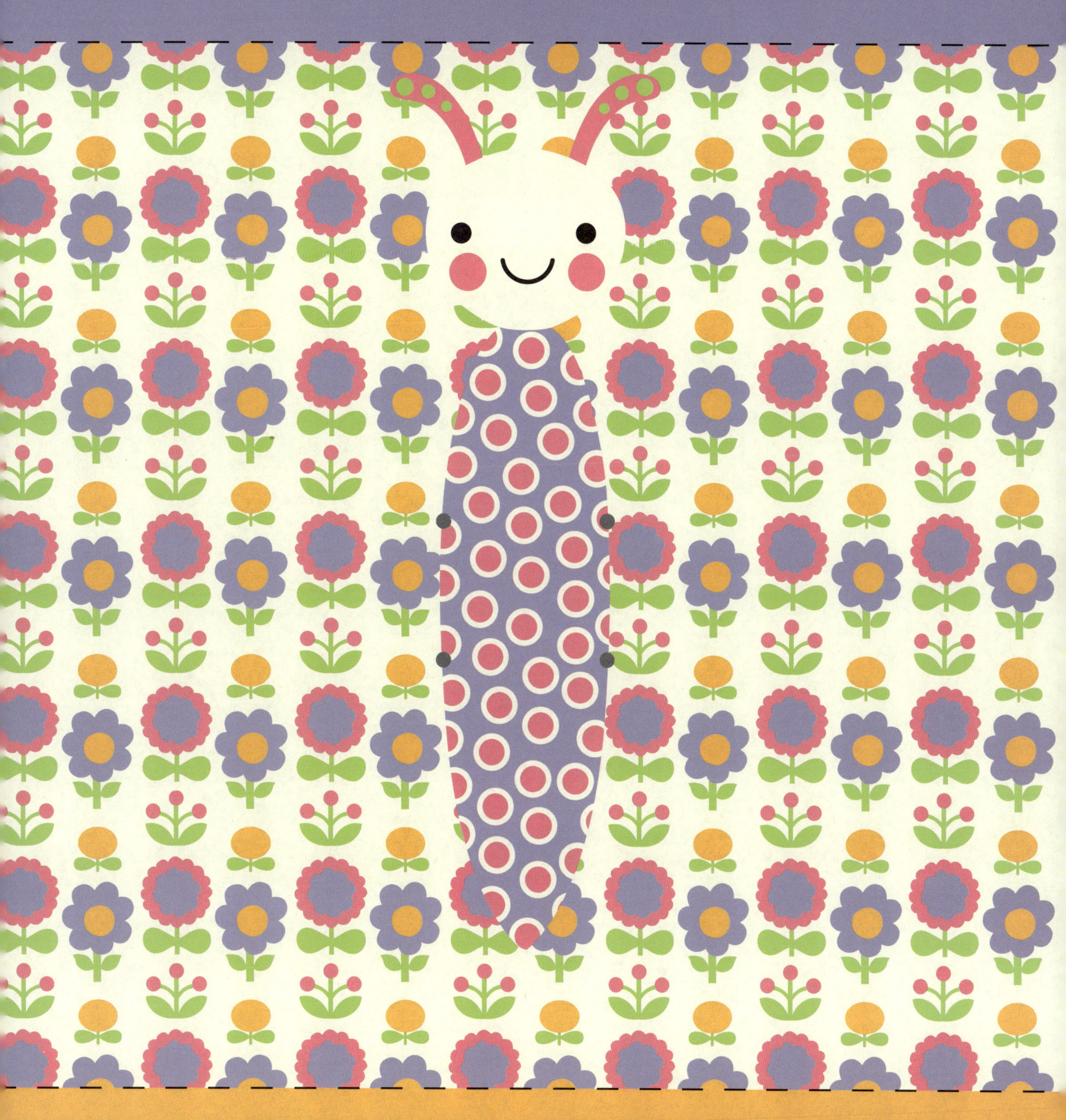

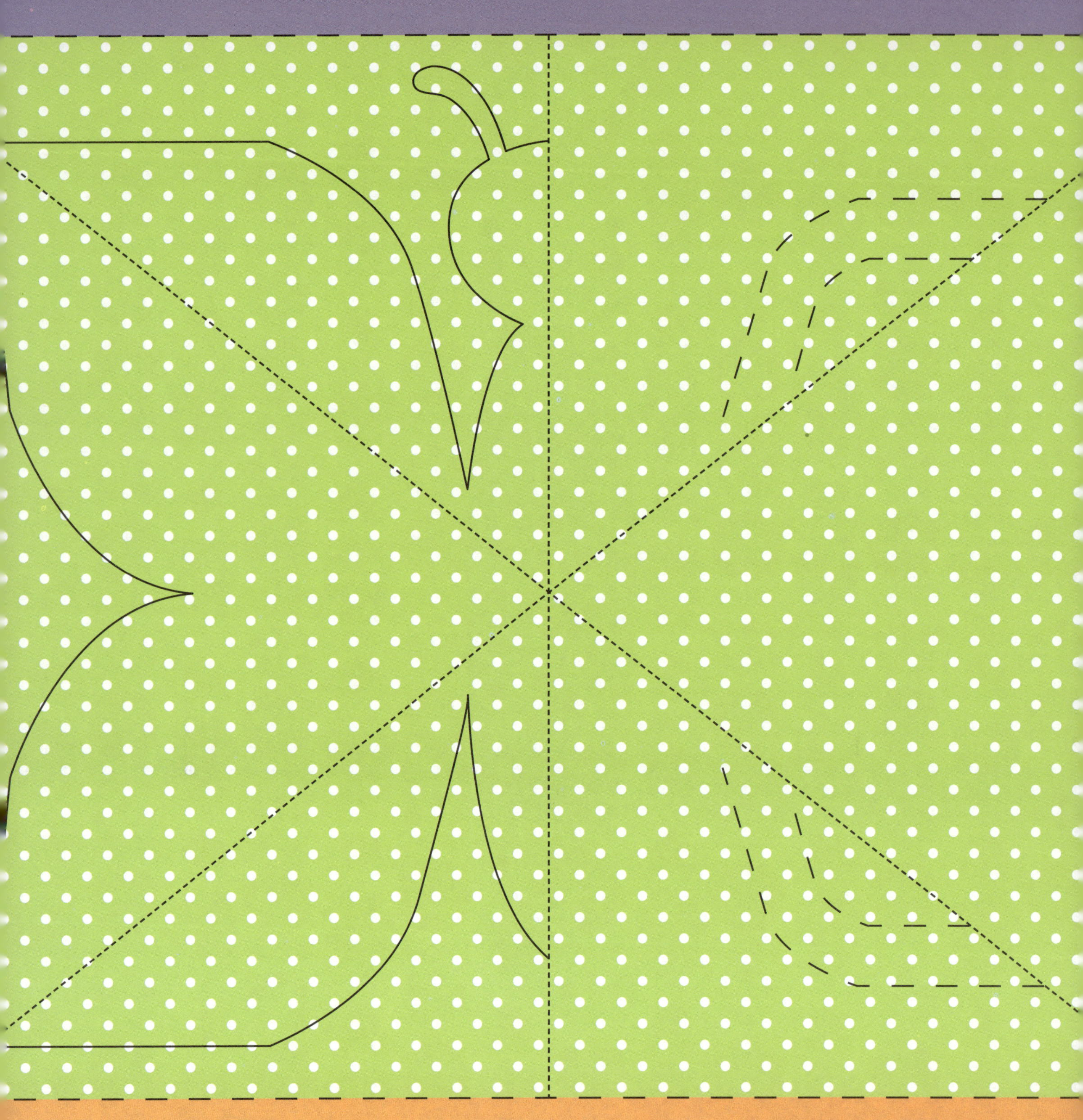

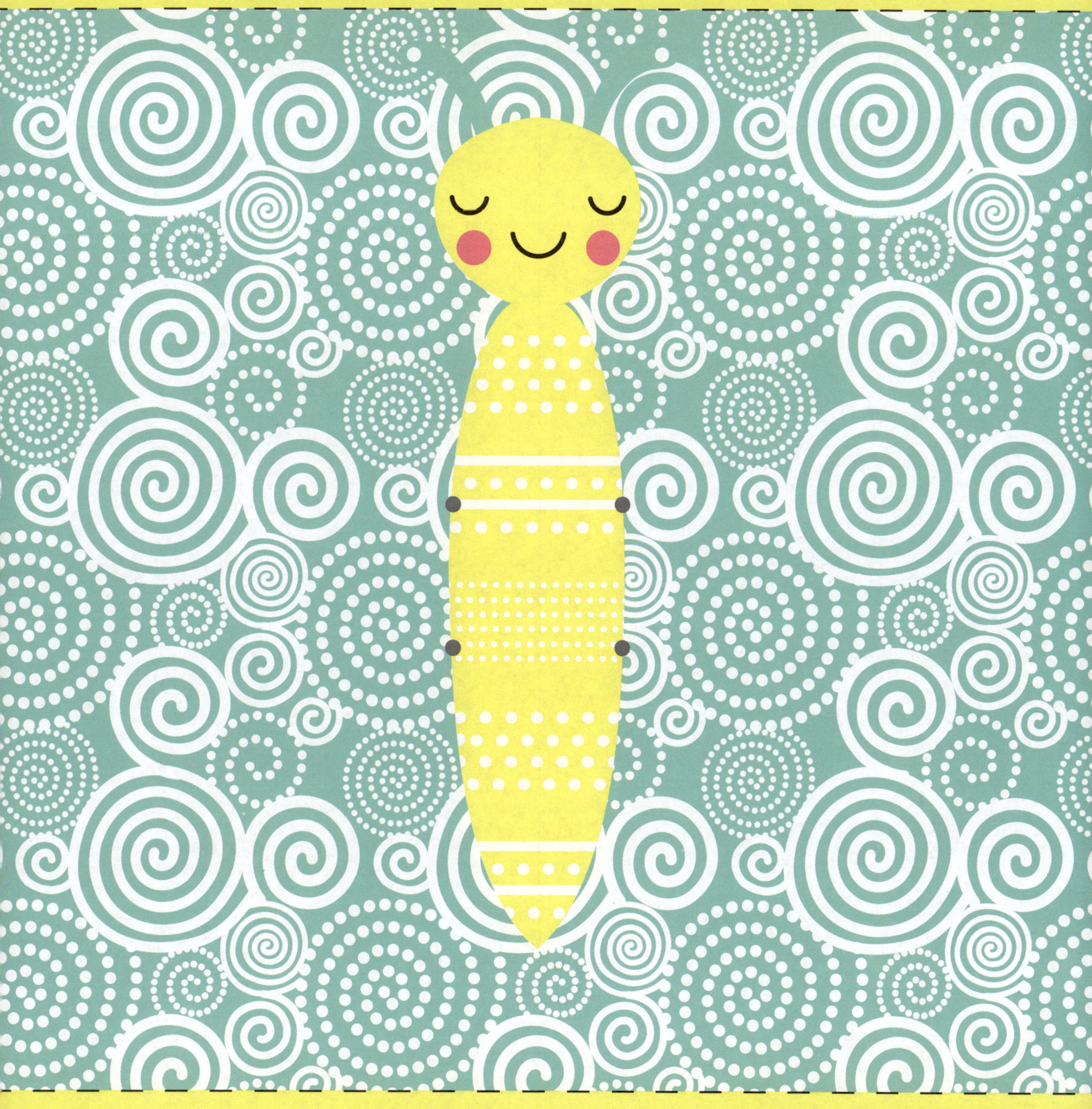

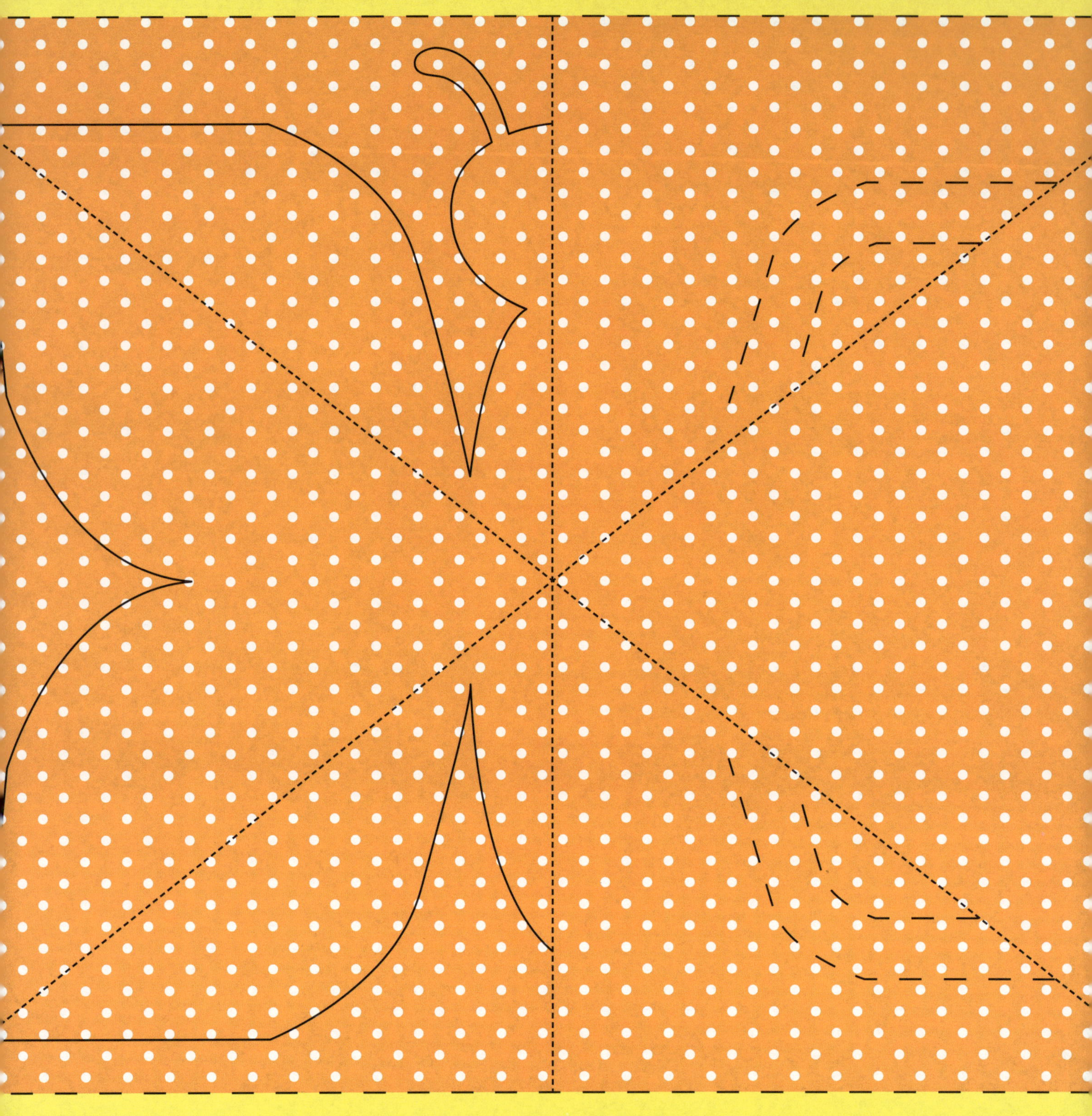

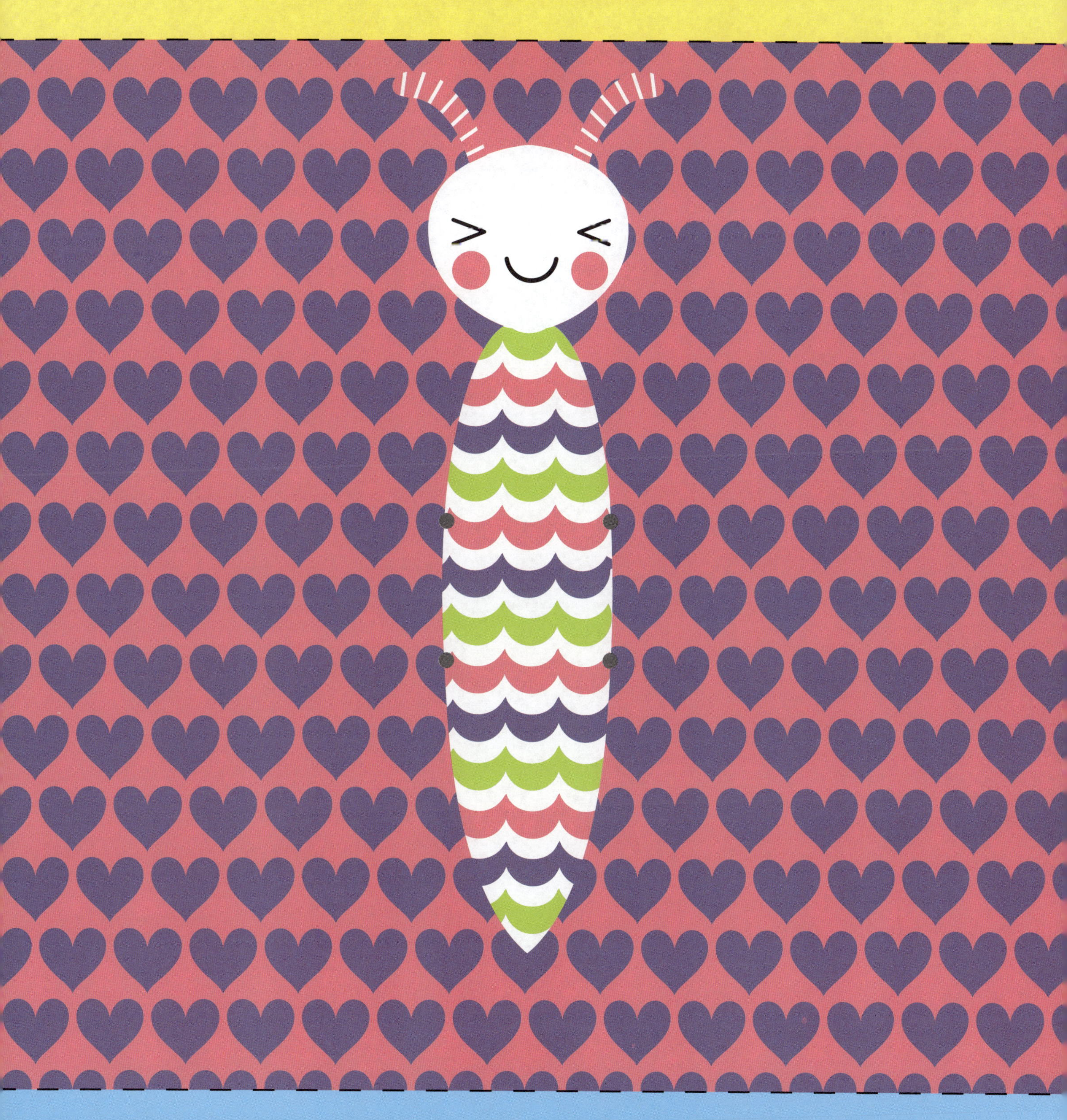

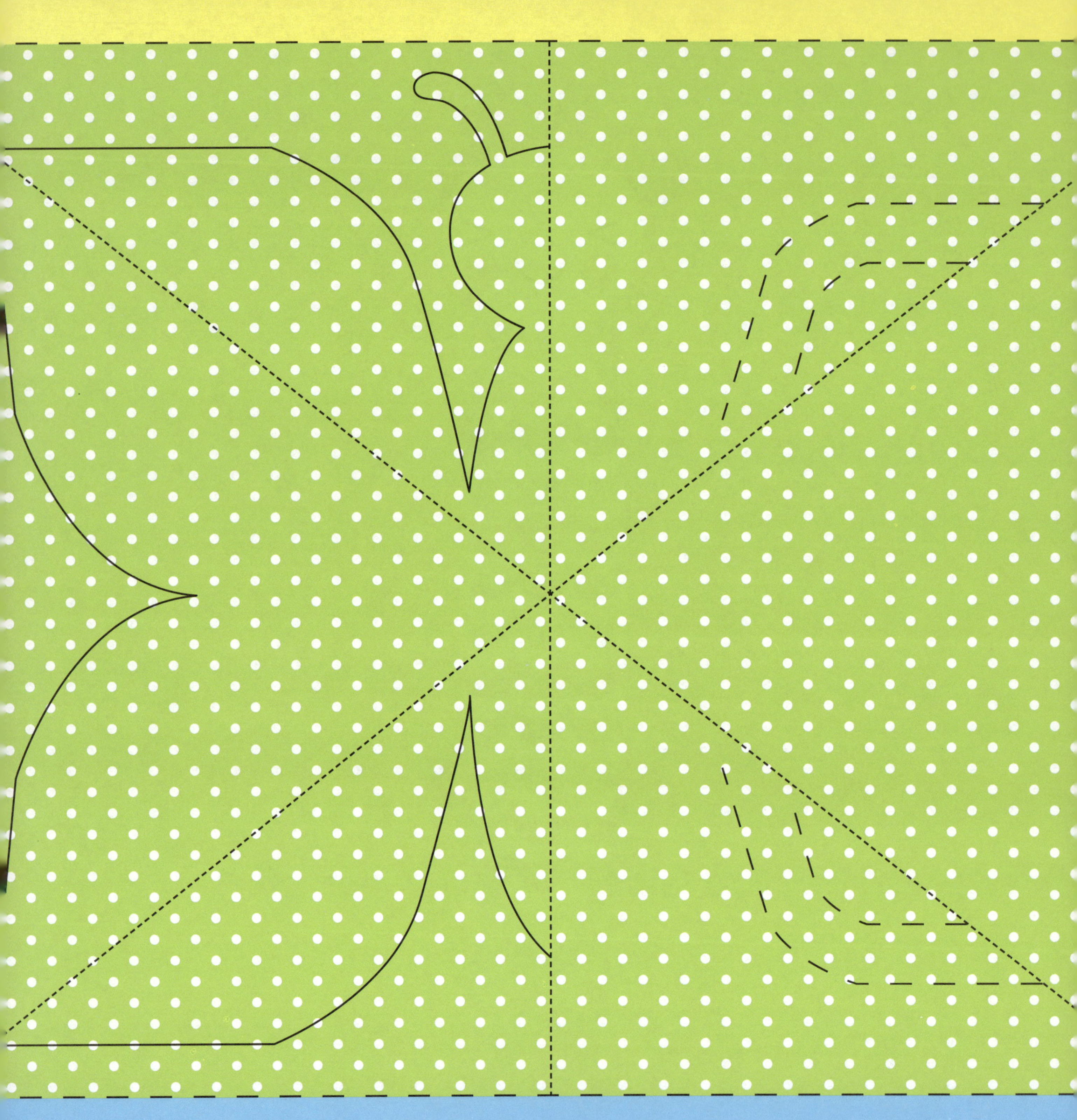

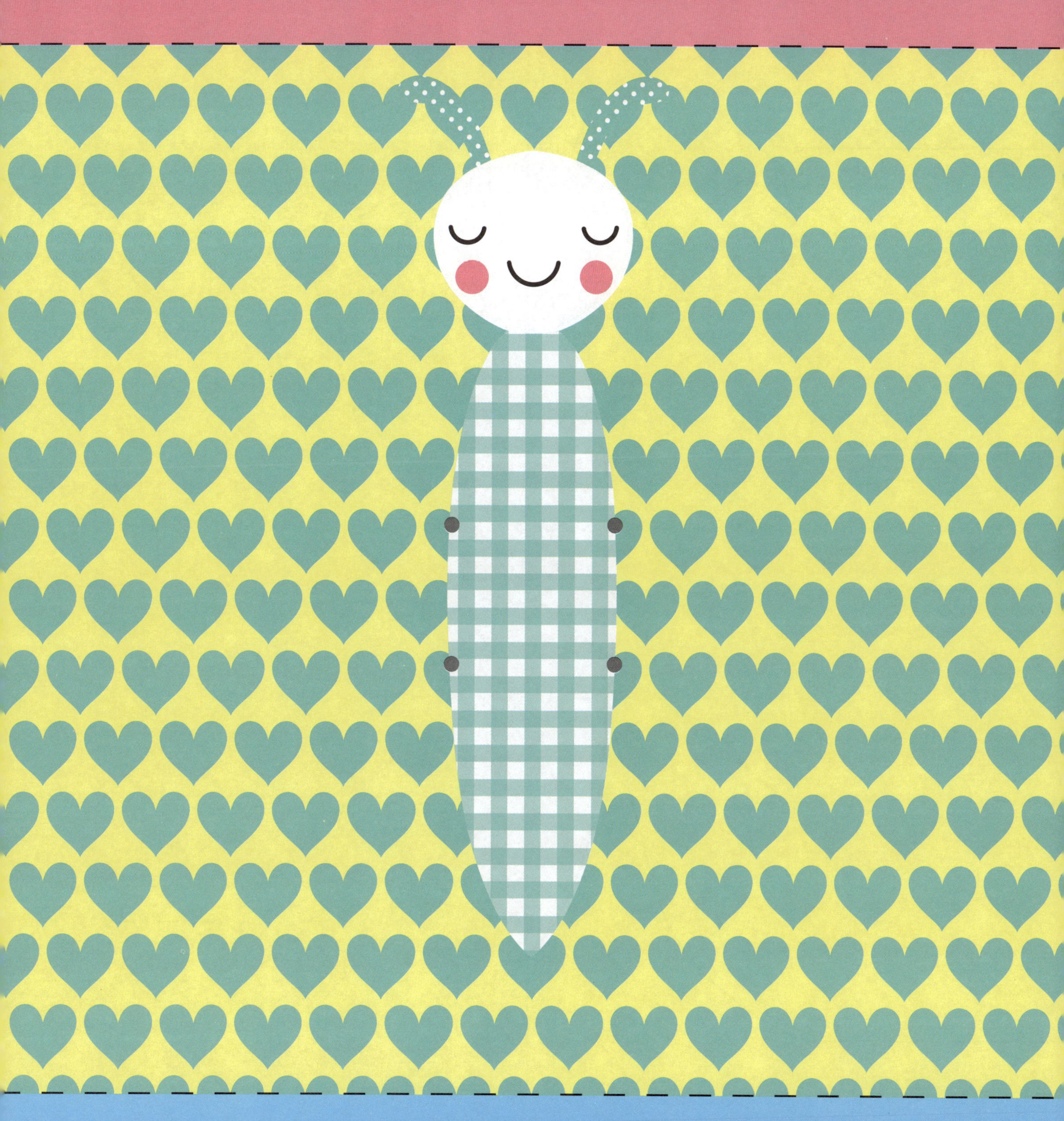

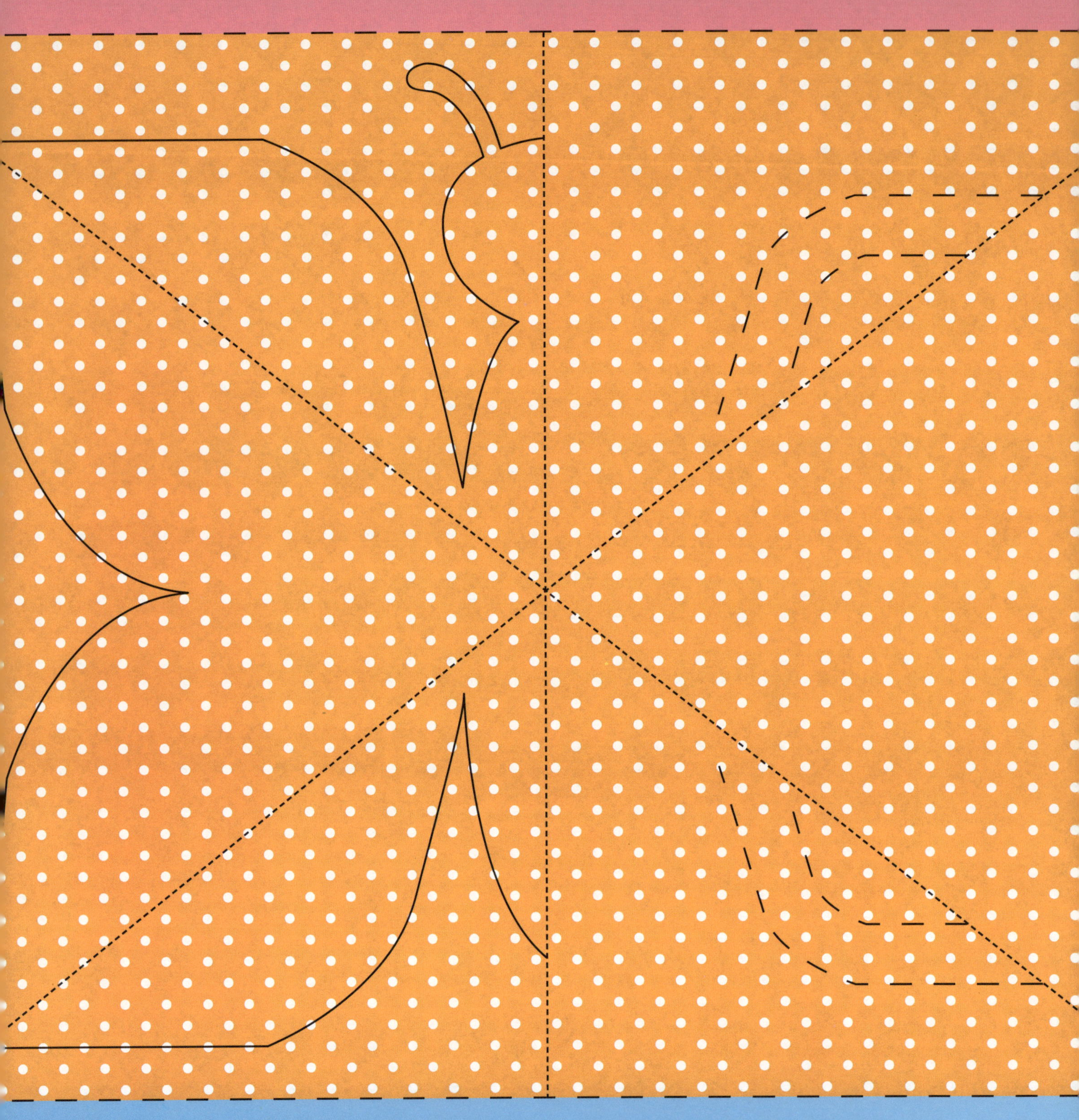

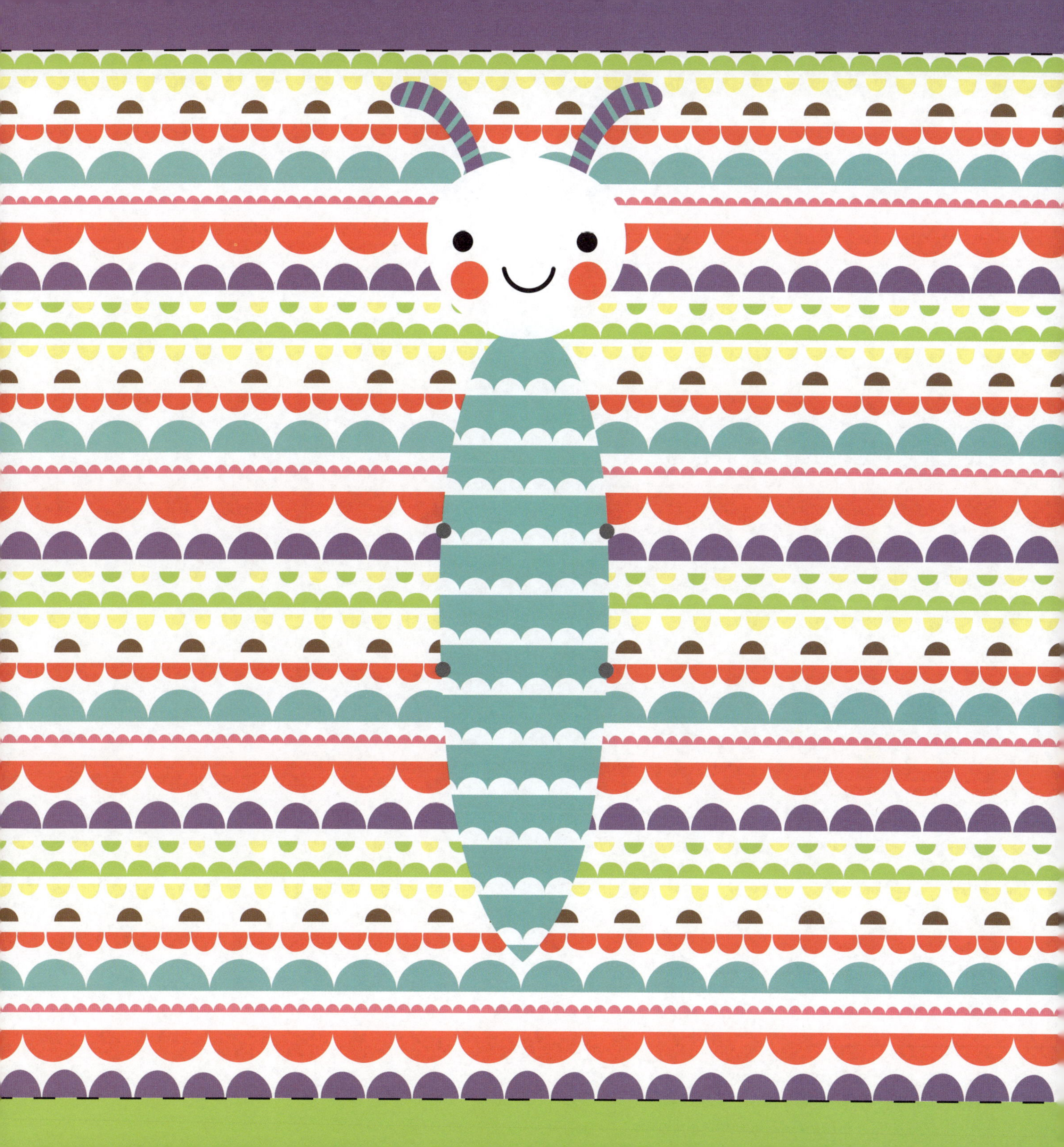

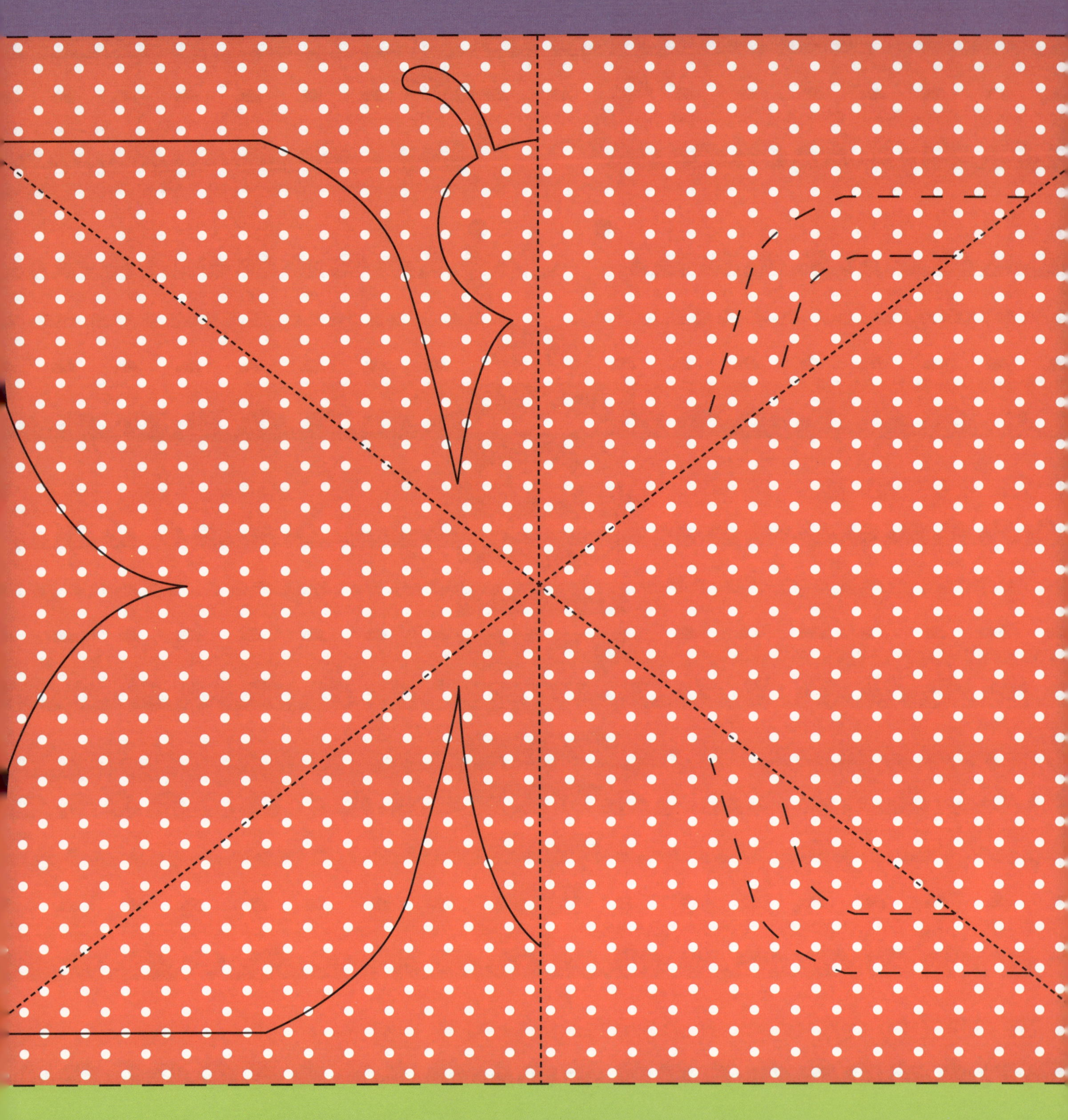

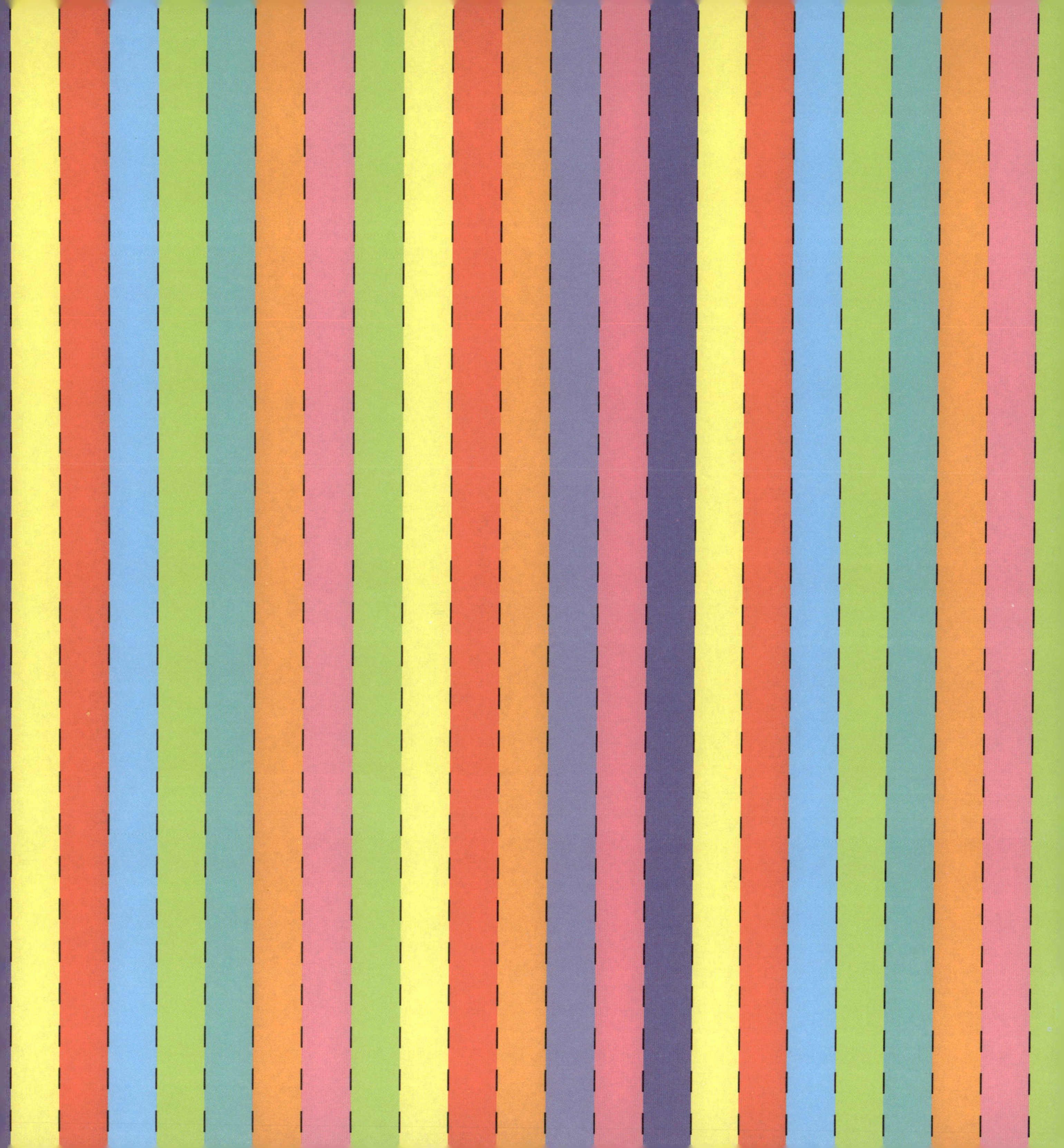

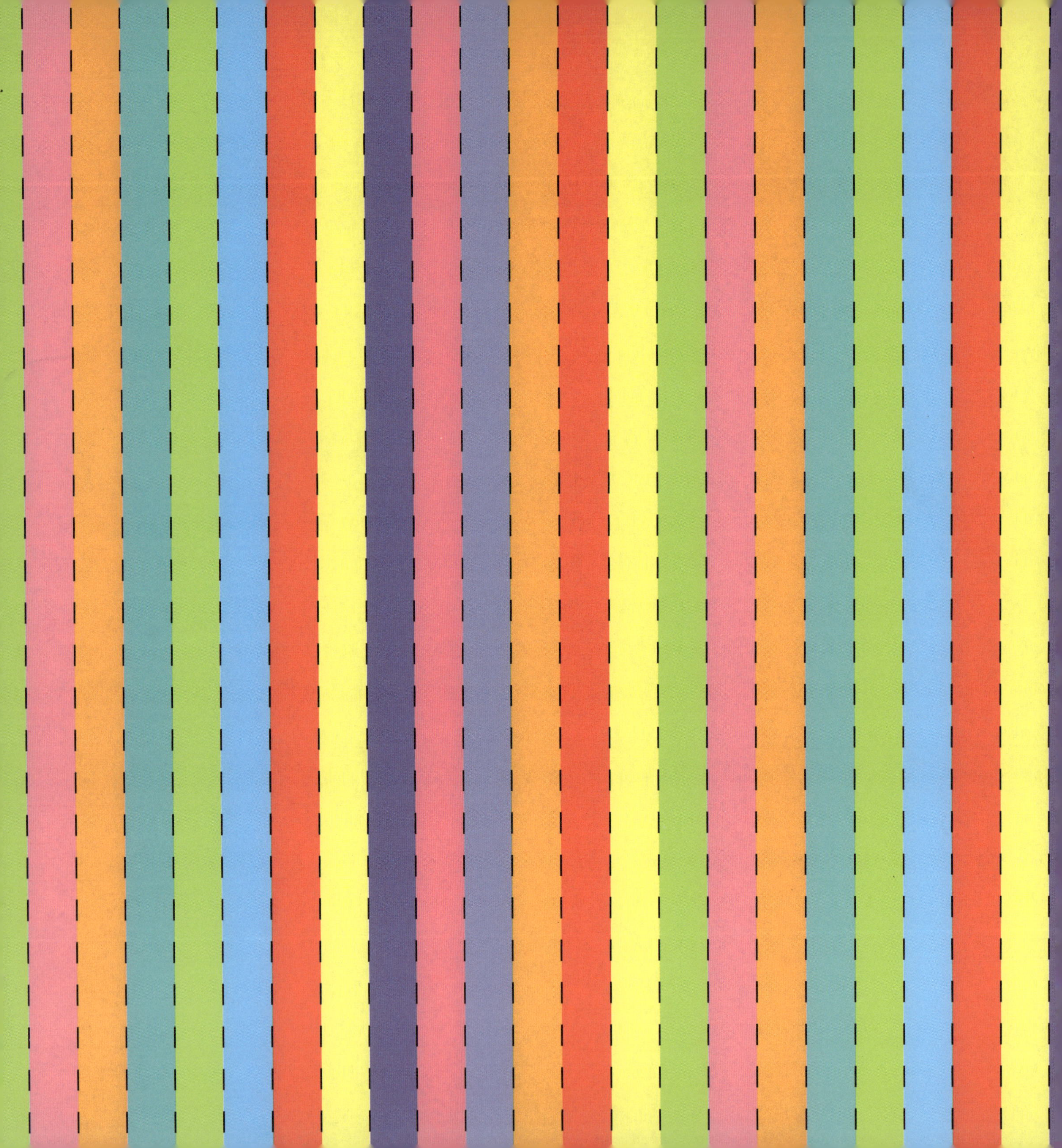